선재 업고 튀어

2

이시은 대본집

선재 업고 튀어 2

초판 1쇄 발행 2024년 7월 22일
초판 2쇄 발행 2024년 8월 22일

지은이 | 이시은
펴낸이 | 金滇珉
펴낸곳 | 북로그컴퍼니
책임편집 | 김나정
디자인 | 김승은
주소 | 서울시 마포구 와우산로 44(상수동), 3층
전화 | 02-738-0214
팩스 | 02-738-1030
등록 | 제2010-000174호

ISBN 979-11-6803-083-1 04810
ISBN 979-11-6803-081-7 04810 (세트)

선재업고튀어

2

북로그컴퍼니

왜 따라와...왜 자꾸 와...왜!
너한테 그렇게 못되게 굴었잖아.
근데 왜 나 걱정해? 너 바보야?!
어? 너 진짜 바보냐고!
내가 너만 생각하라고 했잖아...
나 같은 거 못돼먹은 애라고
실컷 욕이나 하고 마음에서 치워버리지!
왜 미련하게 굴어서 그런 일을 당해 왜!
제발 선재야...

그래 알았어. 미안해. 다 미안해...
그니까 울지 마. 응?

그냥 나 좀 모른 척해. 걱정하지도 말고!
내가 어디서 뭘 하든, 무슨 일이 생기든
제발...나 좀 내버려두라고...

9화 작가 코멘터리

맨정신으론 절대 말 못 할 것들을 솔이 취중에 터뜨려버립니다. 아무 말도 못 하고 피하기만
하는 솔이와, 아무것도 모르는 선재, 그걸 보는 시청자들도 얼마나 답답할까 싶은 마음에 솔
이가 감정적으로 한 번은 터뜨려줬으면 했거든요.
아무것도 모르면서... 그냥 내 앞에서 우는 솔이가 안쓰러워 무조건 미안하다고 말해주는 선
재가, 그런 선재라서 좋았어요.

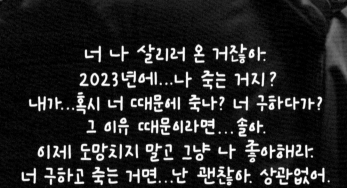

너 나 살리러 온 거잖아.
2023년에...나 죽는 거지?
내가...혹시 너 때문에 죽나? 너 구하다가?
그 이유 때문이라면...솔아.
이제 도망치지 말고 그냥 나 좋아해라.
너 구하고 죽는 거면...난 괜찮아. 상관없어.

10화 작가 코멘터리

겨우 스무 살인 선재가 사랑하는 사람에게 "너 구하고 죽는 거면...난 괜찮아. 상관없어."라는
말까지 할 수 있게 하려고 선재 시점의 짝사랑 장면을 중간중간 넣어가며 달려왔어요. 얼마나
좋아하면, 얼마나 사랑하면, 사랑하는 사람을 위해 죽을 수도 있을까요?
그 마음을 글을 쓰는 저도, 연기하는 배우도, 보는 시청자도 모두 '그럴 수 있지..' 하고 감정적
으로 받아들일 수 있었으면 했어요.

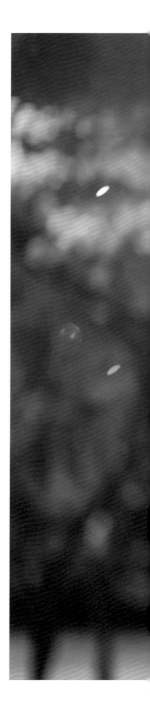

앞으로 나한테 무슨 일이 생겨도 절대.
너 CC대문이라고 생각하지 마.
내 운명은 내 거니까.
내 운명은 네가 아니라 나만 바꿀 수 있어.
내가 다치거나... 설사 죽는다고 해도,
너 CC대문이 아니라 그냥 내 선택의 결과야.
그러니까 죄책감 갖지 마.
그것 CC대문에 나 밀어내는 거...다신 하지 마.

11화 작가 코멘터리

'부지런히 달려갈게. 네가 있는 2023년으로.' 앞에 있던 선재의 대사
예요. 부분 편집이 되기는 했지만, 사실 이 씬은 이 대사를 위해서 썼
답니다.

선재는 내심 알지 않았을까요. 몇 번의 타임슬립으로 기억에서는 사
라졌지만, 무의식에 남아 있던, 솔을 구하고 그 범인에게 죽임까지 당
한 자신을요. 솔이 그걸 알면 죄책감을 느낄 것까지 본능적으로 알았
을 거라 생각했어요. 그래서 더욱 이 말을 선재 입으로 하게 해주고
싶었어요. 솔을 위해 목숨을 내던지고, 그것 때문에 슬퍼할 솔이까지
생각하는 선재의 깊은 사랑을 보여주고 싶어서 쓴 내사입니다.

그냥 이 시간에 갇혀서
못 돌아갔으면 좋겠어.

난...내일이 안 왔으면 좋겠어.

시계 확 망가뜨려 볼까?

그래볼까?

...그래보자.

내일이 오지 않았으면 좋겠다며.
눈 뜨기 전까진 내일이 오지 않을 거야.

진짜 계속 눈 감고 있어볼까?
그럼 어떻게 돼?

이 순간이 영원하겠지.

선재야. 너의 세상은 아직도...밤이니?

솔의 선택으로, 솔에 대한 모든 기억을 잃은 선재에게 이 세상은 영원히 아침이 오지 않는 깜깜한 밤일 거라고 생각했어요. 가슴속 한구석은 깜깜한 암흑이고, 항상 뭔가를 잃은 것 같은, 놓친 것 같은 마음으로 살았을 거라고요.

선재가 죽는 장면 다음에 일부러 이 장면을 배치했어요. 솔이 없는 선재에게는 밤뿐이나, 선재가 눈을 뜨고 아침을 맞이하는 날에는 결국 솔에 대한 기억과 사랑의 감정 그 모든 걸 되찾게 될 거라는 복선을 담고 싶었습니다.

그 남잔 정말 사랑했던 여자에 대한 모든 걸 잊고...
그렇게 사는 건가요? 새드엔딩이네...

해피엔딩이죠.
여자 입장에선, 남자를 살렸잖아요.

대신 사랑을 잃었죠.
사랑을 잃은 여자는 행복합니까?

당신이랑 엮이려면 죽을 각오 정돈 해야 합니까?
이러다 우리 여기서 같이 죽는 거 아닌가?

그 순간 생각했다.
우리의 운명은,
계속 같은 자리를 돌고 도는 이 관람차 같다고...

13화 엔딩이 모두에게 충격을 줄 거라고 생각했어요. 너무나 아름다웠던, 선재가 솔에게 반했던 그 순간을 사라지게 했으니까요. 그러나 그럴 수밖에 없었던, 솔이 마음을 보여주고 싶었습니다. 그리고 선재는, 본능적으로 그 이야기가 슬프다고 느낀다는 것까지 함께요. 솔이는 선재를 살렸으니 해피엔딩이라고 생각하지만, 이 이야기를 쓰는 저조차도 솔이가 행복하지 않을 것 같았어요.

선재는 무의식중에 또 솔이랑 함께 죽을 각오를 내뱉어요. 계속 같은 자리를 돌고 도는 관람차 같은, 지독한 운명의 수레바퀴... 하지만 결국 그곳에서 함께 내리면 해피엔딩이 되지 않을까 싶었어요. 선재가 솔이를 번쩍 안고 관람차에서 내리는 장면은 해피엔딩을 바란 저의 숨은 의도가 많이 들어간 씬이었답니다.

기억은 사라지는 게 아니여.
살면서 보고 듣고 느끼는
수만 가지 기억들이 모두 어디로 가겠어.
다...내 영혼에 스미는 거여.
그래서 머리론 잊어도
내 이 영혼은 잊지 않고 다...간직하고 있제.
할민 지금 기억 속을 여행 중이여.
세 살 적 엄마 품에서 어리광 부릴 때로도 갔다가...
열여덟 서방 만났을 때로도 갔다가...
그러다 또 우리 막둥이가 그리우면
이렇게 또 돌아오기도 하는 거제...

기획 과정에서 제 나름대로 정리한 '기억'에 관한 정의입니다.

사람은 살아가는 모든 순간을 다 기억하지는 못합니다. 가령 갓난아기 때의 기억 같은 것들.

분명 엄마 품속에서의 따뜻했던 기억이 있었을 텐데, 그 기억들은 다 어디로 가는 걸까요. 사라진다고 생각하면 슬플 것 같았어요.

그치만 내 영혼은 다 기억하고 있지 않을까... 그때의 감정, 느낌만은 사라지지 않고 어딘가에 남아 있지 않을까... 그러길 바라며 이 이야기를 만들어낸 것 같아요.

그러니 솔이가 타임슬립을 반복하며 기억을 바꾸고, 나중엔 아예 삭제시키려 해도 그럴 수가 없는 거죠. 이미 선재의 영혼엔 솔을 사랑했던 기억이 남아 있을 테니까요.

앞으로 나와 모든 시간을 함께해줘 솔아.

그럴게. 평생 옆에 있을게.

앞으로는 '모든 시간'을 평생 함께할 두 사람이니, 그런 두 사람의 가장 행복한 결말을 보여주는 대사가 아닐까 싶어요.

모든 시간을 함께하며 오롯이 서로만을 사랑할 솔과 선재이니까요.

일러두기

1. 이 책의 편집은 이시은 작가의 집필 방식을 따랐습니다.
2. 드라마 대사는 글말이 아닌 입말임을 감안하여, 한글맞춤법과 다른 부분이라 해도 그 표현을 살렸습니다. 지문의 경우 한글맞춤법을 최대한 따르되, 어감을 살리기 위해 고치지 않고 그대로 둔 경우도 있습니다.
3. 대사와 지문에 등장하는 말줄임표나 쉼표, 느낌표와 마침표 등의 문장부호 역시 작가의 집필 의도를 살리기 위해 고치지 않고 그대로 실었습니다.
4. 드라마에서 장면을 나타내는 '씬(Scene)'의 경우, 표준국어대사전에는 '신'으로 등록되어 있지만 작가의 집필 형식과 현장에서 쓰이는 방식에 따라 '씬'으로 표기했습니다.
5. 이 책은 작가의 최종 대본으로, 방송된 부분과 다를 수 있습니다.
6. 인터넷 소설을 패러디한 대사에는 본문 속 각주 표시하였습니다. 2권 속 패러디 대사는 다음과 같습니다.

   · 10화 27씬: 똥배엄마, 《하루만 사랑해》, 파피루스, 2003

      귀여니, 《아웃 싸이더》, 반디출판사, 2007(** 표시)

      귀여니, 《내 남자친구에게》, 반디출판사, 2007(*** 표시)

7. '작가 PICK 코멘터리' 속 대사는 캘리애 작가(@jeju_callilove)의 손글씨입니다.
8. 이클립스 '소나기' 가사 인용은 한국음악저작권협회의 승인을 받았습니다.

차례

플러스 스크립트 '어떤 하루' / '기억을 걷는 시간' 시나리오 / 작가 인터뷰 / 배우 인터뷰: 변우석, 김혜윤
/ Plus Script 'One Normal Day' / Interviews with The Writer&Actors

용어정리

씬	장면(Scene). 같은 장소, 같은 시간 내에서 이루어지는 일련의 행동이나 대사가 한 씬을 구성.
D	낮(Day). 그 장면이 이루어지는 시간대를 표시.
N	밤(Night). 그 장면이 이루어지는 시간대를 표시.
E	효과음(Effect). 등장인물은 보이지 않고 소리만 나는 경우에 사용.
F	필터(Filter). 필터를 거쳐 들려오는 전화기 너머의 목소리 등을 표현.
NA	내레이션(Narration). 등장인물 사이에 오가는 대사가 아닌 독백이나 시청자를 향한 설명.
O. L	오버랩(Overlap). 현재의 화면이 사라지면서 뒤의 화면으로 바뀌는 기법.
F. O.	페이드아웃(Fade-Out). 화면이 점차 어두워지면서 장면이 바뀌는 것을 의미.
F. O. F. I.	페이드아웃 페이드인(Fade-Out, Fade-In). 화면이 점차 어두워졌다가 다시 점차 밝아지며 장면이 바뀌는 것을 의미.
slow	화면의 움직임이 느리게 표현되는 기법.
인서트	Insert. 화면의 특정 동작이나 상황을 강조하기 위해 삽입한 화면.
몽타주	따로따로 편집된 장면들을 짧게 끊어서 붙인 화면.
디졸브	Dissolve. 한 화면이 사라지면서 동시에 다른 화면이 나타나는 기법.
컷 튀면	한 공간 안에서의 시간 경과나 각도 전환을 의미.
틸업	Till up. 카메라를 아래에서 위로 움직이며 촬영하는 기법.
팬하다	촬영기를 한곳에 고정시킨 채 상하좌우를 돌려 찍는 기법.

Lovely ♡
Runner
♡

9화

그때...보고 싶다고 말할걸...

그럼 아무 일도 없었을까?

씬/1 수술실 앞 (N)

솔, 혼비백산해서 달려가는데... 수술실 앞에 근덕이 참담한 표정으로 앉아 있다. 솔, 차마 가까이 못 다가가고 서서 수술실을 보는데 눈물이 그렁그렁 차오른다.

〈수술실 인서트〉 * 선재 수술 중인.

울먹이며 간절히 기도하며 서 있던 솔, 복도에 걸린 시계 보다가 문득 떠오른다.

〈인서트〉 * 7화 28씬
솔이 손목에 전자시계, 2:00:00에서 1:00:00으로 바뀌던 컷.

솔, "다시 되돌려야 돼..." 하며 다급히 어디론가 뛰어가는.

씬/2 한국대병원 입구 (N)

병원 관계자, 몰려든 기자들 출입 막고 있고. 다른 기자들, 병원 입구에서 속보 전하는 모습들 보이고. 솔, 빠르게 걸어 나오며 핸드폰으로 '류선재 시계 경매' '류선재 애장품 시계' 차례로 검색해보는데 정보가 안 뜬다.

솔	없어...혹시 아직 갖고 있나? 버렸으면 어떡하지? (걸어오는 동석 발견)
동석	(한숨 쉬며 걸어가는데 솔이 달려와 붙잡자) 어? 언제 오셨...
솔	(O.L) 선재 집 비밀번호가 뭐예요?
동석	네?? 갑자기 그건 왜...요?
솔	꼭...꼭 찾아야 되는 게 있어서 그래요. 빨리요.
인혁	(입구 쪽에서 솔이 동석과 얘기하다 급히 뛰어가는 모습 보는) 임솔?

씬/3   선재네 아파트 외경 (N)

씬/4   선재네 아파트 몽타주 (N)

현관 앞, 솔이 떨리는 손으로 다급히 비밀번호 누르고 들어간다.
거실, 솔이 들어오자마자 침실로 뛰어 들어간다.
침실, 솔이 들어오자마자 협탁, 붙박이장 문 열어서 시계 찾는데 안 보이고. 다시 거실, 곳곳에 시계 있을 만한 곳 싹 다 찾아보는 모습. 멀티룸, 드레스룸, 있을 만한 곳부터 없을 만한 곳까지 다 뒤져 보는데... 없다!
그때, 인혁이 들어오는데 솔이 정신없이 집 안을 뒤지고 있자 놀란 표정.

인혁	임솔. 너 뭐 하는 거야?!
솔	(보자마자) 너 선재 시계 어디 있는 줄 알아?
인혁	뭐?
솔	옛날에 선재가 차고 다니던 전자시계. 고등학생 때 계속 차고 다니던 건데 기억하지? 내가 그걸 지금 찾아야 되는데...!
인혁	(O.L) 갑자기 뭔 시계 타령이야? 선재가 누구 때문에 이렇게 됐는데! 정신 차려!
솔	다 되돌려놓으려고 이러는 거야. 선재 살리고 싶으면 당장 그 시계 찾아

야 돼.

인혁 선재 살리는 거랑 그 시계가 무슨 상관인데?!

솔 설명할 시간 없어. 그 시계 어딨어? 혹시 본가에 있어? 선재 아버지 어디 사셔?

인혁 (어이없고 황당한 표정)

솔 (말 안 해줄 것 같자) 그래. 내가 알아볼게. (지나쳐 나가려 하는데)

인혁 (솔이 붙잡으며) 그거 못 찾아!

솔 (멈칫, 돌아보면) 뭐?

인혁 예전에 니가 차고 다니던 거랑 똑같은 시계 말하는 거 아니야? 그거 이미 오래전에 잃어버렸어.

솔 (쿵) ...!!

인혁 진작에 잃어버렸다고! 옛날에 선재도 여기저기 샅샅이 찾았는데 결국 못 찾았어.

솔 없...다고? 정말 없어?

인혁 그래! 도대체 그 시계가 뭔데 이래?

솔 ..... (털썩 주저앉는. 절망적인 표정에서)

씬/5 현재 솔이네 아파트 거실 (N)

복순, 선재 피습 사건 뉴스특보 보고 있는데 솔이 들어온다.

복순 너 어디 갔다 이제 와...걱정했잖아. 많이 놀랐지?

〈TV 뉴스 화면 인서트〉

기자 ...용의자 김 씨와 함께 수감 생활을 했던 한 교도소 동기의 증언에 따르면, 용의자 김 씨가 지난 2009년 5월 자신의 범행을 목격하고 결국 검거에 이르게 한 류선재 씨에게 오랫동안 앙심을 품고 있었다고 하는데요. (멘트 이어지고)

솔 (뉴스 보며 OFF) 저게 다 무슨 말이야...범인 그때 잡힌 거 아니었어? 어떻게 2009년에 선재가 김영수를... (철렁 ON) 엄마. 혹시 나 납치됐었던 게 2009년이야?

복순 그래. 너 대학 입학하고 얼마 안 됐을 때니까. (안타까운) 이를 어쩌니 정말...

솔OFF 내가 그때 현재로 돌아오는 바람에 신고가 안 됐던 거야. 그럼 김영수가 2009년에 날 다시 찾아왔던 건가? 혹시 그때 선재가 목격하고 날 구해준거라면... (불안한데)

기자(E) ...명백한 보복 살인 의도를 가진 계획 범죄로 보고 수사를 이어 나갈 예정이라고...

솔 (기자 멘트 꽂히고) 보복 살인 의도...? (쿵!) 설마...아니겠지...아닐 거야.

씬/6   카페 (D)

솔, 김형사와 대화 중이다. 솔, 무너져 내리기 직전, 간신히 버티는 모습.

김형사 김영수가 출소하고 너 찾아갈까 싶어서 걱정했었다. 신변 보호 신청하라고 말해주려고 했는데, 선재한테 찾아갈 줄은 나도 미처 예상 못 했어.

솔 (절박한 마음) 혹시...사건 현장에서 시계 같은 거, 발견된 건 없었나요?

김형사 시계?

솔 네. 오래된 전자시곈데 혹시 선재가 갖고 있었나 해서요.

김형사 그런 건 없었는데?

솔 (실망) 아...네...제가 부탁드린 건...

김형사 아, 그래. (서류 봉투를 건네주며, 전화 들어오자) 잠깐. (전화받으며 일어나면)

솔, 봉투 받자마자 2009년 당시 영수 사건 자료를 꺼내 본다. 획획 자료 넘겨 보다가 '목격자 진술서'에서 멈칫... 인적 사항에 '류선재' 이름 쓰여 보며, 진술 내용 읽어 내려간다. 사건 자료를 들고 있는 손이 떨린다. 울컥 눈물 차오르고... (진술서 넘기는 장면과 2009년 사건 장면 교차되어 보여지는. 과거 사건 장면 과정 자세하지 않게 컷컷 느낌, 7화 13씬과 같

은 구도 다른 장소 포인트로)

〈2009년 사건 인서트〉*'선재의 목격자 진술서' 75쪽 수록
(자막) 2009년 5월 10일
#1. 주택가 건물 (N)
솔, 걸어가는데 모자 눌러쓴 영수가 어둠 속에서 확 나타나, 놀란 표정.

(컷 튀면)
선재, 담벼락 아래 떨어진 솔의 가방과 '09학번 임솔' 적혀 있는 전공 책
발견하고 놀란 표정. 그때 "꺅!" 하는 비명 소리가 선재 귀에 꽂힌다.
선재, 핸드폰으로 112에 전화 걸며 소리가 난 쪽으로 다급하게 달려가는.

#2. 으슥한 골목, 폐건물 앞 (N)
달려온 선재. 주위 살피는데 조용하다. 솔에게 전화 걸어보는데 바로 옆,
폐건물에서 핸드폰 벨소리가 작게 들려온다. 벨소리를 쫓아 건물로 뛰어
들어가는.

#3. 폐건물 (N)
선재, 영수에게서 도망쳐 달려오던 솔과 마주친다. "솔아...!" 선재를 본
솔, 기운 빠져 쓰러지고. 솔을 쫓아 달려오던 영수와 맞닥뜨리는 선재.
영수, 에이 씨... 도망치려 하면, 선재, 달려들어 영수를 덮쳐 쓰러트리는
컷. 일어난 영수가 선재를 유리창 쪽으로 힘껏 밀치고, 쓰러진 선재 목 조
르는 컷.
선재, 손을 뻗어 더듬더듬 간신히 잡은 벽돌을 집어 들어 영수의 얼굴을
내려친다. 그때, 밖에서 들리는 경찰차 소리. 깨진 창문 안으로 사이렌 불
빛 들어오고, 얼굴에 피를 흘리며 일어난 영수가 선재를 살의에 찬 눈빛
으로 노려보는 데서....

#다시 카페

솔   (모든 전말을 깨달은 표정. 심장 쿵 내려앉고) 선재...나 때문에 죽은 거였

어?! (진술서 잡고 있는 손 덜덜 떨리고, 무너진다. 눈물 흐르는)

씬/7   솔이네 아파트 솔이 방 (N)

바닥에 사건 자료 흩어져 있고... 솔, 바닥에 웅크리고 앉아 고개 푹 숙이고 있다. 그때, 방문 벌컥 열리고. 현주가 울먹이며 들어온다.

현주   솔아...! (솔의 얼굴 살피는데)
솔   (현주 손길에 천천히 고개를 든다. 넋이 나간 표정)
현주   너...괜찮아?
솔   ...막을 수도 있었어.
현주   (울음 참으며) 니가 어떻게 막아. 못 막아. 싸이코가 달려드는데 무슨 수로 막아.
솔   다...나 때문이야.
현주   아니야. 그 나쁜 놈 잘못이지 어떻게 이게 니 잘못이야.
솔   (울컥 눈물 흘리며) 나...선재한테 미안해서 어떡해...
현주   (안쓰럽게 보는)
솔   내가 당했어야 되는 건데. 애초에 그때...내가 죽었어야 되는 건데..! 선재가 나 구하는 바람에 이렇게 된 거잖아! 선재 잘못되면 나 어떻게 살아? 응?
현주   그런 말이 어딨어! 너 잘못되면 우리는! (꼭 안아주며) 깨어날 거야. 걱정하지 마.
솔   (현주 품에 안겨 오열하는)

씬/8   한국대병원 중환자실 앞 + 로비 (D)

중환자실 입구가 보이는 쪽 의자에 앉아 있는 근덕. 며칠 잠 못 이루고 수척한 모습에서 팬하면, 로비 일각 TV에 뉴스 흐르고 있는. '류선재 3일째 의식 불명 상태'

기자(E) ...안타깝게도 현재까지 의식 불명 상태인 걸로 확인됐습니다. 가족들과
팬들은 류선재 씨가 의식을 되찾기를 간절히 기도하며... (이어지고)

씬/9   솔이네 아파트 솔이 방 (D)

식음 전폐하고 누워 있는 솔. 핸드폰 알람이 계속 울리는데도 무시하고
있다. 멈췄다가 다시 알람이 울리기 시작하자 힘없이 일어나는 솔.
바닥에 흩어져 있던 사건 자료 아래에서 핸드폰을 찾아 전원 꺼버리고
툭 내려놓는데. 핸드폰 아래, 증거 사진이 실린 페이지가 눈에 들어온다.
주워 들어 자세히 보면, 사건 현장에서 찍힌 '피해자 물품' 사진이다. 사
건 당일 솔이 들었던 가방, 핸드폰, 전공 책 등... 그리고 선재 전자시계가
함께 찍혀 있다!

솔   이게 왜...! (가만 보다가 뭔가 생각난 듯 다시 핸드폰 들어 '김형사님' 전
화 거는)
김형사(F) 여보세요?
솔   김형사님. 저 뭐 좀 물어볼 게 있어서요. 사건 자료에 피해자 물품이라고
증거 사진 찍혀 있는 게 있는데 이 물건들은 경찰서에서 보관하나요?
김형사(F) 어? 아...아니. 조사하고 나서 돌려주지. 그건 왜?
솔   !! (표정) 아니에요. 감사합니다... (끊고, 증거 사진 다시 가만 보며 생각)
혹시...

솔, 벌떡 일어나 옷장, 책상 등을 미친 듯이 뒤지기 시작한다. 다 들어 엎
어가며 찾아보는데 시계 안 보이자 뛰쳐나가는.

씬/10   솔이네 아파트 안방 + 거실 (D)

솔, 안방으로 달려가 정신없이 옷장, 서랍장 다 뒤져보고 있는데.

복순	(들여다보며) 솔아! 너 뭐 해? 뭐 찾아?
솔	엄마! 옛날 물건들 따로 모아둔 거 없어? (하는데 복순 뒤에 선 말자 손목에 깜빡이는 불빛 보이는) 할머니 잠깐만!! (달려가 말자 손목 잡고 보는데 선재 시계다!)
말자	(묘한 표정) 내가 잘 갖고 있었어 언니야.
솔	...!!
복순	엄마 또 솔이 물건 만졌어? 그러지 말랬잖아. (타이르며 시계 끌러 솔에게 주는)
솔	(시계 받아 보면 숫자 1:00:00에 멈춰 있고 화면 빛이 깜빡이고 있는) ...찾았어!

씬/11 한국대병원 외경 (N)

씬/12 한국대병원 중환자실 앞 + 안 (N)

선재, 아직 의식이 돌아오지 않은 상태로 누워 있고.
솔, 차마 들어가지 못하고 유리창 밖에서 선재 모습 보고 있다.

솔OFF	왜 하필 내게 과거로 돌아갈 수 있는 기회가 주어진 건지...이제 알았어. 내가...이 모든 비극의 시작이었으니까. (울음 꾹 참고) 미안해 선재야...다 나 때문에 벌어진 일이니까...이번엔...꼭 바꿀게. (울음 꾹 참고 굳게 다짐하는 표정)

복도에 걸려 있는 시계 본다. 밤 11시 59분이다. 전자시계를 꺼내는 솔.
0시 00분으로 바뀌자, 시계에 불이 들어온다. 그 순간, 시계 버튼을 힘껏 누르면, 시공간 멈추고, 블랙아웃.

씬/13 캠퍼스 일각 (D)

솔, 눈 번쩍 뜨고, 솔이 눈에서 카메라 쭉 빠지면 파란 하늘. 캠퍼스 전경.

솔OFF 어디지? 돌아온 건가?
학생들(E) 어어! 위험한데? / 조심! 조심! (웅성웅성)

솔, 고개 살짝 들고 내려다보면 학생들 몰려와서 올려다보며 수군대고 있다. 보면, 솔... 캠퍼스 한가운데 있는 커다란 동상 등에 올라간 채 엎어져 있는.

솔 (헉!) 뭐야? 여기 왜 올라와 있어? (조심히 일어나 앉아 둘러보면 대학 건물들 보이고 '연서대학교 09학번 새내기 환영' '09학번 동아리 신입 모집' 현수막들 보이는) 2009년...? 연서대?!! (놀란 표정)
학생들 와...대박이다. (수군대며 사진 찍어대는데)
현주 (식겁한 표정으로 뛰어와 소리치는) 임소오올! 솔아! 어떡해 어떡해애!

솔, 내려다보려다 순간 발이 미끄러지며 동상에서 떨어진다.
현주, 꺅! 놀라 소리치고. 동시에, 체육교육과 남학생들 4명(*현규, 초롱 등) "떨어진다! 받아!" 달려간다. 솔, 하늘 바라본 자세로 팔을 허우적대며 떨어지는 모습 slow...

솔OFF 오자마자...이렇게 죽는 거야? 안 되는데? 죽어도 선재는 살리고 죽어야 되는데?

한편, 선재, 음악 들으며 걸어가는데 남학생들이 하늘 보며 우르르 달려오자, 갸웃하며 멈춰 서서 올려다보려는 순간! 훅 떨어지는 솔을 얼결에 팔로 받는다!
남학생들, 선재 팔 아래로 솔을 같이 받아서 받치고 있다가 "와...나이스 캐치." 남학생들 뒤로 물러나면 그제야 눈 마주치는 솔, 선재. 정지 화면처럼 굳어 있다.

현주	감사합니다~~~ (인사하며 달려오는데 선재 알아보고) 어? 류선재?!
솔	!!!! (순간 헉! 하며 정신 차리고 폴짝 뛰어내려 미친 듯이 도망친다)
현주	야! 어디 가! (황당한 표정)
현규	(선재 쿡 찌르며) 야야! 맞지? 우리 고3 때 너 쫓아다니던. 자감여고 걔.
선재	(멀리 도망치는 솔이 보는 표정에서)

씬/14 캠퍼스 일각 2 (D)

솔	(건물 뒤편으로 달려와 멈춰 서는) 하...하필 떨어져도 거기로 똑 떨어져...
현주	(쫓아와서) 야. 류선재한테 고맙단 말도 안 하고 가냐? 바닥에 떨어져 죽을 뻔한 거 구해줬더니만.
솔	(맘 아픈) 그러니까...매번 왜 그러냐고... (속상한) 근데 선재가 여기 왜 있어?
현주	류선재 쟤 체교과 다니잖아~ 금이 오빠랑 같은 과. 너 아는 줄 알았는데?
솔	뭐? (OFF) 전엔 졸업 전에 회사랑 계약해서 대학 안 갔었는데?

〈솔 회상 인서트〉
*4화 36씬. 선재 방에서 김대표 명함 찢어버리던 컷.
*4화 29씬. 인혁에게 "오디션 갈 일 있을 때 절대 선재 데리고 가지 마!"

#다시 현실

솔OFF	그동안 헛짓거리만 하다가 아까운 시간만 날려먹었네...하... (자책)
현주	쟤네 학식 가는 것 같던데 우리도 가자. 이것두 인연인데 가서 인사라두...
솔	(O. L) 안 돼. 나 선재 얼굴 못 봐... (울컥하는데 애써 누르며) 미안해서.
현주	(피식) 야. 설마 전에 걔 찬 것 땜에 그래? 너 작년에도 갑자기 독서실 때 려치우고 티 나게 피해 다니더니 아직도 그러냐?
솔	응. 그래야지. 나랑 엮여봐야 좋을 거 없어. 선재한테.
현주	오바는...이쁜 애가 널렸는데 뭐 하러 한 번 까인 너랑 계속 엮이려 들겠냐?

솔	그럼 다행이고... (뭔가 결심) 먼저 갈게. 갈 데가 있어. (가려는데)
현주	지금? 야야 잠깐. 이거 내일 꼭 챙겨와! (*갈색 쇼핑백 들려주자마자 급히 뛰어가는 솔이 보며) 근데 다음 전공인데 쩨는 거야? 잠잠하더니 왜 또 시작이래?

씬/15 대학 학생식당 (D)

선재, 밥 먹는데, 키득대는 소리에 돌아보면. 현규, 초롱 동상 위에서 엎어져 자는 솔이 사진 보며 웃고 있다.

현규	대박...여기 어떻게 올라갔지?
초롱	아까 애들이 쩝다르크라고 하는 거 들었냐? 짱 웃겨.
선재	(초롱 손에서 핸드폰 확 뺏어 들고 솔이 사진 지운다)
초롱	왜애!
선재	누구 맘대로 사진을 찍어. 얘가 허락했어?
초롱	(뜨끔) 야. 기자들이 특종 사진 다 허락 맡고 찍냐?
선재	니가 기자냐? (한심하다는 듯 고개 저으며 일어나서 가면)
초롱	왜 저래? (삐죽이다가) 아! 다 먹은 거지? 내가 먹는다!
다혜	(식판 들고 오는데) 어? 선재 벌써 갔어?

씬/16 경찰서 앞 (D)

솔(*갈색 쇼핑백), 멈춰 서서 핸드폰으로 날짜 본다. **2009년 3월 17일.**

〈솔 회상 인서트〉
사건 자료 타이트. '사건 발생: 2009년 5월 10일 밤 12시~새벽 1시경'

솔OFF	김영수가 날 찾아오기 전에만 잡으면 돼. 그럼 선재한텐 아무 일도 없을 거야.

씬/17 경찰서 안 (D)

솔, 경찰 앞에 앉아 피해자 진술하고 있다.

경찰   그러니까 2008년 9월 1일에 집 앞에서 택시로 납치를 당하셨다구요? 근데 왜 그때가 아니라 몇 개월이나 지난 지금에야 신고를 하는 건지 이해가 잘...

솔   그때 당시에는 제가 충격 때문에 기억을 잃었었거든요. 근데 기억이 돌아왔어요.

경찰   (못 믿겠는 듯) 갑자기요? 그럴 수가 있나?

솔   (안 믿는 것 같자) 절 납치했던 범인. 주양저수지 사건이랑 동일범이에요.

경찰   (멈칫) 네?

솔   제가 범인이 누군지 알아요. 기억났어요. 얼굴, 이름, 직업까지 다. (영수 차 키 꺼내 책상에 탁! 내려놓으며) 이게...그놈 차 키예요!

경찰   !!! (표정)

씬/18 도심 외경 (N)

씬/19 호신용품 매장 앞 거리 + 골목 (N)

솔, 호신용품 매장에서 나온다. 솔이 손에 쇼핑백 하나 더 늘어 있는.

솔   범인 신상 정보 싹 다 넘겼으니까 빨리 잡히겠지...그럴 거야. (하면서도 내심 불안해 한숨 쉬며 쇼핑백 들여다보면 안에 호신용품들 잔뜩 들어 있는) 그래도...혹시 모르는 거니까. 내 몸은 내가 지켜야지.

솔, 걸어가는데 거리 옆으로 난 골목길 보이자 멈칫. 갸웃하며 다시 되돌아가 으슥한 골목 들여다본다. 껄렁해 보이는 남자 서 있고, 그 앞에 중학생이 훌쩍이며 울고 있다. 그때, 남자가 중학생한테 손을 뻗는 모습 보이자 순간 욱하는 솔. 쇼핑백에서 호신용 삼단봉 꺼내 들고 "그 손 안 놔?!" 소리치며 달려간다. 남자가 깜짝 놀라 돌아보는데, 태성이다. (*솔이와 똑같은 갈색 쇼핑백 들고 있음)

솔	(삼단봉 들고 멈칫) 김태성?
태성	전여친?
솔	(태성 손에 들린 만 원짜리 지폐 보이자 돈 뺏은 줄 오해하고) 너 너!
태성	니가 여기 왜... (하는데)
솔	(O. L) 이 한심한 놈아. 너 아직도 이러고 사니? (삼단봉 냅다 휘두르면)
태성	(헉! 놀라 피하며 삼단봉 잡아 확 뺏으며) 왜 이래?
솔	제발 제대로 좀 살라고 그렇게 얘길 해줬는데! 어? 스무 살이나 먹고 애들 삥이나 뜯고 다니냐고! (아줌마처럼 등짝 찰싹찰싹 때리는데)
중학생	돈 찾아주셔서 감사합니다. (꾸벅 인사하고 후다닥 뛰어가면)
솔	(멈칫) 어? 가, 감사? (갸웃하다가 상황 파악. 헉! 태성 보면)
태성	(어이없는 표정에서)

씬/20 편의점 앞 (N)

편의점 앞 테이블에 마주 앉아 있는 솔, 태성.
솔, 삼단봉 접어 쇼핑백에 넣는데 태성, 그런 솔이 보며 피식 웃고 있다.

솔	(민망한 듯) 오해해서 미안하다.
태성	(반 장난) 도대체 머릿속에 내 이미지가 어떻길래 매번 이런 식으로 날 막 대하지?
솔	니 인생이 걱정돼서 그런 거지. 너 인생 막살 운명이었다니까? 졸업은 했니?
태성	내 졸업 사진 보고 싶다는 말을 이런 식으로 한다~ (핸드폰에 졸업 사진 보여주는)

솔	어머...진짜 졸업했네! 웬일이야. (기특해서 어깨 토닥이며) 어이쿠. 그래 그래. 잘했다. 잘했어. 장하다 김태성. 정신 차렸구나?
태성	뭐야... (눈치챘단 듯) 아~ 그거구나? 왜. 오랜만에 보니까 나 좀 멋있어?
솔	뭐?
태성	일부러 이러는 거잖아. 재회의 순간을 내 뇌리에 딱~ 박히게 하려고. (씩 웃으면)
솔	딱~ 쥐어박히려고 이러는 거야?
태성	잠깐. (솔이 눈 뚫어져라 보며) 우리 성숙한 자아를 가진 솔이가 다시 돌아온 것 같은 이 기분 뭐지? 그러고 보니까 뭔가 달라졌어.
솔OFF	귀신이네... 눈치챘나? (긴장, ON) 왜, 왜 그렇게 봐?
태성	(솔이 눈 가만 보는데 가슴 떨리고, 씩 웃으며) 더 이뻐졌네 전여친?
솔	으이그. 성격은 안 변했구만. 그냥 아무 여자한테나 막 이쁘다고. 쯧쯧. 그래서, 졸업하고 뭐 하고 살아? 옷 꼬라지 보아 하니 맨날 술 먹고 놀러 다니지? 그치?
태성	(어이없단 듯) 하하하, 옷 꼬라지라니? 이거 이번 시즌 매출 대박난 옷이거든?
솔	매출? (놀라) 너 사업해?
태성	집에 가서~ 투멥남 김태성 쇼핑몰 한번 검색해봐.

〈솔이 집 금이 방 인서트〉
금이 컴퓨터 앞에 앉아 초록창에 '투멥남 김태성 쇼핑몰' 검색하고 있다. 'GanziNam' 쇼핑몰 클릭해서 들어가 보면 모델이 태성이다. (*당시 배정남 패션. 쇼핑몰 모델 포즈로 찍은 태성 사진들 쭉 떠 있는) "간지나네..." 하며 옷 고르는.

#다시 편의점 앞

태성	(핸드폰 시간 확인하더니 갈색 쇼핑백 들고 일어나는) 그만 가야겠다. 강렬한 재회를 노렸으면 성공했어. 또 보자 누나~ (손 흔들고 가는)
솔	으휴... (가는 모습 보다 피식 웃는) 그래도 다행이네...잘 살고 있어서.

씬/21 경찰서 입구 (N)

태성이 들고 온 갈색 쇼핑백을 건네주는 사람, 김형사다.
꾀죄죄한 김형사, 경찰서에서 대충 씻었는지 목에 수건 걸고 슬리퍼 신고 있는.

태성　　(데면데면) 대충 챙겼어. (까칠) 담부턴 사 입든가. 직접 와서 챙겨가든가.
김형사　사건 해결이 안 됐는데 어떻게 집엘 들어가냐.
태성　　(비꼬는) 늘 그놈의 일이 더 먼저지. (가려는데)
김형사(E)　야 태성아! 근데 팬티 가져오라니까는 이게 뭐냐?
태성　　팬티가 팬티지 그럼! (하며 돌아보면, 김형사가 '연서대 신방과 09학번'이라 적힌 티셔츠를 몸에 대고 있다) 에?? (황당한 표정에서)

씬/22 인혁 자취방 (N)

선재, 키보드 앞에 앉아 직접 그린 악보(*피아노 코드 악보. 여러 번 수정한 듯 낙서처럼 끄적여놓은 가사도 같이 적혀 있는) 보며 조금 서툰 연주하고 있는데 멜로디가 '소나기'다. 그러다 갑자기 연주 멈추는 선재.

〈선재 회상 인서트〉 *13씬
솔이 도망치던 장면 스치고.

선재　　뭘 그렇게까지 귀신 본 것처럼 도망쳐?
인혁　　(씻고 나오다 듣고) 뭘 혼자 중얼거려. 왜. 임솔이 너 보고 도망치디?
선재　　(진지) 어...전엔 나 보면 쌩하고 피했거든? 근데 오늘은 후다닥 도망치더라?
인혁　　(정색) 자. 이제 뭐가 다른지 말해줄래?
선재　　분명 달랐어. 도망치는 찰나의 순간에 내가 느꼈거든? 뒷모습에 뭔가 감정이 좀 실려 있었달까...얼굴이 살짝 빨갰던 것 같기도 하고...어때?
인혁　　자. 깔끔하게 정리해줄게. 쌩- 하고 피한 건 니가 싫은 거야. 근데 후다닥 도망친 건!

선재 (기대) 마음의 동요. 뭐 그런 건가?

인혁 아주 징~글 징~글하게 싫은 거야.

선재 아..씨. (맘 확 상해서) 비켜. (일어나 소파에 털썩 드러눕는)

인혁 나 같아도 도망치겠다! 뻥 차버린 놈이 아직도 맘 정리 못 해서 같은 대학까지 들어온 것 보면 아주 기겁을 하겠다고! 으휴 이 찌질아. 넌 자존심도 없냐?

선재 (손등을 이마에 갖다 대며 눈 감는) 어. 그딴 거 없어.

인혁 (고개 저으며 혀 끌끌 차는데, 피아노에 놓인 악보 보는) 뭐야. (악보 들어 보며) 오...코드 좀 가르쳐주니까 이제 곡도 쓰냐?

선재 (눈 번쩍 뜨며 일어나는. 민망해서 악보 뺏으려는데) 내놔.

인혁 (도망가며 놀리는) 가사는 또 뭐냐...소나기? 이거 임솔 생각하면서 쓴 거지?

선재 (악보 확 낚아채며 둘러대는) 아니야! 그냥 비 보면서 쓴 거야.

인혁 웃기시네! 언제 적 소나기냐? 어우 식상해. 니들이 문학 작품 주인공인 줄 아냐?

선재 (짜증 난. 악보 가방에 챙겨 넣으며) 나 간다.

인혁 너 학교에서 자꾸 임솔 마주쳐서 맘 정리 더 못 하는 것 같애. 눈에서 멀어져야 마음도 멀어지지! 이참에 휴학하고 우리 밴드 들어와. 동섭이 대신 니가 보컬 해.

선재 (가방 메고 신발 신으며) 얘기가 왜 글로 넘어가. 간다~ (나가면)

인혁 (소리치는) 맘 정리 좀 해라! 청승맞게 이런 곡이나 쓰고 있지 말고 이 모지라!!!

씬/23 주택가 골목 + 선재 집 앞 (N)

솔, 생각에 잠겨 걸어오다 문득 보면, 담벼락에 봄꽃이 피어 있다.

솔 여긴 봄이구나... (꽃 보며 걷다가 손목에 시계 본다. 숫자 1:00:00 보며 OFF) 이 봄이 끝날 때 즈음엔 난 여기 없겠지. 이번이 정말 마지막이네...

그때, 골목 맞은편에서 선재가 걸어오자 놀란 솔. 혹여나 마주칠까 싶어 얼른 주차된 차 뒤로 몸을 숨긴다. 솔이 숨어 있는 차를 선재가 지나쳐 가면, 솔이 조용히 나와 멀어지는 선재 뒷모습을 안타깝게 바라본다.

씬/24 솔이 집 솔이 방 (N)

솔, 힘없이 들어와 책상 앞에 털썩 앉는다. 탁상달력 들어 5월 10일 날짜에 동그라미 치며 잠시 표정... 그때, 금이 문 벌컥 열고 들어온다.

솔	노크 좀 해라. 응?
금	똑똑. 동생아. 싸인 좀 해줄래?
솔	싸인? 뭔 소리야.
금	술 처먹고 동상 위에 널려 있는 사진이 학교 게시판에 대문짝만하게 떴는데 완전 난리가 났어. 너 스타 됐더라? 확실히 나보다 스타성이 있네. 인정.
솔	뭐어? 학교 게시판에?? (창피해 죽는) 하...미치겠네.
금	으이그. 잘하는 짓이다. 4년 동안 얼굴 어떻게 들고 다닐래?
솔	오빠나 잘하셔... (하다) 근데 오빠 복학했어?
금	어. 왜.
솔	선재 말이야. 체교과 들어갔다던데 마주친 적 있어?
금	이 오라버니가 04학번이다. 까마득한 새내기랑 마주칠 일이 뭐 있겠냐?
솔	그치? 혹시나 봐도 괜히 선재 괴롭히고 군기 잡고 그러면 안 된다!
금	너나 학교에서 나 아는 척하지 마. 자. 봐봐. (비니 소라게처럼 뒤집어쓰는) 어때?
솔	구려.
금	오~ 괜찮은가 보네? (나가는)
솔	저렇게 한심한데 현주는 어떻게 꼬신 거야... (쯧쯧 고개 저으며 앉아서 호신용품 하나씩 꺼내보는) 삼단봉은 별로던데... (전기충격기 들여다보고, 호신용 스프레이 꺼내며) 이건 어떻게 해야 나오는 거야?
금	(다시 문 열고 다른 비니 쓰고 들어오며) 야 이건 어떠냐...

솔	(버튼 누르며 돌아보는데, 스프레이가 금이 쪽으로 분사된다)
금	악!!! (매워서 팔딱팔딱 뛰며) 뭐야 이거! 으아! (뛰어나가면)
솔	오~ 괜찮은데?

씬/25 선재 집 선재 방 (N)

선재, 씻고 들어오는데 근덕이 따라 들어온다.

근덕	선재야. 전에 아빠가 얘기한 거 있잖아.
선재	응?
근덕	미국 가서 재활 치료해보자고 한 거. 고민은 해봤어?
선재	아... (표정 굳는데, 아닌 척 수건으로 머리 털며) 근데 그거 괜히 희망고문 아닌가.
근덕	(미국 재활센터 책자, 어깨 부상 치료 성공 사례 기사 스크랩 등 모은 자료 건네주며) 안코치가 주고 갔어. 운동 선수들만 전문으로 치료하는 곳인데 유명한 테니스 선수도 어깨 부상 땜에 은퇴했다가 거기서 재활 치료받고 복귀해서 우승까지 했다더라. 줄기세폰지 뭔지 유전자 치료도 한다던데 치료 가능성이 영 없진 않은 것 같아. 다음 학기 휴학하고 가는 거 어떠냐?
선재	(받아 들고) 좀 더 고민 좀 해볼게요.
근덕	그 의사가 예약이 엄~청 밀려 있다드만. 너도 어깨 굳기 전에 빨리하는 게... (하다가 선재 눈치 보며 입 다무는) 그래. 잘 한번 생각해봐. 쉬어 아들~ (나가는)
선재	(털썩 앉아 근덕이 준 자료들 훑어보다 한숨 쉬는데 인혁 말 떠오르는)
인혁(E)	너 학교에서 자꾸 임솔 마주쳐서 맘 정리 더 못 하는 것 같애. 눈에서 멀어져야 마음도 멀어지지!

선재, 자료들 대충 툭 내려놓고 가방에서 전공 책 꺼내는데, '소나기' 악보가 딸려 나온다. 귀퉁이가 구겨진 악보를 고이 펴며, 생각에 잠긴 모습.

씬/26 솔이 집 외경 (D)

씬/27 솔이 집 솔이 방 (D)

현주　임솔!! (방문 벌컥 열고 들어오는데 솔이 자고 있자 놀라서 이불을 확 걷
　　　으며) 야! 아직 자고 있으면 어떡해? 빨리 일어나! 너 가방도 안 챙겼지!
　　　으이그... 빨리 일어나서 씻어! (자연스레 옷장에서 가방 꺼내고 대신 짐
　　　싸며 분주히 움직이는)

　　　솔, 비몽사몽 일어나는데 문자 와 있어서 확인하는.
　　　'신고 접수된 사건 형사과로 전달되었고 수사 진행될 예정입니다. 강력2과
　　　최경식 형사 ***-****'

솔OFF　벌써 수사 진행된다고? 빠르네? 다행이다... (조금 안심되는)
현주　(가방 챙기다 돌아서) 이러다 늦겠다고오! 너 1학년 때부터 찍히고 싶어?
솔　(정신 이제 든) 아침부터 무슨 일인데?
현주　무슨 일? 오늘 새내기 환영 엠티 가는 날이잖아. 그걸 까먹었어?
솔　엠티???
현주　빨랑 씻어! 근데 내가 준 건 어딨어? (갈색 쇼핑백 찾아 내용물 꺼내는데
　　　남자 트렁크 팬티들이고) 꺅!! 이거 뭐야! (놀라 집어 던지는)

씬/28 구 청량리역 (D)

　　　진상(*까메오) '연서대 신방과 09학번 새내기 환영 MT' 팻말 들고 서 있
　　　고. 과대 은지 명단 확인하고 있다. 신방과 1학년 단체로 모여 있다. (*당
　　　시 유행 옷차림) 진상, 은지랑 눈 마주치자 수줍게 웃고. 현주, 다른 친구
　　　들이랑 디카로 사진 찍는. 솔, 소주, 막걸리, 맥주가 짝으로 쌓여 있는 것
　　　보고 놀라고, 신기한 듯 보며.

솔OFF   대학교 엠티는 또 처음이네...

씬/29 경춘선 무궁화호 (D)

신방과 학생들, 술이랑 음식 등 짐 들고 올라타고 있다.

솔   (학생들 보며) 그래. 좋을 때지... (핸드폰 떨어트려 주우려 허리 숙이는)

그때, 현규, 초롱 등 체교과 학생들(*남학생들 비중이 더 많음) 우르르 올라탄다. 은지, "어? 체교과다!" 체교과 과대, "신방과도 오늘 엠티 가세요?" 대화하는. 이를 본 현주, 급 반가운 표정. 그때, 솔이 일어나는데 초롱과 딱 마주친다.

초롱   어? 동상에서 떨어지신 분 맞죠? 맞네! 제가 다리 쪽 받아드렸는데!
솔   !!! (마침 통로 끝 선재 발견하고 헉!! 벌떡 일어나 허리 숙이고 반대쪽으로 도망가며 OFF) 왜 하필 같은 기차야아!!
현주   야! 어디 가! (하는데 걸어오는 선재 보며 이유 알겠는) 또 오바하네.

한편, 선재, 자리 앉으려는데 현규가 "신방과도 이거 타고 가나 봐." 하자 멈칫. 혹시 솔이 왔나 싶어 두리번거리며 찾는다.

다혜   선재야! 나 여기 앉아도 되지? (선재 옆자리에 앉아 좋은 듯 씩 웃는)
선재   (고개 돌려 솔이 찾는데 안 보인다) 안 왔나...?

씬/30 기차 연결 통로 (D)

솔, 다급히 내리려다, 화장실에서 양치 컵 들고 나오던 진상과 마주친다.

솔	(피해서 나가려는데 다시 가로막히는) 왜 이러세요?
진상	왜.이.러.세.요? 어디 07학번 선배한테! 우리 후배님 지금 어디 가는 거지?
솔	제가 갑자기 사정이 생겨서요. 집에 가봐야 할 것 같은데....
진상	사정? 어떤 사정일까?
솔	그게... (머리 굴리다) 할머니가 좀 아프셔서요.
진상	그래? 그럼 전화해봐. 그 말이 진실이라면 보내줘야지.
솔	(핸드폰 꺼내 말자에게 전화 거는) 어! 할머니~
진상	(솔이 폰 뺏어서 스피커폰 버튼 누르는)
솔	(통화 연결되자마자 다다다) 할머니이! 할머니! 많이 아프지이. 어쩌다 허리를 삐끗하셨어~ 움직이지 말구 가만있어. 내가 금방 날아갈게! (OFF) 제발제발제발!
말자(F)	뭔 소리여? 할미 문화센터에서 탱고 배우고 있는디?
솔	헉! (핸드폰 확 닫아 끊는)
진상	할머님은 탱고를 추실 동안 우린 엠티를 떠나볼까 후배님? (사악하게 웃는)
솔	이런...! (열차 출발하자, 울먹이는 표정에서)

씬/31 경춘선 무궁화호 (D)

복도를 사이에 두고 왼쪽은 신방과, 오른쪽은 체교과 앉아 가고 있다.
솔, 빼꼼 살피는데 일각에 앉아 있는 선재 보이자 모자를 얼굴에 덮어쓴다. 한편, 초롱, 현규 등 체교과 남학생들 떠들고 있다.

초롱	니들 그 얘기 알아? 우리 연서대에 대대로 전해져 내려오는 전설이 하나 있대.
일동	전설? / 무슨 전설? (집중해서 듣는)
초롱	매년 신입생 첫 엠티 때 키스한 사람은! 꼭 결혼까지 간다더라.
현규	에이. 말도 안 돼.
초롱	진짜야! 이번에 결혼한 05학번 선배들도 첫 엠티 때 키스하고 사귄 거래! 그리고 경영대에 01학번 졸업생 중에도 엠티 날 키스하고 사겨서 결혼까지 간 커플 있었거든? 근데 1년 만에 이혼하고 다른 동기랑 재혼했

는데 알고 보니까! 와우~ 첫 엠티 날 그 재혼한 동기랑도 술김에 키스를 했었던 거지.

일동 진짜?? / 대박...

한편, 진상, 슬쩍 은지 쪽 보며 웃더니 가그린 한 모금 마시고 가글하는.

초롱 그리고 옛날에 어느 과 신입생 엠티 때 술 게임 벌칙으로 남자 동기끼리 (박수 치며) 쪽! 했는데! 그 뒤로 어떻게 됐게? 10년 뒤에 외국 가서 동성 결혼했다더라?

일동 (헉!)

초롱 어쨌든 키스하면 꼭 결혼한다니까 니네들 술 먹고 아무하고나 키스하지 마라. 우리 입술 단속 제대로 하자고. 알겠지? (입술 가리며) 아, 나도 조심해야겠다.

다혜 니들은 다 조심할 필요가 없어! (선재 툭 치며) 선재야. 넌 저 전설 믿어?

선재 (딴생각에 잠겨 있다가) 무슨 말 같지도 않은 말을 믿냐. (팔짱 끼고 눈 감는)

#솔이 쪽

현주 (다 들은 듯) 사랑이 꽃피는 엠티겠구만. 야. 쏠. 금이 오빠...요즘 여친이랑 어때? 금이 오빠 여친 미니홈피 가보니까 오빠랑 찍은 사진 다 지웠던데. 혹시 헤어졌나?

솔 (모자 덮어쓴 채) 왜 하필 임금이야. 세상에 좋은 남자 많다~ 난 분명 경고했어.

현주 무슨 소리야! 나 금이 오빠한테 관심 없거든?

솔OFF 관심이 없긴. 애를 둘이나 낳고 살고 있으면서... (하는데 진상이 지나가며 치는 바람에 모자가 떨어진다. 헉! 선재 눈치 살피며 진상 과잠바 속에 얼굴을 묻는데)

진상 (놀라 가글 삼키는) 아우 매워! 가글 삼켰잖아! 후배님! 나 좋아하지 마라.

솔 죄송해요... (모자 주워 얼굴 가리며 OFF) 펜션 도착할 때까지만 잘 숨어서 가자....

씬/32 대성리 펜션 (D)

솔 뭐야...같은 펜션이야?!! (뜨악한 표정에서 카메라 쭉 빠지면)

독채 펜션 두 동이 나란히 붙어 있고 각각 펜션 앞에 신방과와 체교과 서 있다. 각자 과대들 "짐 풀고 다시 모일게요!" "짐 풀고 집합!" 소리치면 학생들 각자 펜션으로 짐 들고 들어가기 시작한다.

현주 (체교과 쪽 보며 반가운 표정) 금이 오빠다! 다른 기차 타고 왔나 보네?

#체교과 쪽
펜션 앞에 과하게 차려입은 금이 서 있다. (*깊게 파진 V넥 티셔츠, 팔토시, 비니)

여학생들 옷이 왜 저래? / 왕초야? (수군대는데)

금 (칭찬하는 줄 알고) 왜. 연예인 같애? (씩 웃다가) 뭐야. 신방과도 왔네? 아놔. 임솔 또 술 퍼먹고 엉뚱한 데 올라가 자는 거 아니야?

선재 (멀리 솔이 발견하고 반가운) 왔었네? (하다 갸웃) 근데 왜 기차에서 못 봤지? (하는데 금이 시야를 가리며 불쑥 막아선다)

금 너 말이야.

선재 네?

금 혹시 우리 연서대 전설 아냐?

선재 (아까 들은 말 생각나는지) 아...그거요?

금 (째려보며) 혹시 그거 노리고 엠티 때 내 동생 어떻게 해보려는 속셈이 면 알아서 해. 주둥이 함부로 놀리지 말라고! 넌 내 매제 후보에서 이미 영구제명 됐으니까!

선재 동생을 그렇게 아끼면 평소에나 좀 잘해주시죠.

금 어디 선배한테 따박따박 말대꾸야? 입술 접어! 입술 접어!

#신방과 쪽

현주   (금이 보며) 누구한테 잘 보이려고 저렇게 꾸미고 왔대?

은지   현주야! 여기 완전 넓다~ 니 추천으로 여기 오기 잘했네?

솔   뭐야. 니가 여기 오자고 한 거야? 에이. 너 때문에 진짜! (모자 눌러쓰고 도망가면)

#체교과 쪽

선재   (도망치는 솔이 보며) 하, 나랑 마주칠까 봐 저러고 도망가는 거야? (표정 굳는)

씬/33 펜션 입구 (D)

솔, 도망쳐 나오는데, 진상이랑 부딪힌다.

진상   우리 후배님 또 튀려는 거야? 와. 이거 안 되겠네???

솔   젠장...! (울상)

씬/34 펜션 일각 운동장 (D)

선재, 현규, 초롱 vs 임금, 체교과 과대, 체교과1. 3 대 3 농구하고 있다. 체교과 학생들 응원하며 구경하고 있고, 한편, 살짝 거리가 떨어진 곳에서 신방과 여학생들도 구경하고 있다.
모자 푹 눌러쓴 솔, 현주랑 큰 소쿠리에 상추 담아 걸어가는데.
현주, "야야. 체교과 농구 하나 봐!"
솔, 돌아보면 멀리 선재 농구 하는 모습 보인다. 그때, 선재, 금이 재치고 돌파해서 골을 멋지게 넣는다. 구경하던 신방과 여학생들 "쟤 완전 멋있다~" "이름 뭐지?" 수군대고.

마침 쉬는 타임. 경기 중단되면, 다혜가 선재에게 다가가 생수 건네준다. 선재, 물 마시는데 다혜가 수건으로 선재 이마에 땀을 장난치듯 툭툭 털어준다. 그 모습 보는 솔, 저도 모르게 마음이 찌르르.... 그때, 선재가 솔이 쪽 돌아보자 솔, 티 나게 현주 뒤로 휙 몸을 숨긴다.

선재OFF 저런다고 눈에 안 띌 줄 아나...

다혜 야, 누굴 그렇게 봐? 혹시 여자?

선재 (무심하게) 어. (하며 빈 생수병 툭 내려놓으며 돌아서고)

한편, 농구 하던 금이 괜히 생수를 머리에 들이부으며 멋진 척하면, 여학생들, "왜 저래..." 수군대는데. 현주만 "열라 멋있어." 반한 듯 보는. 다시 경기 시작되고. 농구 하는 모습 이어지는.
선재랑 금이 리바운드 싸움하다가 금이 선재 옷을 잡고 늘어지는데. 스텝이 꼬여 그대로 같이 넘어지는 두 사람. 순간 바닥에 누워 있는 선재 위로 금이 엎어지는 모습 slow. 이대로 넘어지면 두 남자 입술이 닿을 것 같다!

초롱(E) 옛날에 어느 과 신입생 엠티 때 술 게임 벌칙으로 남자 동기끼리 (박수 치며) 쪽! 했는데! 그 뒤로 어떻게 됐게? 10년 뒤에 외국 가서 동성 결혼 했다더라?

현주 (경악스런 표정) 안 돼애애!

솔 헉! (상추 소쿠리 툭 떨어트리는데)

금, 선재와 입술이 닿기 직전 금이 팔굽혀펴기 자세로 딱 버티며 멈춘다. 현주, 구경하던 여학생들 숨죽이고 보다가 안도한 듯 한숨 내쉬는.

금 (팔 부들부들 떨며 입술 말아 넣은 채 다급히) 입술 접어! 입술 접으라고!

선재 !!!! (입술 앙...오므린다)

씬/35 경찰서 (D)

김형사 자리에 앉으면 최형사, 진술서와 비닐백에 든 영수 차 키 준다.

최형사 ...납치 피해자가 본인 사건 가해자가 주양저수지 사건 범인이라고 진술해서 저희 과로 넘어왔어요. 한번 보세요.

김형사 납치 미수? (진술서 읽어 내려가는데)

최형사 근데 납치 사건 당일 날 피해자가 반장님을 만났었대요. 당시에는 사고 트라우마 때문에 일시적인 기억 상실이 있었나 봐요.

김형사 뭐? (진술서 앞장 넘겨 이름과 날짜 보는. **2008년 9월 1일**) 임솔?!

〈김형사 회상 인서트〉 *7화 30씬
김형사가 쓰러지는 솔이 보며 "학생? 괜찮아?" 하던 컷.

김형사OFF 그럼 그날이 설마...! (표정) 어쩐지, 그날 좀 이상하긴 했는데.

최형사 김영수란 사람 조사해봤는데요, 진술서랑 정확히 일치해요. 김영수가 몰던 택시에 이 키 꽂는 순간 딱 맞는데! 와, 소름. 진짜 주양저수지 사건 범인인 거 아닐까요?

김형사 김영수 지금 어딨어?

최형사 납치 미수 사건 날 이후로 행방이 묘연해요. 택시 회사도 관뒀다고 하고, 핸드폰도 해지하고. 아, (약도가 그려진 종이 건네며) 이건 피해자가 범행 장소라고 지목한 곳인데 주소지 등록이 안 된 곳이라 찾기 힘들 거라고 그린 약도래요.

김형사 !!! (표정)

최형사 여기서 진짜 증거라도 나오면 완전 범인 잡으라고 떠먹여주는 거 아닙니까?

씬/36 신방과 펜션 앞마당 (N)

과티로 갈아입은 신방과 학생들 펜션 앞마당에서 고기 구워 먹던 분위기. 한 명씩 일어나 큰 소리로 소리 질러대며 FM 하고 있다. (*미친 FM 영상 참고)

솔OFF   내가 엠티 즐기고 있게 생겼냐고... (시끄러운 분위기에 슬쩍 일어나 도 망간다)

씬/37 신방과 펜션 안 (N)

솔   (가방 챙기며) 얼른 가자. 가... (가방 메고 나가려는데 학생들과 진상이 우르르 들어오자 헉!) 어떡해! (놀라 냅다 엎드려 자는 척하는)

진상   안에서 편하게 술 마시면서 게임하자~~ (하며 들어오다가 엎드려 자는 솔이 발견) 뭐야, 얘는 벌써 뻗은 거야?

(컷 튀면)
일동 둥그렇게 앉아 시끌시끌하게 술 게임하고 있다. (*그 시절 MT 술자 리 분위기. 게임할 땐 일동, 과열돼서 소리치며 속도감 있게)

일동   진상이가 좋아하는 랜덤~게임! 랜덤~게임! 무슨~게임! 게임~스타트! 베스킨~라빈스~써리~원! 귀엽고~ 깜찍하게 (포즈 취하며) 써리 원! 1, 2, 3! 4, 5! (게임 이어가고)

한편 배경으로 솔이 구석에서 엎드린 채 계속 자는 척하는 모습 보이고.

솔OFF   안 들키게 조용히 나가자. (천천히 애벌레처럼 문을 향해 기어가는)

일동   29! 30! (걸리면) 마셔라 마셔라 마셔라! 술이 들어간다 쭉쭉쭉쭉쭉 쭉 쭉쭉쭉쭉!

남학생1   (술 쭉쭉 마시고)

(컷 튀면)
일동, 공공칠빵 빠르게 하고 있는데...
배경으로 동시에, 솔이 천천히 기어가며 전진하는 모습 보인다.

(컷 튀면)

일동   하늘에서 내려온 토끼가 하는 말! 움치치 움치치. 움치치 움치치. 바니바
             니! 당근당근! 바니바니! 당근당근! (빠르게 주고받다가 현주가 걸리는)
             동구 밖 과수원 샷~ 아카시아 꽃이 활짝 투 샷~

현주   아~~ 나 또 걸렸어! (하며 술 쭉쭉 마시는데)

솔OFF   (기어가다 거의 문 앞에 도착한) 조금만...거의 다 왔어...! (문고리로 손
             뻗는데)

진상(E)   딱 걸렸어!

솔   (헉! 돌아보면 진상이랑 눈 마주친다) !!

진상   취해서 뻗은 줄 알았더니, 설마 술 마시기 싫어서 자는 척했던 거야 후배님?

솔   아닙니다! (재빨리 일어나 학생들 사이에 자연스레 자리 잡고 앉는데)

진상   (째려보다가 눈감아준다는 듯) 그래. 설마 그럴 리가 있겠어?

솔   하하하. 그렇죠. 그럴 리가요... (OFF) 젠장.

진상   자! 분위기 전환 삼아 지금부터 걸린 사람은 벌주 플러스 벌칙도 간다!
             첫 번째 벌칙은! 옆 동에 체교과에 가서...! 두구두두구두구... (솔이 보며
             사악하게 웃는)

(컷 튀면)

솔OFF   걸리면 절대 안 돼...!

카메라 빠지면, 일동 아이엠그라운드 미친 듯이 하고 있다.

솔   (각 잡고 초집중해서 게임하는) 딸기딸기딸기딸기! 레몬 둘!

이후 다른 학생들 차례 몇 번 오가다가 진상 차례가 된다.

진상   (솔이 노려보며 집중 공격하기 시작하는) 딸기 여덟!

솔   딸기딸기딸기딸기딸기딸기딸기딸기! (진상 노려보며) 자몽 일곱!

진상   자몽자몽자몽자몽자몽자몽자몽! 딸기 다섯!

이제부터 솔, 진상 일대일 대결 분위기다. 너 죽어라 계속 서로만 공격하는데 진상 "딸기 하나!" 솔, "딸기딸기.." 외치다가 동공 지진. !!!!

진상, 벌떡 일어나 얄밉게 세리머니 해대고. 솔, 넋 나간 표정에서...

씬/38 체교과 펜션 앞 + 안 (N)

신방과 학생들 구경하러 와 있고. 솔, 진상 문고리 잡고 힘겨루기 중이다.

솔	(문 안 열려고 문고리 꽉 쥐고) 그냥 벌주 마시면 안 될까요?
진상	(단호) 응 안 돼.
솔OFF	어린 노무 시키가...확 들이받아? (문 살짝 열어 안쪽 살펴보면 체교과 학생들 술 마시는 분위긴데 선재는 안 보인다) 어? 선재는 없네? 나갔나?
진상	빨랑 끝내자 쫌! (문 확 열어젖혀 솔 밀어 넣고 큰 소리) 안녕하십니까! 우리 신방과 새내기가 여러분께 재롱 한번 떨고 가겠습니다~~~ 박수!!!!
체교과일동	???? (정적. 솔이 쪽 돌아보며 주목하는)

진상이 핸드폰 벨소리 켜서 소녀시대 'GEE' 반주 깔아주면.

뻘쭘하게 서 있던 솔, 눈 질끈 감고 어설프기 짝이 없게 춤추기 시작한다.

솔이 노래에 맞춰 개다리춤 추고 있는데.

그때, 덩치 큰 초롱 뒤로 누워 있던 선재가 일어나는 모습 슬로우로 보인다. 솔, 개다리춤 쩍벌 자세로 얼음!

선재, !!! 놀란 표정. 일각에서 술 마시던 금이도 헉! 입 떡 벌어지는.

체교과 학생들, 뒤늦게 박수치며 호응해준다. "소시 짱! 소시 짱!"

정신 차린 솔, 잉- 울상 지으며 쏜살같이 도망 나간다.

선재	!! (도망가는 솔이 보고 있는데, 배 잡고 웃고 있는 진상 보며 표정 굳는)
초롱	대박... (웃다가 금이 표정 보며) 선배님 혹시 아는 사이예요?
금	아니. 전혀 모르는 사이.

씬/39 신방과 펜션 안 (N)

솔, 얼굴 시뻘게져서 들어오며 "쪽팔려서 진짜..." 하는데
뒤따라 들어오는 진상과 신방과 학생들.

진상   어허! 후배님. 하다 마는 게 어딨어? 벌칙을 끝까지 수행해야지, 어?
솔   (폭발) 내가 간다고 했지! 꼴랑 한두 살 많은 놈이 어디 선배랍시고 꼰대
       질이야!
일동   (헉!! 놀라는)
솔   (고삐 풀려 폭주) 너 몇 년만 늦게 태어났으면 대숲이고 SNS고 여기저
       기 박제돼서 매장 당했어 이것아! (바가지에 담긴 벌주 보고) 그리고 벌
       주가 뭐야 벌주가! 누가 벌받을 짓 했냐고! 이거 먹고 누구 하나 죽어나
       가면 책임질 거야?! 어린 노무 시키가 알콜 위험한 줄도 모르고! (바가지
       확 들더니 벌컥벌컥 들이켜는)
일동   헉!!! (경악하며 보는)
솔   (원샷 하고선 빈 바가지로 진상 머리통을 빡! 때리자 바가지 쪼개진다)
진상   아!! (머리통 잡고 황당한 표정) 야!! 너!!
솔   술 마실 줄도 모르는 놈이 대가리에 술만 차 가지고. 너 한 번만 더 술자
       리에서 후배들 괴롭히기만 해봐라. 가만 안 둔다! (가방 집어 들며 버럭)
       난 갈 거니까! 애들 적당히 멕이고 후딱후딱 재워! 알았어?!

씬/40 펜션 일각 (N)

솔, 씩씩대며 나오는데 하필 선재랑 체교과 학생들이 나와 있다. "더운데
밖에서 마시자!" "족구 할래?" 떠들고 있고.
솔, 선재 보고 헉! 놀라 휙 돌아서 허둥지둥 뛰어가는데. 고개 돌린 선재,
도망치듯 뛰어가는 솔이 모습 보는. 그러다 솔이 허둥대며 펜션 뒤편으
로 이어진 숲길로 뛰어가는데... 일각에 '산책로 출입 금지. 멧돼지 출몰
지역.' 팻말 박혀 있다. 선재, 표정.

씬/41 홍대 소규모 클럽 (N)

작은 무대에서 인혁, 현수, 제이 연주하고 있고 동섭이 노래하고 있다.
(*동섭 안경에 체크남방 단추를 목까지 채운. 공대생 스타일) 동섭의 보
컬 실력, 대충 들어도 애매...하다. 기타 치던 인혁이 관중석 쪽 보면 관중
들이 민망할 정도로 없어 휑하다.
동섭이 혼자 무아지경으로 엉터리 고음 뽑아내면, 현수, 제이 번갈아서
인혁에게 눈빛을 날린다. 쟤 어쩔 거냐는 듯이. 인혁, 불안해서 다시 관중
석 쪽으로 시선 돌리는데 클럽 사장으로 보이는 사람이 입구 쪽에 인상
쓰며 서 있다가 고개를 저으며 나가버리는 모습이 보인다. 인혁, !!! 불안
한 표정.

씬/42 홍대 소규모 클럽 앞 (N)

인혁, 현수, 제이, 동섭 공연 마치고 나오는데.

동섭 미안. 나 토익 수업 있어서 먼저 간다! 이클립스 피스~~~ (뛰어가면)
인혁 하...저 새긴 지 때문에 공연 짤리게 생겼는데 토익?
제이 사장님이 이달 안에 공연장 꽉 못 채우면 짜른다는데 어떡하나~
인혁 유씨씨라도 찍어서 홍보 좀 해봐야 되나... (고민하는데)
현수 (벽에 붙은 포스터를 가리킨다) 저기라도 나가볼까?

인혁, 제이 돌아보면, '대국민 오디션 슈퍼스타K' 오디션 홍보 포스터다!

씬/43 펜션 앞마당 일각 (N)

체교과 학생들 마당에서 족구 하며 놀고 있고.

금이 일각으로 빠져서 채원에게 전화 걸고 있는데 연결이 안 된다. "왜 며칠째 연락이 안 돼?" 갸웃하며 음성 녹음 버튼 누르는 금.

현주 (주위 두리번거리며 걸어오는) 임솔 앤 어디 간 거야...설마 진짜 갔나? (하는데 일각에 금이 발견) 어? 금이 오빠! (반가워 총총 다가가다 멈칫)

금 (음성 남기는) 우디 채원공듀 왜 저나 안 바다영? 목또리 듣고 시푼데. 이거 들음 저나해 공듀님. 사당해~~ 쪽쪽쪽 (하다 현주 보고 흠칫) 뭐야. 언제부터 거깄었냐?

현주 작년부터요! (버럭하곤 씩씩대며 가려는데)

금 왜 저래? (하다 다정하게 부르는) 아, 현주야~? 뭐 줄 게 있어. 이리 와봐.

현주 차암나...뭘 줘요 또. (내심 기대하며 다가가는)

금 자... (주머니에서 쓰레기 꺼내 쥐여 주며) 가다 버려주라.

현주 뭐야. (금이 얼굴에 쓰레기 뿌리며) 오빠가 버려요! (씩씩대며 가는데)

금 야야야 잠깐만. 진짜 줄 거 있어. (현주 붙잡고 주머니에서 뭔가 꺼내는)

현주 내가 쓰레기통이에요?!

금 (숙취해소제 두 병 주며) 솔이랑 나눠 마셔라. 첫 엠티라고 선배가 엄청 먹일 텐데.

현주 (살짝 감동) ...

금 정 힘들면 그냥 취한 척 뻗어버려. 알았지? (현주 머리 장난스레 헝클이고 가면)

현주 (두근) !! (숙취해소제 보며) 왜 멋있구 지랄이야. 나도 현듀공듀 되고 싶다...힝.

씬/44 숲길 (N)

솔, 길을 잃고 헤매고 있다.

솔 왜 길이 안 나와? 지도가... (버릇처럼 핸드폰 열었다가) 아...스마트폰이 아니지?

그때, 뒤에서 나뭇가지가 투둑 부러지는 소리. 누군가 다가오는 것 같다! 심장이 철렁... 내려앉고. 무서워져서 빠르게 걷기 시작하는 솔. 점점 더 깊은 숲으로 들어가자 반딧불이 하나둘씩 보이기 시작한다. 솔이 뛰기 시작하자 뒤에서 더 빠르게 쫓아오는 소리가 들린다.

솔, 뭔가 떠오른 듯 가방에서 전기충격기를 꺼내 드는데. 누군가 어깨를 잡는 순간, 뒤돌아 전기충격기로 복부를 냅다 찌르는데... 선재다!

선재, 허억...! 하며 뒤로 쓰러지고.

솔   선재야!!! (놀라 주저앉아 선재 흔들어보며) 어떡해! 선재야~~~ 정신 차려봐~~~ (울먹이며 벌떡 일어나서) 여기요! 누구 없어요?! (소리치는데)

선재   (인상 쓰며 일어나는데)

솔   (선재 일어난 줄 모르고 핸드폰 꺼내 119 누르는데 통화 안 터지자) 어떡해...

솔, 핸드폰 번쩍 들고 전화 터지는 곳 찾는데, 어느새 다가온 선재가 솔이 손목을 잡아 돌려 세우는데! 그 순간 솔, 하필, 멧돼지 포획하려 설치해 놓은 덫을 꾹 밟는다! 휘리릭 밧줄 올무가 솔이 발목을 확 감아 들어 올리면 거꾸로 붕 떠오르는 솔이 모습 slow... 솔이 시선에, 선재 얼굴이 빙그르 거꾸로 돌고. "어어어어!!!!" 소리치며 거꾸로 매달리는 솔. 만세하듯 팔을 툭 떨구면, 바로 앞에 서 있는 선재랑 눈이 마주친다. 선재, 헉!! 놀라는데.

솔   (수치심에 뿌앵~~ 울상 지으며 눈 질끈 감는) 제발 그냥 가...

(컷 튀면)
선재, 풀면서 느슨해진 밧줄 꽉 잡고 있고. 솔이 거꾸로 떨어질 것 같다.

선재   (솔이 팔 잡아 자기 목에 두르며) 꽉 잡고 있어.

솔   ...응. (선재 목 끌어안고 매달리면)

선재   (괜히 긴장이 되는데, 애써 아닌 척) 놓는다. (밧줄 잡던 손 확 놓으면)

솔이 발이 툭 떨어져 내려오며, 그대로 선재 품에 안기듯 매달린다. 순간 떨려서... 둘 다 잠시 그 자세로 멈춰 있는데, 주위에 반짝이는 반딧불 사이 두 사람 모습 예쁘다. 이내, 먼저 정신 차린 솔이 물러나면.

선재, 괜히 헛기침하며 밧줄 올무를 휙 던지고. 씩씩댄다.

선재	무슨 이런 걸 설치해놔. 불법 아니야 이거?! (덫을 발로 툭 차는데)
솔	(헝클어진 머리 정돈하며 선재 눈치를 본다) ...
선재	자. (전기충격기 돌려주며) 호신용으로 들고 다닐 거면 배터리라도 넣고 다니든가.
솔	(??) 전기충격 받고 기절한 거...아니었어?
선재	그냥 넘어진 거거든? 그걸로 급소를 아주 정확하게 치더라?
솔	미안...
선재	그 힘이면 전기충격기보다 주먹을 쓰는 게 낫겠네. 그런 건 상대한테 뺏겨버리면 더 위험해져.
솔	....
선재	그래서. 이 밤중에 멧돼지 출몰 지역엔 왜 들어온 건데?
솔	(둘러댄다) 그게...엠티 분위기가 영 적응이 안 돼서 집에 가려고...
선재	(화나는데 꾹 참고 O.L) 나 피해서 도망가려는 거잖아.
솔	...! (말문 막히는)
선재	다 봤어. 오늘 계속 나 피해다닌 거. 이렇게까지 도망쳐야겠냐?!
솔	(고개 숙이고, 대답 못 하는)
선재	(대답 없는 솔이 보며 한숨) 차편도 다 끊겼는데 어떻게 가려고?
솔	......
선재	여기 길 없어. 따라와. (하며 돌아섰다가, 도저히 못 참겠고. 다시 돌아서서 버럭 쏘아 붙인다) 넌 내가 그렇게 싫어?!
솔OFF	어떻게 그럴 수 있겠어.
선재	나랑 마주치기도 싫어서 이러는 거냐고.
솔OFF	나 때문에 네가...죽을지도 모르니까... (마음 아픈)
선재	(대답 없자 긍정 같다. 한숨. 애써 감정 누르며) 늦었다. 가자.

씬/45 펜션 뒤편 (N)

금, 채원한테 계속 전화 걸고 있는데 (E) 연결이 되지 않아 소리샘으로...

금　　이상하네? 채원이 핸드폰이 맛탱이가 갔나? (하는데 선재와 솔이 숲속에서 나오자) 뭐야, 뭐야! 니네 둘이 왜 으슥한 숲속에서 나와?

솔　　(선재 힐끔 보곤 획 돌아 신방과 펜션 쪽으로 간다)

선재　(솔이 가는 모습 보며 표정 굳어 있다)

금　　어이! 류! 혹시 숲속에서 내 동생한테 입술 함부로 놀린 거 아니겠지? (깐족대는) 아니다~ 얼굴이 죽상인 거 보아하니 실패했나 보네~ 참 멀쩡하게 생겨서는...쯧쯧쯧.

선재　하... (거칠게 머리 쓸어 넘기며) 그런 거 아니거든요? (하는데)

금　　근데 왜 솔이가 널 안 좋아하지 딱 알겠어. 선배가 조언 하나 해줄까?

선재　(한숨) 아니요. (하며 가려는데)

금　　(막아서며) 이 여자의 마음은 말이야. 직선도로처럼 단순하지가 않아. 복잡한 오프로드 코스를 너처럼 풀악셀 밟고 직진만 하잖아? 바로 처박힌다? 들이댈 땐 부앙~ (직진하는 손짓) 빠질 땐 줄이면서 끼~익 (느리게 가는 손짓) 부앙~~ 끼익~~ 완급 조절을 해줘야 된다고. 어? 내가 이걸 잘하니까 여자들이 환장하는 거야~

선재　(어이없어 혼잣말) 환장하겠네...

금　　특히 질척거리지 않고 깔끔한 거! 그게 내 스타일. 차이거나 헤어질 때 미련 없이 깔끔하게 돌아서야 어? 이 남자가 왜 이러지? 호기심이라도 생기는 거라고.

선재　(고개 저으며 그냥 가려는데)

금　　이봐 류! (다시 붙잡고) 핸드폰 좀 빌려주라.

선재　(한숨. 핸드폰 꺼내 건네주면)

금　　고맙다. (바로 채원에게 전화 거는데)

채원(F)　(바로 받는) 여보세요?

금　　(활짝 웃으며) 채원 띠~~ 목소리 얼마 만에 듣는 거야. 며칠째 계속 전화 연결이 안 되길래 우리 채워니 폰이 고장 난 줄 알았잖아. 내 폰이 고장 난 거였나 보네?

채원(F)	(한숨) 오빠. 고장 난 거 아니야. 핸드폰. 내가 오빠 전화 피한 거야.
금	(눈치 없이 해맑게) 응? 내 전화를 피해? 왜애?
채원(F)	오빠 나...다른 사람 좋아졌어. 미안해.
금	다른 사람? 누구? 그게 무슨 소리야? (납득 못 하고 다다다) 잠깐잠깐! 전화 끊지 말고 채원아. 응? 헤어지잔 뜻이야? 어? 그런 거야? 알아듣게 다시 말해줄래?
선재	(그런 금이 보며 고개 절레절레)

씬/46 펜션 외경 (N)

씬/47 신방과 펜션 여학생 방 (N)

은지와 현주, 다른 여학생들 몇 명 모여 앉아 술 마시며 수다 떨고 있다.

여학생1	언니 오늘 진상 선배랑 씨씨 되는 거 아니에요?
현주	쬥일 가글 물고 있던데? 언니한테 고백하고 키스하려고 작정한 것 같던데요?
은지	(좋으면서) 뭐야아. 나 공개적으로 고백하는 거 별룬데. (틴트 바르는)

팬하면 솔이 혼자 구석에 앉아 선재 말 떠올리며 씁쓸하게 술 들이킨다.

선재(E)	넌 내가 그렇게 싫어?! 나랑 마주치기도 싫어서 이러는 거냐고.
현주	(돌아보며) 솔! 처량 맞게 왜 혼자 마셔? 안주도 없이...일루 와! 같이 마시자~
솔	아니야..... (또 술 들이켜는)
현주	뭔 일 있나? (하다가) 어? 안주 떨어졌다. 제가 뭐 좀 갖고 올게요! (일어나는)

씬/48 체고과 펜션 거실 (N)

술자리 파한 분위기. 거실에 남학생들 열댓 명이 취해서 뻗어 자고 있고.
취한 금이 병나발 불며 채원에게 음성 남기고 있다.

금   (울며) 채원 씨...우리 공듀님...이렇게 끝내는 게 어딨어~ 이대로 나 버리
            지 마아~

선재   (씻고 나오다가 보는) 제대로 질척이네. (금이 앞에 앉아) 이제 폰 좀 주
            시죠?

금   (핸드폰 돌려주다 선재 손 확 잡아채며 붙잡는) 이봐 류...나 괴롭다아...

선재   아...술 냄새. (금이 손 놓으려는데)

금   왜 내가 싫어졌을까?

선재   (멈칫. 꼭 자기 맘 같다)

금   (선재에게 와락 안겨 우는) 어떻게 해야 여자 마음을 돌릴 수 있는 걸까?

선재   (한숨) 그러게요.

금   류...나 가슴이 너무 아파. 꼭 총 맞은 것 같아아아.. (엉엉 울면)

선재   (금이 등을 토닥토닥 해주며 생각에 잠기는데)

금   (갑자기 울음을 뚝 그치며 선재 확 밀치고 벌떡 일어난다) 아무래도 안
            되겠어! 나! 채원이 보러 갈 거야. 지금 당장! (갑자기 뛰쳐나간다)

선재   (당황) 지금? (놀라 쫓아 나가는데)

씬/49 펜션 앞마당 (N)

현주, 문 앞에 놓인 박스에서 과자 봉지 집어 들고 일어나는데 체고과 펜
션에서 뛰쳐나온 금이 펜션 뒤편으로 뛰어가는 모습 본다. "어? 금이 오
빠! 어디 가요?!" 소리치며 쫓아가면. 한 박자 늦게 펜션에서 나온 선재.
금이 사라지고 없자 황당한 표정인데.
그때, 옆 신방과 펜션 쪽에서 나는 인기척에 돌아보는 선재. 멀끔하게 옷
을 갈아입은 진상이 신방과 여학생 펜션으로 걸어가고 있다. 문 앞에 도

착한 진상. 긴장한 표정으로 목소리 가다듬더니 크게 소리친다.

진상 (*〈나는 솔로〉 패러디) 은지야 나 진상인데에!! 너 때문에 심장이 터질 것 같아!! 나랑 데이트 가자아!!

씬/50 신방과 펜션 여학생 방 (N)

진상(E) 너 때문에 심장이 터질 것 같아!! 나랑 데이트 가자아!!
여학생들 꺅! / 대박이야~~ / 어서 나가봐요 언니~ (호들갑 떨고)
은지 아 몰라아. 창피하게 진짜. (좋아 죽는 표정. 머리 빗질하기 시작하는데)

배경으로 취한 솔이 긴 머리 늘어뜨리고 네발로 기어오더니 여학생들 틈 사이로 손을 쭉 뻗어 술병을 슥... 가져간다. 그러더니 혼자 또 술 따라 마시는 모습.

씬/51 펜션 앞마당 (N)

진상 은지야 나와! (소리치는데 갑자기 배가 아파 허리 숙이는) 아 배야...가 글을 하도 삼켜서 그런가. (다시 꾹 참고 일어나 보는데 또 배가 꾸르륵) 아, 안 되겠다. (뛰어가는)

진상, 선재 앞을 획 지나쳐 뛰어가더니 간이 화장실로 급히 들어간다. 진상, 문 닫으려는데 하필... 문이 고장 나 안 잠긴다. "뭐야! 어떡하지?" 당황. 선재, 고개 저으며 다른 쪽으로 걸어가려는데.

진상 (가려는 선재 발견하고 소리친다) 야! 너 체교과지? (힘겹게 참으며) 단 결연서!! 부탁 하나 하자. 문 좀 잡아주라.
선재 (멈춰 서서 듣고 한숨) 진짜 가지가지. (되돌아가 화장실 문 잡아주면)
진상 고맙다! (안으로 들어가는데)

선재   (뒤늦게 진상 얼굴 기억난) 어...?!

〈선재 회상 인서트〉*38씬
진상이 솔이 장기자랑 시키고 낄낄대던 컷.

선재   맞네! 그놈. (열받은 표정. 손잡이를 툭 놔버린다)

화장실 문 다시 열리고... 선재, 진상을 노려보더니, 유유히 돌아서서 가는.

진상   야! 너 어디 가니?! 야! 문 잡아줘야지! 이리 와! 오라고오!!!!
은지   저 왔어요~~~ (소리치며 해맑게 달려오다) 꺅!!!!!!

씬/52 펜션 일각 운동장 (N)

낮에 농구 했던 운동장 쪽으로 걸어오는 선재.

선재   이제 좀 조용하네... (누군가 비틀대며 운동장으로 걷고 있어, 보면 솔이
         다) 임솔?

한편, 솔. "어흐...왜 이렇게 땅이 막 위로 올라오냐..." 중얼거리는데.
일각에 간이 구령대가 보이자 비틀대며 걸어간다. (*나무에 봄꽃 핀. 예
쁜 장소) 그러더니 구령대 위로 낑낑대며 기어올라 가려 하기 시작한다.

선재   취했나...계단 놔두고 왜 저래? 술버릇이 기어올라 가는 건가 보네.

솔이 구령대 위로 다리 올리자 말려 올라간 바지 아래로 발목이 드러나
는데 밧줄에 걸려 생긴 붉은 멍 자국이 보인다. 선재, 멍 자국 보고 표정
굳는.

선재   아까 다친 건가? (걱정)

한편, 솔, 기어이 낑낑대며 구령대 위로 기어 올라가 대자로 드러눕는다. 선재, 걱정돼서 저도 모르게 솔이 쪽으로 다가가려다 멈칫. 인혁 말 떠오르는.

인혁(E) 나 같아도 도망치겠다! 뻥 차버린 놈이 아직도 맘 정리 못 해서 같은 대학까지 들어온 것 보면 아주 기겁을 하겠다고!

선재 (표정 가라앉고) 하...몰라... (돌아간다)

한편, 솔, 구령대에 누워 하늘을 본다. 흐드러지게 핀 봄꽃 나무 가지 사이로... 까만 밤하늘에 반짝이는 별들 보인다. "예쁘다..." 가만 보고 있는데 선재 생각이 난다.

〈솔 회상 인서트〉 *8화 52씬

선재 그냥 지금 볼까? 보고 싶다고 한마디만 해. 다 때려치우고 갈게.

#다시 현실

솔OFF 그때...보고 싶다고 말할걸...그럼 아무 일도 없었을까? (눈물이 또르르 흐른다)

씬/53 숲길 (N)

현주, 금이 찾아 헤매고 있다.

현주 오빠!!! 금이 오빠!!! 분명 이쪽으로 갔는데? 어딨는 거야...
금(E) 채워나... (흑흑 흐느끼는 소리)
현주 어?! (금이 소리 나는 쪽으로 달려가는)

보면, 금이 밧줄 올무에 묶여 거꾸로 매달린 채 "채워나..." 울고 있다.

현주	(헉!! 놀란) 오빠!! 이게 뭐야? (포획 덫 눈에 들어오고) 어떡해! 오빠 괜찮아요?! (밧줄 풀어보려는데)
금	(상황 파악 못 하고 계속 울며) 채워나...어떻게 사랑이 변하니~~~ 그 남자가 그러케 조아? (흑흑)
현주	(멈칫) 오빠 헤어졌어요?! 진짜?! 여친 바람났어요?! (좋아서 넋 나간)
금	나 버리지 마아~~ 채워나~~~ (울면서 비니를 쭉 내려 눈을 가린다)
현주	그만 좀 불러요! 오빠 버리고 딴 놈한테 간 여자 이름은 왜 자꾸 불러?!
금	채워나...
현주	(욱한다) 그만 부르라구요! 자존심도 없어요?
금	채원공듀님...
현주	이 와중에 공듀는 무슨..내 앞에서 한 번만 더 불러봐요!!
금	채워....
현주	(홧김에 금이 얼굴 확 잡고 거꾸로 키스하는. *〈스파이더맨〉 키스신)

씬/54 체고과 펜션 안 (N)

선재, 코 골며 자는 남학생들 사이에 누워 있다. 이리 뒤척 저리 뒤척 하다가 벌떡 일어나는데, 이내 다시 누워서 이불 머리까지 뒤집어쓰는.

씬/55 펜션 인근 운동장 (N)

선재, 애써 자기변명 하며 걸어가고 있다.

선재	이건 쌩판 남이어도 모른 척하면 안 되는 거야. 자다가 무슨 일 당하면 어떡해. 멧돼지가 산에서 내려올 수도 있고. 안 그래?

선재, 다시 운동장 도착해보면, 솔, 천천히 몸을 일으키더니 구령대 끝에

걸터앉아 고개를 푹 숙인다. 선재 "어어?! 저러다 떨어지려고!" 놀라 달려가는. **M. 김형중 '그랬나 봐'**

그때, 솔이 꾸벅 고개를 떨어뜨리는데, 마침 앞으로 달려온 선재 어깨에 이마가 닿는 모습 slow. 선재, 놀란 표정. 의지와 달리 가슴이 뛰고. 솔, 천천히 고개 다시 들어보는데... 선재다.

선재   떨어질 뻔했잖아.

솔   (술에 취해 속마음이 터져 나오는) 너...왜 왔어.

선재   그러니까 위험하게 이런 데서 뻗냐 뻗길...

솔   (O. L) 왜 왔냐고! (쏘아붙이자)

선재   (욱하는) 그럼 신경 쓰이게 하질 말던가!

솔   (울컥) 왜 따라와...왜 자꾸 와...왜! (나를 구해준, 나 때문에 죽었던, 또 죽을 뻔했던 선재를 향한 말이다)

선재   (상처받은 표정)

솔   (울음 터뜨리며 소리친다) 너한테 그렇게 못되게 굴었잖아. 근데 왜 나 걱정해? 너 바보야?!

선재   (솔이 울자 가슴이 철렁 내려앉는)

솔   (주먹으로 선재 가슴을 힘없이 때리며 우는) 어? 너 진짜 바보냐고! 내가 너만 생각하라고 했잖아...나 같은 거 못돼먹은 애라고 실컷 욕이나 하고 마음에서 치워버리지! 왜 미련하게 굴어서 그런 일을 당해 왜!

선재   (가만 서서 맞아주고 있다가 멈칫) ...그런 일?

솔   (선재 옷 붙잡고 고개 숙인 채 운다) 제발 선재야...

선재   (마음 아파 달래주려) 그래 알았어. 미안해. 다 미안해...그니까 울지 마. 응?

솔   (울며) 그냥 나 좀 모른 척해. 걱정하지도 말고! 내가 어디서 뭘 하든, 무슨 일이 생기든 제발...나 좀 내버려두라고...

선재   (이미 그럴 수 없는 마음인데 어떡하라고 이러나... 서글퍼지는)

얕은 바람에 힘없이 떨어진 봄 꽃잎이 흩날린다.
울고 있는 솔을 가슴 아프게 보며 서 있는 선재.
하필 밤 풍경이 예뻐서... 두 사람 모습이 참 안쓰럽고 가엽다.

씬/56 폐가 앞 + 폐가 앞마당 (N)

랜턴 들고 산길 걸어온 김형사, 최형사 조심스레 폐가 앞마당으로 들어가보는데. 놀란다. 보면, 폐가 건물 안에서 불길. 연기 새어나오고 있다.
"뭐야 이 새끼...!"
옆에서 최형사 다급히 119에 신고하는데 팬하면.. 폐가 뒤편 숲속, 어둠 속에서 지켜보고 있던 영수. 돌아서서 사라지는 모습에서...

씬/57 경춘선 무궁화호 (D)

신방과, 체교과 기차 올라타고 있는 분위기.

초롱 야야야. 간밤에 키스한 사람 손들어.
일동 .... (조용)
현규 몰골들을 봐라. 키스한 얼굴들인지. 핑크빛이 아니라 완전 잿빛이구만.

뒷자리에 앉아 있는 초췌한 몰골의 금. 속이 울렁거려 괴로워하고 있는데, 갑자기 현주가 금이 양쪽 귀에 검은 비닐봉지 씌워준다. 금, 헉! 하는 표정인데. 현주, 씩 웃으며 지나가 신방과 쪽 자리로 가는.
한편, 솔, 기차에 올라타는데 통로에서 선재랑 마주친다. 잠시 마주 서 있던 두 사람... 그러다 솔이 먼저 선재를 스쳐 지나간다.

(시간 경과)
달리는 기차... 신방과, 체교과 학생들 대부분 곯아떨어져 있다.
선재, 솔 각자 창밖 보며 생각에 잠겨 있는, 마음 복잡한 모습 교차로 보여진다.

씬/58 인혁 자취방 (N)

인혁, 컴퓨터로 '슈퍼스타K' 1차 예선 정보 보고 있는데. 선재, 들어온다.

인혁   왔어? 엠티 재밌었냐?

선재   몰라. (가방 던지듯 내려놓고 소파에 털썩 앉는다. 머리가 복잡한)

인혁   (선재 눈치 살피다가) 야 선재야. 그 보슬빈지 소나긴지 니가 만든 곡 있
        잖아. 그 곡으로 우리 여기 나가볼까? (모니터 가리키면 '슈퍼스타K' 포
        스터 떠 있는)

선재   별로라더니... (하다 멈칫 O. L) 너 혹시, 그 노래 누구 들려준 적 있어?

인혁   뭐? 누굴 들려줘?

선재   누구든. 들려준 적 있냐고.

인혁   야, 나도 며칠 전에 처음 들은 곡인데 누굴 들려주냐?

선재   없다고...?? (혼란스러운)

인혁   그니까는 우리 저기 나가서 대국민 앞에서 들려주는 건 어떻겠니? (하는데)

선재   (인혁 말 안 들어온다. 머릿속에서 생각 정리하다가 깨달은 표정) !!!

씬/59 솔이 집 외경 (D)

씬/60 솔이 집 옥상 + 경찰서 (D)

        솔, 평상에 앉아 최형사와 통화하고 있다.

솔   네...수사 어떻게 되고 있는지 궁금해서 연락드렸어요.

최형사(F) 아, 네. 현재 김영수 소재 파악 중입니다. 그리고, 진술해주신 범행 장소
        가봤는데요. 다 불에 타 있더라구요.

솔   (쿵) 네? 불에...타요? (OFF) 아니야. 수사 기록에 그런 말은 없었어. 거
        기서 증거 발견돼야 하는데? (ON) 그럴 리가요. 증거...아무것도 안 나왔
        나요?

최형사(F) 아직은요. 아무래도 신고당한 걸 눈치챈 것 같습니다.

솔   ...!! (옥상 난간 너머로 선재 집이 보인다. 쿵. 불안한 표정 OFF) 혹시 나
        찾아오는 거 아니야? 그러다 선재랑 마주치면 어떡해?!

씬/61 솔이 집 거실 (D)

솔, 짐을 넣은 커다란 배낭을 메고 방에서 급히 나온다.

씬/62 솔이 집 앞 (D)

솔, 급히 뛰어내려 오는데... 선재가 건물 앞에 서 있다!

솔   (놀라) 선재야...!
선재   확인할 게 있어서 기다렸어.
솔   내가 지금 급하게 어디 좀 가...
선재   (O.L) 너 그 노래. 어떻게 알고 불렀어?
솔   (멈칫) ...노래?
선재   인혁이 말곤 아무한테도 들려준 적 없는 곡인데 니가 어떻게 아는 건데?

〈선재 회상 인서트〉
#펜션 일각 (N)
선재, 취한 솔을 업고 가는데... 솔이 눈 감은 채 '소나기' 흥얼거린다.

선재   완전히 취했구만. (가만 듣는데 뭔가 익숙하다. 멈춰 서는) 그 노래 어디
        서 들었어?
솔   (좀 더 흥얼거리며 부르다 멈추고 한숨 푹 내쉬며 중얼거린다) 이번
        엔...바꿀게. 다시 돌아가기 전에...꼭...
선재   ...너 어디 가?
솔   미래...내 시간으로.

#다시 현실

선재	(솔이 배낭 보며) 너 어디 가는데?
솔	그게...
선재	(O.L) 네 시간으로 돌아가는 거야?
솔	!!!
선재	너 누구야. 정말...미래에서 왔어?
솔	!!!!! (놀란 표정에서)

(에필로그)

씬/63 펜션 인근 운동장 (N)

솔이 울음 그친 것 같다.

선재 "그만 가자...업혀." 하며 솔의 팔을 잡아 양쪽 어깨에 걸쳐놓고 돌아서는데. 솔이 미동 없이 가만있다. 선재, 한숨 쉬며 "업히라고..." 하며 다시 솔이 쪽으로 돌아서는 순간, 잠결에 업히려는 듯 몸을 앞으로 기울이는 솔의 얼굴과 정면으로 마주친다.

그대로 선재 입술에 솔의 입술이 꾹 맞닿는 모습에서!

[제75호]   (간이-공통)

진 술 서

성명	류선재	성별	남
연령	20세(1990. 10. 20.)	주민등록 번호	901020-1******
주거	서울시 북대문구 누리동 35-1		
	(통 반)	전화번호	011-980-1640
직업	학생	직장	

위의 사람은 납치 피해 사건의 목격자로서 다음과 같이 임의로 자필 진술서를 작성 제출함.

사건 발생일: 2009년 5월 10일 밤 12시~새벽 1시경
사건 발생 장소: 북대문구 누리동 34-1 인근 폐건물

사건 내용: 대학교 모임을 마치고 집으로 돌아오던 중 집 근처 담벼락 아래에서 **가방 하나를 발견했습니다.** 가방 주변에는 가방의 주인으로 추정되는 사람의 소지품들이 함께 떨어져 있었고, **전공 책에 적혀진 가방 주인의 이름(200912044 임솔)을 발견하고 나서야,** 가방의 주인이 대학 동기이자 앞집에 살고 있는 친구의 소지품임을 알 수 있었습니다.

그 순간 멀리서 솔이의 비명 소리가 들렸습니다. 곧바로 경찰에 신고한 뒤 소리가 나는 쪽으로 급하게 달려갔습니다. 솔이에게 전화를 걸며 주위를 살피던 중, 공사 중인 건물에서 핸드폰 벨소리가 작게 들려왔고, 벨소리를 따라 건물로 뛰어 들어갔습니다. 건물 계단에서는 솔이의 핸드폰을 발견할 수 있었습니다.

그때 도망쳐 나오던 솔이를 발견했고, 쓰러진 솔이를 살피는데, 남자가 도망치는 걸 목격했습니다. 저는 곧바로 남자를 쫓아갔고, 그러자 남자가 흉기를 꺼내 들고 **저에게 달려들어 몸싸움이 시작되었습니다.**

남자가 떨어트린 칼을 발로 쳐서 멀리 보냈지만 남자는 다시 저에게 달려들었고, 이 과정에서 저는 유리창에 부딪혀 이마를 다치게 되었습니다.

이마에서 흐르는 피 때문에 앞을 제대로 볼 수 없었고 **그 틈을 타서 남자는 저에게 달려들어 목을 조르기 시작했습니다.** 점점 숨이 가빠왔고... **저는 손을 뻗어, 손에 잡히는 것으로 남자의 얼굴을 내려치게 되었습니다.**

다행히, 그때 신고를 받고 출동한 경찰분들이 도착하게 되었고 남자는 그제야 제 목을 조르고 있던 손에 힘을 풀고 경찰분들에게 연행되었습니다.

이상의 내용은 모두 직접 목격한 일이자, 겪은 일임을 알려드립니다.

2009 / 2024

Lovely ♡

Runner ♡

10화

그 이유 때문이라면...솔아.

이제 도망치지 말고 그냥 나 좋아해라.

씬/1   으슥한 거리 일각 (N) * 선재 상상, 터미네이터 등장 씬

덤프트럭 운전자, 시동 끄고 내리려는데 갑자기 거센 바람이 불기 시작한다. 바닥에 버려진 신문지, 쓰레기 등이 바람에 날아가는데.
그때, 사방에서 내리친 번개가 도로 한가운데에 꽂힌다. 덤프트럭 운전자, 겁먹은 표정으로 지켜보는데. 그때, 번개가 내리꽂힌 자리에서 한쪽 무릎을 꿇고 고개를 숙이고 앉은 타이트한 검은 가죽 트레이닝복, 미래 지향적인 선글라스 낀 터미네이터가 천천히 고개를 든다. 일어서서 뚜벅뚜벅 걸어가는데. 마침 교복 입은 솔과 다른 여학생 몇 명이 걸어오는 모습 보인다. 터미네이터, 손목을 들어 전자시계 버튼 눌러보면 여학생들 모습 스캔되는 CG. 한 명은 'MISMATCH' 시선 이동해 그 옆에 선 솔이 스캔해보면 'MATCH' 뜬다. 터미네이터 뚜벅뚜벅 걸어가 솔이 앞에 멈춰 선다.

(컷 튀면)
터미네이터 틸업하면 교복 입고 서 있는 솔이 모습...

선재(E)   (어이없다는 듯) 이렇게 왔다고?

씬/2   금 비디오&DVD 가게 (N)

〈터미네이터〉비디오테이프 놓여 있고. 솔, 선재 소파에 앉아 있다.

솔   아니이! 내가 터미네이터라는 게 아니라 시간여행을 설명하려구 예를 든 거지. 예를.

선재   (비디오테이프 콕콕 찌르며) 그니까. 니가. 미래에서 왔다?

솔   (전자시계 보여주며) 응. 여기 이 버튼을 눌렀더니 2008년으로 뚝 떨어졌다니까?

선재   (솔이 전자시계랑 자기 전자시계 번갈아 보며 대혼란) 이게 2023년에서 가져온 내 시계라는 거잖아?

솔   그치.

선재   (믿기지 않는) 내 시계가 왜, 갑자기 타임머신이 된 건데?

〈인서트〉

#1. 4화 62씬, 회상 인서트

15년 전 사고를 당해 물속에 빠진 솔을 구하는 선재. 전자시계 찬 손으로 솔이 손목 잡는 장면.

#2. 1화 45씬

응급실에서 의사가 "류선재 환자. 사망하셨습니다." 하는 순간 호숫가에 떨어진 전자시계에 반짝 불 들어오며 숫자 3:00:00으로 바뀌던 장면.

#다시 현실

솔   (시계 보며 OFF) 네가 죽고 나서 그런 힘이 생겼다고...옛날에 네가 날 살린 것처럼 이번엔 내가 널 살려야 한다는 신의 뜻인 것 같다고 어떻게 말할 수 있겠어. (차마 말 못하고 ON) 그러니까...참 신기한 일이지.

선재   그리고 내 시계를 왜, 미래에 니가 갖고 있고?

솔   경매로 샀어. 300만 원에... (살짝 선재 눈치 살피면)

선재   (황당) 내가 뭔데 이런 낡은 시계를 경매에 내놓고 그걸 누가 삼 백이나

	주고 사?
솔	팬이었다고 했잖아.
선재	무슨 팬?
솔	너 이클립스라고 엄청 유명한 가수였어. 소나기, 그 노래도 그래서 아는... (거다 하는데 시간 멈춰 있자 한숨 쉰다. 다시 시간 흐르면) 그건 말할 수 없어.
선재	왜?
솔	시간이 멈추니까.
선재	허, (어이없고) 멈춰봐 그럼.
솔	방금 멈췄었는데...너는 알 수 없지. 시간이 멈춰 있었으니까.
선재	시간을 아주 자유자재로 갖고 논다?
솔	그건 아니고... (선재 눈치 살핀다) 내가 하는 말 다 황당하고 안 믿기지?
선재	어.
솔	그럴 줄 알았어. 그래서 그동안 아무한테도 말 못 한 거야.
선재	(믿어야 되나, 말이 되는 건가) 그래. 그렇다 치자. 이번엔 뭘 바꾸려고 왔는데? 니가 그랬잖아. 이번엔 꼭 바꾼다고. (솔이 의심스럽게 보는 표정)
솔	바, 바꾸긴! 아무것도 바꾸지 않는다고...안 바꿀 거란 말을 잘못했겠지. 취해서.
선재	안 바꾼다고...
솔	여기서 내가 무심코 던진 말이나 행동 때문에 내 미래, 또 누군가의 미래가 바뀔지도 모르잖아. (시계 쓸어보는데 숫자 1:00:00) 이번이 마지막이거든. 돌아가면 다시 못 와. 그래서 조용히 있다가 돌아갈 생각이었어.
선재	그래서 나만 보면 그렇게 도망친 거야?
솔	전에 내가 헷갈리게 해서...괜히 흔들어놔서 미안하다고 했었잖아. 그래서 이번에는 안 그러려고. 혼란스럽게 하고 싶지 않아서.
선재	왜, 내가 또 니 맘 착각하고 고백이라도 할까 봐? (씁쓸하고 화도 나고) 하, 그거 때문이면 힘들게 짐 싸들고 도망갈 필요 없어. (홧김에) 나. 휴학하고 미국 가.
솔	뭐? (놀란)
선재	재활 다시 해보려고. 너 불편하지 않게 내가 떠나줄게. 그리고 마주쳐도 내가 먼저 모른 척해줄 테니까 그런 말도 안 되는 핑계...대지 마라. (휙

일어나 나가는)

솔   재활? (문 밖으로 나가는 선재 보며) 선재가...떠난다고? (넋 나가 앉아 있는데)

씬/3   대학 강의실 (D)

선재, 교수님 강의 귀에 안 들어온다. 혼란스러운 상태.

선재OFF   미래에서 왔다고...? (손목에 찬 전자시계 보며 이걸 믿어야 되나 말아야 되나 싶은)

강의 끝난다. 옆자리에 현규, 초롱 가방 챙기다 가만있는 선재 보는.

초롱   (선재 툭 치며) 야, 안 가? 뭔 생각을 그렇게 해?

선재   너네 〈터미네이터〉 영화 봤어?

현규,초롱   봤지? / 왜?

선재   (심각) 시간여행이 현실에서 가능한 일인가...

초롱   미래에 과학이 무진장 발전하면 가능할 수도 있지. (허세) 너네 아인슈타인 상대성 이론 몰라? 웜홀 이런 거 못 들어봤어? 시간여행 하면 나오는 말 있잖어~

선재   그게 뭔데.

초롱   (돌변) 그걸 알면 내가 아인슈타인이지. 근데 그건 왜?

선재   너넨 좋아하는 애가 미래에서 왔다고 하면 어떻게 할 거야?

초롱   (정색) 바로 맘 접어야지. 뭔 거절을 그런 개소리로 해? 요즘 유행하는 신종 거절법인가? 싫으면 싫다고 하지, 누굴 놀리나...

선재   그런 거야? (표정 굳는)

초롱   (진지) 아, 싫어하는 애한테 고백받으면 그렇게 거절해야겠다.

현규   야, 니가 고백받는 게 시간여행보다 더 말도 안 되거든? (툭탁대는)

씬/4 금 비디오&DVD 가게 앞 (D)

솔, 가게 앞 의자에 앉아 선재 집 대문 보며 생각에 잠겨 있다.

솔OFF 갑자기 재활을 하러 간다고? 나 때문에 또 과거가 바뀐 건가? (하다가) 그래. 차라리 잘됐어. 선재가 멀리 떠나 있으면 그놈이랑은 절대 마주칠 일 없을 거 아니야.

그때, 선재 집 마당에서 근덕이 쓰레기봉투 들고 나온다.
솔, 생각 번쩍 떠오른 듯 벌떡 일어나 "아저씨! 안녕하세요!" 소리치며 뛰어가는.

씬/5 인혁 자취방 (D)

현수, MP3로 음악 들으며 드럼 스틱 돌리고 있고. 제이, 인터넷 소설책 울먹이며 읽고 있는. 한편 인혁, 무릎 꿇고 감격스러운 표정으로 전화받고 있는.

인혁 정말요? 네! 네! 아...보컬을요? 그럼요! 당연히 가능하죠. 감사합니다! (끊는)
현수 (이어폰 빼며) 무슨 일인데?
인혁 (울먹울먹) 혀엉! 내가 '슈퍼스타K'에 우리 공연 유씨씨 영상 보냈거든. 1차 합격했다고 지역 예선 보러 오래!! (좋아서 난리 나고, 현수 끌어안고 방방 뛰는)
제이 진짜?! 동섭이 형한테도 전화해줘야겠다. (핸드폰 꺼내려는데)
인혁 (헉! 달려가 말리는) 안 돼애애!!!

(컷 튀면)
모니터에 5화 밀리오레 무대 UCC 영상 틀어져 있다.

인혁	우리 밴드 공연 영상 보낼 때 혹시 몰라서 이것도 같이 보냈거든. 근데 합격 조건이 동섭이 대신 선재가 보컬이어야 된다네?
현수,제이	...... (정색)
인혁	(해맑게) 왜?
제이	이 형이 보컬 해준대?
인혁	그건...! (비장한 표정) 이제 설득해야지.
현수	(인혁 뒤통수 때리며) 안 한다고 하면 어쩌려고 일부터 저지르냐 넌?

씬/6 주택가 외경 (N)

씬/7 선재 집 거실 (N)

근덕, 저녁상 차리고 있는데, 인혁이 들어온다.

인혁	(넉살 좋게) 아들 왔습니다~~
근덕	아이고오. 우리 예비 슈퍼스타 오셨네! 요즘 맨날 공연한다고 바쁘담서 웬일이야?
인혁	(식탁으로 쪼르르 가 앉으며) 선재한테 할 말 있어서요.
선재	(욕실에서 씻고 나오며) 무슨 할 말? (하며 식탁에 가 앉는)
인혁	어? 이따 얘기하자. 이야~ 울 아부지 아들 오는 줄 어째 알고 갈비를 꾸우셨어~
선재	(밥 먹으며) 가게는 어쩌고 일찍 오셨어요?
근덕	안코치 만나고 오느라고. 선재 너 미국 가기로 결정했담서!
선재,인혁	(동시에 똑같이 갈비를 접시 위에 땡! 떨어트리며) ...어? / 미국?
근덕	앞집에 솔이가 말해주드만. 니가 재활받을 거라고 했다며. 백번 잘 생각했어~
선재	(당황) 아부지 그게요...
근덕	(O. L) 솔이가 니 걱정을 얼마나 하던지, 하루라도 빨리 미국 보내서 치료받게 해야 된다고 아주 신신당부를 하는데! 꼭 며느리 본 줄 알았네?

선재	(표정 굳고) 빨리 보내라고 했다고?
근덕	그래서 안코치한테 최대한 빨리 치료받을 수 있게 스케줄 좀 알아봐달라고 했어.
선재	(굳은 표정)
근덕	아이구. 갈비 타겠다. (하며 일어나 주방 쪽으로 가면)
인혁	(젓가락 내려놓으며 작게) 갑자기 뭔 재활이야! 대학 간다고 죽어라 공부해놓고!
선재	하, (씁쓸, 다시 퍽퍽 밥 먹으며) 그러게. 뭐 하러 죽어라 대학 갔나 싶네.
인혁	너 수술받고 수영 안 한 지 6개월도 넘었잖아!
선재	(덤덤히) 할 거면. 시기적으론 지금이 맞아. 다들 하나같이 나 미국 못 보내서 안달인데 마지막으로 해보지 뭐.
인혁	내가 너 죽어도 못 보낸다 그러면!
선재	너 나 사랑하냐?
인혁	(머리 쥐어뜯으며) 하...미쳐버리겠네?
선재	(의아한 듯) 왜 그래? 언젠 휴학하고 맘 정리나 하라며?
인혁	(멈칫, 돌아보며) 설마 임솔 땜에 가는 거냐? 전에 내가 눈에서 멀어지라고 해서?! (눈 돌아가는) 너 미쳤냐?! 도대체 걔가 뭔데 니 인생을 좌지우지하는데!
선재	뭔 인생까지 나와. 오바는. 그리고 왜 니가 성질인데? 니 인생이야?
인혁	내 인생도 걸렸다 이 말이다아...!
근덕	(갈비 접시 들고 돌아오는) 뭔 인생이 걸려? (인혁과 선재 번갈아 보면)
선재	할 말 있어서 왔다며. 뭔데?
인혁	하... (차마 말 못 하고) 아 몰라! (성질내며 갈비 뜯는)

씬/8 경찰서 외경 (D)

씬/9 경찰서 (D)

김형사, 피해자 진술서 보며 솔과 대화 중이다.

김형사	피해자 진술 확인 절차 때문에 이렇게 불렀어. 무서웠을 텐데 이제라도 용기 내 신고해줘서 고맙다. (진술서에 사건 일시 보며) 작년에 주양저수지 파출소 앞에서 쓰러진 날이 납치됐던 날 맞지?
솔	네...그날 병원 데려다주셔서 감사했어요.
김형사	기억을 잃었을 거라곤 미처 생각 못 했다. 그때 더 조사해봤어야 했는데.
솔	괜찮아요. 근데...범행 장소. 그 폐가요. 불에 다 타버렸다고 하던데... (불안한) 그럼 증거는 못 찾은 건가요?
김형사	아! 아니. 다행히 현장 감식 중에 불길이 닿지 않은 건물 내벽에서 주양저수지 시신 DNA와 일치하는 혈흔을 찾았어.
솔	그래요? 잘됐네요...!! (안심되는)
김형사	살인 용의자로 지명 수배 중이니까 금방 잡힐 거다. 너무 걱정 마. 근데 사건 당일 택시에 태워져서 끌려갔다고 했는데 범행 장소에서 도망쳐 나올 땐 범인이 트럭으로 쫓아왔다고 진술했더라.
솔	네. 제가 택시 차 키를 가지고 도망쳤거든요.
김형사	그랬구나. 혹시 그 트럭에 대해서는 더 기억나는 게 없니? 범인 행동 특성을 보면 현재 차량으로 도주 중일 가능성이 커서.
솔OFF	트럭에 대한 정보는 사건 기록에 없었어. (안타까운 표정 ON) 네. 그날 정신이 없었어서...번호판이 달려 있긴 했던 것 같은데 기억이 잘...안 나네요.
김형사	(1톤 트럭 사진들 보여주며) 이 중에서 그럼 가장 비슷한 차종 한번 골라볼래?

〈솔 회상 인서트〉 *7화 28씬
영수 트럭 스쳐 지나가던 컷.

솔	(흰색 트럭 사진 두세 장 고르며) 흰색이요. 때가 타긴 했는데...흰색 트럭이었어요.
김형사	흰색 트럭? (표정에서)

씬/10 대학 건물 복도 (D)

솔	(생각에 잠겨 걸어오며) 증거라도 나와서 다행이네... (하는데)
금	(불쑥 프레임 인하며 나타나는) 뭐가 다행이냐?
솔	깜짝이야...학교에서 아는 척하지 말라며?
금	(긴히 속삭이듯) 천 원짜리 있냐?
솔	진상... (어이없어하며 가방에서 지갑 꺼내는데)

그때, 금이 핸드폰 벨소리 울려서 보면 현주다. 거절 버튼 확 누르는데 강의실 앞에 서 있는 현주 보고 헉! 놀라며 회상.

〈금 회상 인서트〉 *9화 53씬
현주랑 스파이더맨 키스하던 장면 짧게 스치고.

현주	내 전화 왜 안 받는 거야 진짜! (하며 돌아보면)
금	(헉! 획 도망치고)
솔	(천 원짜리 꺼내고 보면 금이 사라지고 없는) 어? 어디 갔지?
현주	(솔이 쪽으로 뛰어가) 방금 금이 오빠랑 있었던 거 맞지?! (하다 열받아서 후, 앞머리 바람 불며) 와아. 이렇게 나온다 이거지? (씩씩대는데)
솔	(선재 보고 놀란 표정) !!!
현주	어? 야야. 류선재다! (돌아보면 솔이 사라지고 없는) 얜 또 어디 갔어?

씬/11 대학 강의실 (D)

솔, 현주. 뒤쪽에 앉아 있는데, 몇 줄 앞에 앉아 있는 선재 뒷모습 보인다.

현주	류선재 쟤도 교양 이거 듣나 봐. 사람 많은 강의라 나도 오늘 첨 보네? 혹시...너랑 같이 들으려고 일부러 신청했나?
솔	(작게) 쓸데없는 소리 한다 또.
현주	선택 교양이라지만 체교과 애가 (교양 책 흔들며) '영화 음악의 이해'를

	왜 듣냐고.
솔	선재 원래 영화랑 음악 둘 다 좋아해.
현주	쟤 아직도 너 좋아하는 거 아니야? (속삭이는데)

그때, 다혜가 들어와 자연스레 선재 옆자리에 앉는다.

현주	(바로 돌변) 아닌가 보네? 쟤 뭐야? 여친? 엠티 때도 옆에 붙어 다니던 애 맞지?
솔	(다혜가 선재에게 웃으며 인사하는 모습에 저도 모르게 표정 굳는) ...
다혜	(핸드크림 듬뿍 짜며) 너무 많이 짰다. 너 좀 발라. (선재 손등에 괜히 터치하는)
선재	뭐야. 아, 찐득거리는 거 싫은데... (대충 크림 펴 바르면)
다혜	근데 너 손 되게 크다. 손 크기 재볼래? (손바닥 쫙 펴서 선재에게 내밀면)
선재	길고 짧은 걸 대봐야 아냐? (철벽. 책 펴는)
현주	(두 사람 관찰하다가 솔이 쿡 찌르며 속닥거리는) 야야 쟤 하는 짓 봐라. 류선재 좋아하나 봐. 저거 '훈녀생정'에 '꼬픈남 내 남자 만들기 스킬'인데 저걸 쓰네?
솔	귀엽네... (쓸쓸)
현주	저게 귀여워? 하긴~ 남자 애들은 귀엽다고 껌뻑 죽겠지 뭐.

(시간 경과)
강의 중이다. 솔이 시선에 나란히 앉은 선재, 다혜 뒷모습이 눈에 밟힌다.

(시간 경과)
강의 끝난 분위기. 솔, 서둘러 나가려는데 누군가와 부딪혀 책 떨군다.
솔, 주우려고 허리 숙이는데 누군가가 책을 밟는다. 올려다보면 다혜다.
다혜, 책에서 발 떼며 "아, 미안~" 하며 비켜서면. 다혜 째려보는 현주.
솔, 책 주워 들어 툭툭 터는데 나오던 선재랑 마주친다. 솔이 먼저 눈 내리깔며 시선 피하자, 선재, 솔을 모른 척 무시하고 지나쳐 나간다.
다혜, "선재야 같이 가!" 하며 총총 쫓아나가면. 그 모습 보는 솔, 마음 안 좋은.

씬/12 준코 술집 외경 (N)

씬/13 준코 술집 안 (N)

테이블마다 칸막이로 나뉘어 있고. 안주 세 가지 만 원, 각종 칵테일 소주, 밀크 화채 안주 등 당시 추억의 술집 분위기. 현주, 솔이 잔에 요구르트 소주 따라준다.

솔	젊다 젊어. 엠티 때 그렇게 마셔놓고 며칠 만에 또 술이 들어가?
현주	부지런히 마셔야지. 이러려고 고딩 때 죽어라 공부한 거 아니야?
솔	(피식 웃으며 소주 마시는) 달달하네.
현주	(떠보는) 근데 금이 오빠 요즘 어때? 아직도 전여친 못 잊어서 울고 짜고 해?
솔	(고개 절레절레 저으며) 궁금하면 니가 물어봐~
현주	뭔 연락이 돼야 물어보든 말든! (했다가 아차 싶어 말 돌리는) 할 정돈 아니고! 그냥 생각나서 물어본 거야~

한편, 입구 쪽. 선재, 현규, 다혜가 알바생 안내를 받고 들어온다. 선재 일행, 자리 잡고 앉는데, 솔이 테이블 건너편 자리다.

(시간 경과)
현규, 술 마시며 떠들고 있고. 선재, 문자 확인하는데 인혁이다.
'선재야, 미국 가기 전에 나랑 오디션 한번 같이 나가줄래?'

선재	웬 오디션? (답장하는. **'내가 오디션을 왜 나가.'**)
현규	(전화받는) 뭐? 왜 못 찾아! 알았어. (끊으며) 야. 초롱이 데리고 올게. (나가는)

한편, 솔이 쪽으로 팬하면. 현주, 술에 취해 엎드려 있다.

솔	(현주 흔들어 깨우며) 현주야! 자? 야!
현주	(갑자기 일어나더니 술주정) 연락을 왜 자꾸 씹냐고오. 집에 확 쳐들어갈까 보다...
솔	(한숨) 그만 가자. 계산하고 있을 테니까 나와.

솔, 가방에서 지갑 꺼내는데, 동전이 떨어져 건너편 테이블 밑으로 굴러간다. 솔, '에이...' 하며 동전 주우려 기어가는데. 그때, 조명 꺼지고 미러볼 조명 현란하게 돌아가기 시작하고. 터보 '생일 축하곡' 울려 퍼진다. 일각에 한 테이블에서 우르르 일어나서 생일파티 시작하고. 솔, 어둡고 정신없는 와중에 동전 주우러 옆 테이블 아래로 기어 들어간다. '생일 축하곡' 끝나고 홀이 다시 밝아진다. 솔, "죄송합..." 사과하며 테이블에서 기어 나오려다 헉!! 놀라는데. 보면, 선재 쪽 테이블이었던. 어느새 다혜가 선재 옆으로 옮겨 앉아 있다.

솔OFF	어떡해...! (타이밍 놓쳐 못 나오고 엎드려 있는)
선재	(옆에 와 있는 다혜 어이없이 보며) 언제 자리 옮겼어?
다혜	저 자리 너무 더워서. 아...더워. (하며 머리끈 입에 물고 머리를 높이 묶더니 손거울로 얼굴 확인하며) 어떡해. 나 취했나? 내 볼 빨갛지.
선재	(무심한) 취했으면 들어가든가.
다혜	그 정돈 아니구. (두 손으로 소주잔 잡고 한 모금 마시며) 아웅 써~ (한쪽 눈 찡긋)
솔OFF	왜 저래?
선재	취했다며 왜 마시냐? 근데 현규 얜 어디 간 거야. (시선 돌리는데)
다혜	저기 선재야. 근데 너...곧 휴학하고 미국 가는 거 진짜야?
선재	뭐? 소문이 벌써 났나 보네... (하며 술 들이켜면)
다혜	있잖아...나도 교환학생 신청해서 따라갈까?
선재	(멈칫, 황당) 니가 날 왜 따라와?
다혜	눈치 없긴...내가 너 좋아하잖아. 선재야. 우리 사귈래?
솔	!!!! (놀란 표정)
선재	... (당황. 어떻게 거절할지 고민하는데)

다혜	왜? 넌...나 싫어?
선재	(순간 자신이 솔에게 했던 말 떠오른다)

〈선재 회상 인서트〉* 9화 44씬
선재 "넌 내가 그렇게 싫어?" 하던 장면 스치고.

다혜	(굳은 선재 표정에 조급해진다. 일부러 키스할 듯 훅 다가가는)

한편, 테이블 밑 솔이 시선에는 선재에게 키스할 듯 다가간 다혜 뒤통수만 보인다. 꼭 입 맞추는 것처럼 보여 놀라 눈 질끈 감는. 잠시 정적 흐르고... 그때, 초롱, 현규 같이 들어오자 다혜가 놀라 선재에게서 떨어진다.

초롱	(헉!) 미안 우리가 방해한 거냐? (하는데)
E	솔이 핸드폰 벨소리 울려 퍼지는.
일동	??! (놀란 표정. 동시에 갸웃)
솔	(헉! 주머니에 핸드폰 확 꺼버리는 OFF) 망했다...! 어떡해... (눈 굴리는)

초롱, 테이블 끝에서 고개 숙여 테이블 아래 내려다보는 순간.
솔, 빈 휴지통이 눈에 들어온다. 냅다 머리에 뒤집어쓰고 기어 나오는데.
초롱, 솔이 뒤집어쓴 휴지통에 턱을 맞아 "악!!" 하며 뒤로 넘어가고.
솔, 허둥지둥 휴지통 쓴 채 뛰어가는 모습.
한편, 그 모습 본 현주. 취한 말투. "임솔?! 저게 취했나아!"
일어난 선재, 현주 보고 솔이었구나 확신하고 쫓아 나가는.

씬/14 준코 술집 앞 거리 (N)

솔, 휴지통 쓰고 허둥지둥 계단 뛰어 내려오다가 술집 알바랑 마주친다.
솔, 얼른 휴지통 벗어 돌려주며 "잘 썼습니다! 죄송합니다아!" 소리치고
뛰어간다. 선재, 쫓아 내려와서 보면 솔이 이미 사라지고 없다. 표정.

현규	(쫓아 내려와선) 야야. 방금 입술 맞지? 쟤 어떡하냐. 테이블 밑에서 너랑 다혜랑 키스하는 거 딱 봤겠네.
선재	키스라니?
현규	아니야?

〈선재 회상 인서트〉 *13씬 선재 시점

다혜	(굳은 선재 표정에 조급해진다. 일부러 키스할 듯 훅 다가가는)
선재	(다혜 이마를 검지 손가락으로 탁 짚으며 막는) 뭐야?
다혜	(민망. 핑계 대는) 그, 그게 속눈썹이 붙어서. (하는데 현규와 초롱이 오자 놀라 떨어지는)

#다시 현실

선재	그렇게 보였어?
현규	어. 각도가 딱! 아니면 완전 오해한 거네. 쟤 상처받고 우는 거 아니야?
선재	상처를 왜 받아. 임솔 나한테 관심도 없어.
현규	에에? 난 걔가 너 좋아하는 줄 알고 있었는데? 작년에 너 어깨 다쳐서 쓰러졌단 소리에 세상 무너진 것처럼 눈물 쏟으면서 뛰어가길래.
선재	(씁쓸) 오해다. 너만 그렇게 생각해.
현규	내 촉이 맞다니까?! 아니면 왜 테이블 밑에서 못 나오고 그러고 있었겠냐? 아마 지금 속으로 엄청 질투하고 있을걸?
선재	질투? (표정에서)

씬/15 솔이 집 옥상 (N)

솔(E)	내가 첫사랑이라더니!!

양 볼이 빨갛게 달아오른, 질투 어린 솔이 얼굴에서 카메라 빠지면.
솔, 금 평상에 마주 앉아 비빔밥을 안주 삼아 각자 소주 한 병씩 마시던

분위기. 둘 다 취해서 각자 자기 할 말만 하는데 이상하게 대화가 통한다.

솔   (소주 확 들이켜며) 씨...아무나 잘만 만나는 구만 10년 넘게 못 잊기는
      무슨!

금   잊다니! 나아...아직 채원 씨 못 잊었다?

솔   치. 만날 여자가 없어서 못 만났던 거면서.

금   만날 여자가 없는 게 아니라! 채원 씨 말곤 내 맘에 들어오는 여자가 없
      었다고오!

솔   남자가 입이 무거워야지. 아무 여자한테나 입술을 내주고 말이야. 어?!

금   내주다니! 현주 고게 들이대는 걸 어떡하냐?

솔   들이댄다고 받아주면 어쩌냐고. 싫어요! 안 돼요! 그 말 못 해? 좋으니까
      받아줘놓고!

금   싫진 않더라. 뜻밖의 선물을 받은 것 같기도 하고... (헉!) 뭐라는 거야..
      (술 마시는)

솔   (선재 집 쪽 보며 버럭) 선물 받아서 좋았냐?!

씬/16 솔이 집 앞 + 솔이 집 옥상 (교차) (N)

#집 앞

선재, 걸어오는데 머리 복잡하고, 가슴 답답한 표정. 그때 솔이 목소리 들
린다.

솔(E)   좋았냐고오!!

선재, 멈칫하며 옥상 쪽 올려다보는 표정.

#옥상

솔   좋았냐고오!! (하다 한숨) 내가 무슨 자격으로 질투야 질투는...너만 행복
      하면 그만이지. 에이. 몰라... (평상에 드러누우며 슬리퍼 벗어 던지는데

슬리퍼가 난간 너머로 날아가자 벌떡 일어나 내다보면. 선재가 슬리퍼 들고 올려다보고 있다. 헉!!)

씬/17 솔이 집 앞 (N)

술 확 깨버린 솔, 쭈뼛쭈뼛 나온다.

솔　　　미안...

선재　　너 맞지?

솔　　　나 아니야! 오빠가 술 취해서 발버둥 치다가 그런 건데... (둘러대는데 선재가 허리 숙이자) ?? (시선 내리면 슬리퍼 한 짝만 신고 나온. 다른 한쪽은 양말 바람이다)

선재　　(슬리퍼를 솔이 발 앞에 놔주며) 그거 말고. 아까 술집에서 휴지통 쓰고 뛰어나간 사람. (일어나서 솔이 보며) 너 아니야?

솔　　　(민망. 얼른 슬리퍼 신으며 시침 떼는) ...아닌데?

선재　　맞는데?

솔　　　절대 아닌데?

선재　　혹시 봤어?

솔　　　아니! 눈 꾹 감고 있어서 못 봤어! 키스하는 거 훔쳐보는 취미 없거든?

선재　　봤네.

솔　　　(헉! 이런... 민망해 얼굴 화르르 달아오르는)

현규(E)　아마 지금 속으로 엄청 질투하고 있을걸?

선재　　(현규 말 떠오르고, 솔이 보는 표정)

솔　　　(정신 차리고) ...가, 갈게! (들어가려는데)

선재　　기분이 어때?

솔　　　(멈칫) 어?

선재　　아무렇지도 않아?

솔　　　뭐, 뭐가.

선재　　화 안 나고. 내가 여자랑 키스하는 거 봐도.

솔　　　......내가 화날 게 뭐 있어.

선재   (섭섭) 그럼 넌 내가 멀리 떠난다는데도 정말 괜찮아? 하루라도 더 빨리 보내버리고 싶을 만큼?

솔   ......

선재   (그럼 그렇지. 씁쓸한 듯) 그래...알았어. 근데 마지막으로 하나만 묻자. 시간여행이고 뭐고 난 다 모르겠고. 니가 어느 시간에서 왔건 하나도 안 중요해. 나한테는! 과거의 너나 미래의 너나 다 똑같이 그냥 너니까. 근데 넌? 니가 살아온 모든 시간 속에서 나를 좋아했던 넌 없어? 단 한 순간도 없었어?

솔   (맘 아프게 보다가) 응. 없어... (OFF) 널 좋아할 자격이 없어.

선재   ...! (들끓던 마음이 확 가라앉는다. 상처받은 표정에서)

씬/18 선재 집 선재 방 (N)

방에 들어오자마자 아무렇게나 가방을 툭 떨구는 선재. 이제 정말 이 마음을 접어야 하나, 그게 될까... 여러 감정들이 올라와 답답한지 창문을 확 열어젖힌다.

씬/19 솔이 집 솔이 방 (N)

솔, 창가에 서서 선재 집 바라보는데, 선재 방 창문이 열리자 휙 돌아서서 벽에 기대 주저앉는다.

〈솔 회상 인서트〉 *8화 39씬
선재에게 마음 고백하던 솔.

두 무릎에 얼굴을 묻고 앉아 있는 솔. 울고 있는 듯 어깨가 들썩인다.

씬/20 태성 집 거실 (N)

태성, 집에 들어오는데, 김형사가 방에서 쇼핑백 들고 나온다.

태성   한동안 안 들어올 것 같더니 웬일이래.

김형사   빤스가 없어서 들어왔다. (빨랫줄에 팬티 걷어서 쇼핑백에 챙기는데)

태성   (짜증) 그거 내 꺼거든?

김형사   내 빤스는 어따 팔아 먹었어? 왜 안 찾아와?

태성   뭘 찾어 또. 새로 좀 사 입어. (식탁에 놓인 김형사 수첩과 피해자 진술서에 적힌 이름 '임솔' 보고 멈칫. 휘리릭 넘겨보다가 표정 굳는) 아빠. 이거 뭐야?

씬/21 동네 미용실 (N)

〈인혁 핸드폰 인서트〉
선재에게서 온 문자. **'내가 오디션을 왜 나가.'**

핸드폰 화면에서 빠지면. 인혁, 미용실 의자에 앉아 있고 핸드폰 덮는다.

미용사   총각~ 내일 군대 가? (이발기 버튼 누르면 E. 윙-)

인혁   아뇨...! 제 의지를 보여주려구요. (거울에 비친 비장한 표정에서)

씬/22 선재 집 외경 (D)

씬/23 선재 집 거실 (D)

선재, 가방 메고 내려오는데. 비니 푹 눌러쓴 인혁이 분위기 잡고 서 있다. 인혁, 천천히 비니 벗으면 짧은 군인 머리다. (*가발)

선재	(놀란) 너 머리가...!
인혁	(울먹이며) 내가 머리 왜 밀었는 줄 아냐?
선재	왜 그랬어?
인혁	선재야....난! (울컥! 바닥에 무릎 툭 꿇으며 눈물 주르륵 흘린다. *〈슬램덩크〉 장면) 음악이...하고 싶어...!!!
선재	너 이 자식! (같이 울컥) 이렇게까지 진심이었어?!
인혁	친구야...오디션 한번 같이 나가줄래?
선재	(와락 껴안으며) 그래. 해! 같이 하자 음악!

울먹이는 인혁 표정에서 빠지면, 인혁 상상이었던.
비니 푹 눌러쓴 인혁, 씩 웃는다. 선재가 계단 내려오자 분위기 잡고.

인혁	선재야... (비니 벗으려는데)
선재	왔어? 오디션 다음 주라며. (하며 인혁 휙 지나쳐 식탁으로 가는)
인혁	(벗으려다 멈칫) 어?
선재	(물 따르며 일상 얘기하듯) 현수 형이 전화해서 부탁하더라.
인혁	안 그래도 그 말 하려고... (했다 하며 비니 벗으려는데)
선재	(O. L) 나가줄게. 클럽에서 짤리게 생겼다며. 방송 타면 좋은 거 아니야?
인혁	(벗으려다 멈칫) 이렇게...호락호락?
선재	(현관 쪽으로 가며) 대신 떨어져도 모른다~ 며칠 연습해서 뭘 얼마나 잘하겠어. 오전 강의만 듣고 갈게 이따 보자. (먼저 나가는)
인혁	(울먹이며 소리치는) 그래~~~ 조심히 와!!! (현관문 쿵 닫히면 그제서야 비니 벗으며 일각에 거울 보는. 허전한 머리 쓸어내린다) 아...시X. (*삐 처리) 진작 말하지.

씬/24 캠퍼스 일각 (D)

금이 걸어가다가 캔커피 들고 기다리고 선 현주 보이자 헉! 놀란다. 금, 뒷걸음질 치며 도망가기 시작하는데, 그런 금 발견한 현주 "오빠!!" 소리치며 쫓아가는.

(컷 튀면)

금이, 죽어라 도망치고 있고. 현주, 죽어라 쫓아 뛰어가고 있다.

현주, "얘기 좀 하자구요! 거기 서! 멈추라고!" 소리치는데 금이 안 멈추고 정문 쪽으로 달린다. 그러다 현주, 뭔가 보고 멈춰 서서 소리치는 "어! 조심해요 오빠!!!" 순간, 금이 입구 쪽에서 내려오던 차단기에 얼굴 딱 부딪혀 쓰러지는 모습에서.

씬/25 캠퍼스 내 카페테리아 (D)

현주, 시퍼렇게 피멍 든 금이 입술 주변에 멍크림 발라주고 있다.

〈금 회상 인서트〉 *9화 53씬

금, 현주 스파이더맨 키스 장면 스치고.

금	(헉!! 고개 홱홱 저으며 기억 지우려) 사라져! 사라져!
현주	아 뭐래. 쫌 다물고 있어봐요! (입술 아프지 않게 찰싹 때리면)
금	아!
현주	다 됐다... (씩 웃으면)
금	(살짝 두근, 정신 차리며) 야! 너 때문에 앞니 또 나갈 뻔했잖아!
현주	그러게 누가 도망치래요? 문자도 전화도 다 씹고!
금	(뜨끔) 무, 무슨 얘기가 하고 싶은 건데?
현주	내가 고백했잖아요. 우리 관계를 다시 정리해야죠.
금	친구 오빠. 동생 친구. 여기서 무슨 관계를 다시 정리하니.
현주	키스까지 했는데 무슨 동생 친구래?
금	그건 니가 먼저! (말하다 말고) 그리고 그게 키스냐? 입술 박치기지. 꼬맹이 알지도 못하면서. 그리고 아무리 좋아도 입술부터 막 그러는 거 누구한테 배웠어!
현주	민증 나온 지 1년도 넘었는데 왜 자꾸 애 취급이에요?
금	내가 너 요만~할 때, 콧물 찔찔 흘리고 다닐 때부터 봤거든?

현주	그래서 내가 여자로 안 보인다?
금	당연하지. 오빠가 너 목욕탕 가서 등도 밀어줄 수 있어!
현주	(일어나며) 그럼 가봐요. 가서 등! 밀어줘보라구요. 빡빡.
금	(당황해 다시 앉히며) 야, 말이 그렇다는 거지. 애가 저돌적인 구석이 있네? (어른스럽게) 진정하고 현주야. 너 여기 10분만 앉아서 지나가는 남자 애들 한번 둘러봐. 오빠보다 괜찮은 놈 많다?
현주	뭘 10분이나 봐요. 대충 봐도 다 오빠보다 괜찮구만.
금	뭐? 참 나. 그럼 대체 내가 왜 좋다는 건데?
현주	제가요. 청국장 냄새를 너무 싫어해서 절대 안 먹었거든요? 근데 언젠가부터 좋아하게 됐어요. 근데 냄새는 아직도 싫어요. 싫으면서도 좋은...뭐 그런 거 아닐까요.
금	(어이없고) 그래. 구수하게 봐줘서 고마운데. 나는 널 동생 친구 그 이상으로 생각해본 적 없거든? 그러니까 시간 낭비하지 말고 더 좋은 놈 찾아봐라.
현주	설마 지금 나 차는 거예요?
금	오빠한테 차인 거 아~무한테도 말 안 할게. 창피하면 내 기억에서도 지워줄게. 응? (식권 쥐여 주며) 돈가스 먹고 기분 풀어. 간다. (일어나는)
현주	(표정 구기며) 누가 누굴 차?! 오빠 그러다 후회해요!!! (소리치며 씩씩대는)

씬/26 대학 건물 입구 (D)

솔, 강의 듣고 나오며 "현주 앤 어디 간 거야..." 하는데 입구에서 웅성웅성 하는 소리 들린다. 보면, 태성이 꽃다발 들고 서 있다.
솔, 놀라는데. 태성, 나오는 솔이 발견하곤 솔이 과티 들고 막 흔들며 웃는다. 주위 여학생들 "대박..." "남친이 꽃 들고 왔나 봐." "완전 잘생겼어..." 수군대는.
한편, 일각에서 걸어오던 선재, 그 모습 보고 표정 굳는데.

솔	(헉! 쪼르르 달려가) 야, 여긴 왜 왔어?!

태성	왜 오긴~ 니가 가져간 팬티! 받으러...

태성 왜 오긴~ 니가 가져간 팬티! 받으러...

솔 (화르르. 태성 입 손으로 확 틀어막으며 질질 끌고 가면)

선재 저 자식이 여길 왜 와? (보다가 애써 신경 끄려는 듯 돌아서는 모습에서)

씬/27 캠퍼스 인근 거리 (D) *선재 상상

예쁜 거리, 신호등 앞. 솔, 태성 마주보고 서 있다. (*인소 대사 패러디)

솔 (처연하게) 내가 찾아오지 말랬잖아. 여기서 얼마 동안이나 기다린 거야?*

태성 1분.*

솔 거짓말...*

태성 5분.*

솔 내가 바보냐? 대체 얼마나 기다린 거냐고!* (소리치면)

태성 (슬픈 표정, 꽃다발 들어 신호등 가리키며) 저 신호등이 8만 7천 번 바뀔 동안.*

솔 흡... (울음 터지고) 미친놈...

태성 그래 이 미친놈은! 헤어진 그 순간부터 쭉 너만 기다렸어.

솔 (울며 소리친다) 왜! 도대체 왜! 혹시 나 좋아했니?**

태성 아니.**

솔 그럼 왜 기다렸는데!**

태성 (O. L) 사랑했다. 죽도록. 미치도록.. (그러다 큰 소리로) 우주가 다 터져 나가도록!!!**

솔 (무너지고 만다) 태성아...! (달려가 와락 안기면)

태성 내가 그랬지... (꽉 끌어안으며) 임솔!! 영원히 니가 내 별이다...! ☆***

씬/28 대학 학생식당 (D)

선재 (주먹으로 테이블 꽝 내려치며) 이런 개자식이!!! (소리치면)

초롱	(선재 식판에서 돈가스 찍다 놀라 얼음. 손 떨며) 그, 그냥 딱 한입만 먹으려고...
선재	(머리 쓸어 넘기며 혼잣말) 하...뭔 생각을 하는 거냐 찌질하게!
초롱	(돈가스 내려놓으며) 미안하다...찌질해서...

씬/29 카페 (D)

솔, 태성 마주 앉아 있다.

솔	(테이블에 놓인 꽃다발 힐끔 보며) 꽃은 뭐니? 이런다고 너랑 다시 안 사귄다~
태성	오...김칫국 좋아하나 보네? 나도 좋아해.
솔	뭐?
태성	이거 너 줄 거 아니고 내 꺼야. 여기 오기 전에 고백받았거든.
솔	(쩝...) 좋겠다 그래.
태성	여기요~ (솔이 팬티 돌려주고) 팬티는요~?
솔	그걸 싸 들고 다니겠어? 너 팬티 받으러 여기까지 찾아왔니?
태성	설마 내가 이거 주려고 여기까지 왔을까.
솔	그럼 왜 왔는데?
태성	그게... (잠깐 망설이다가 에이 모르겠다) 모른 척하려고 했는데 내 성격상 또 그게 안 돼. 걱정돼서 왔어. 너...작년에 납치당했었다며.
솔	!!!

(컷 튀면)

솔	(놀란 듯) 네가 김형사님 아들이었구나...! 근데 왜 그 모냥으로 살았지?
태성	참 우리 전여친 말 이쁘게 해~
솔	암튼. 이거 비밀이니까 아무한테도 말하지 마. 알았지?
태성	너 설마 그런 큰일을 당해놓고 가족들한테도 말 안 했어?
솔	말해 뭐 해. 걱정만 시키지.

태성	(걱정) 근데...괜찮냐? 그때 어디 다치진 않았지?
솔	괜찮으니까 이러고 앉아 있지.
태성	(나름 위로) 아빠가 일 하나는 잘해. 우리 엄마는 놓쳤는데 나쁜 놈들은 잘 잡어. 그놈도 금방 잡힐 거니까 걱정하지 마.
솔	(태성 엄마 얘기에 잠시 표정. 진심으로) 그래 고마워. 걱정해줘서.
태성	(민망한지, 커피 마시며 딴청)
솔	(생각난 듯) 있잖아. 네가 김형사님 아들이라니까 하는 말인데. 부탁 하나 해도 돼?
태성	부탁?
솔	선재가 날 구하면서 주양저수지 범인이 잡히게 되거든. 그놈이 출소할 때가 되면...! (말하는 순간 시간이 멈추자, 한숨 쉬며 다시 바꿔 말하는) 나중에 2023년이 되면 김형사님한테 꼭 이 말 좀 전해줘. 나 말고, 선재를 지켜야 된다고.
태성	뭔 소리야? 뭘 지켜?
솔	자세히 말할 수가 없어. 그냥 그렇게라도 꼭 전해줘.
태성	혹시 주양저수지 사건 범인이랑 관련된 거야?
솔	!! 너 의외로 꽤 통찰력이 있다?
태성	아빠가 그 사건 담당이고 니가 피해잔데 엉뚱한 부탁을 하진 않을 거 아니야.
솔	각 잡고 공부해서 형사 됐어도 잘했겠네.
태성	근데 왜 2023년인데?
솔	그게...이유는 말 못 해 내가.
태성	그럼 그때 가서 직접 말하지 왜 나한테 부탁을 하냐?
솔	그땐 내가 아니라 과거의 솔이거든. 걔는 아~무것도 몰라.
태성	(가만 듣다가) 전여친아...? 알아듣게 설명을 좀 해줄래?
솔	그니까 그게! (답답) 그래. 선재한테도 들킨 마당에 뭘 숨겨... (결심한 듯 태성 보며) 있잖아 실은 나...미래에서 왔어.

씬/30 인혁 자취방 (D)

선재, 인혁(*비니 쓴), 현수, 제이 '소나기' 공연 연습하던 분위기.

〈선재 회상 인서트〉 *9화 62씬 회상 장면
솔이 '소나기' 흥얼거리던 장면.

회상에서 돌아오면 선재, 노래 들어갈 타이밍에 안 들어가고 가만히 생각에 잠긴. 인혁, 현수, 제이 연주하며 "쟤 왜 저래?" 하며 서로 눈빛 주고받다가 연주 멈추는.

선재 인혁아...너 이 노래 임솔한테 들려준 적 진짜 없어?

인혁 임솔? 걔한테 이걸 왜 들려줘. (왜 저러지? 눈치 보며) 왜? 들려줬어야...됐나?

선재 하...그럼 도대체 어떻게 아는 거야... (OFF) 진짜 미래에서 듣고 온 거야 뭐야.

씬/31 야산 폐가 뒷마당 (N)

감식반 요원들 흙바닥에 희미하게 남은 트럭 타이어 자국을 찾아내 증거 수집 중이고, 김형사, 인근 파출소 순경과 대화 중이다.

순경 근데 집집마다 그런 트럭 한 대씩은 다 있을 텐데 찾기 쉽지 않겠네요. 하여간 이 동네는 제대로 된 씨씨티브이가 없어서...

김형사 파출소 앞에 하나 있잖아. 그 씨씨티브이 영상 좀 다 넘겨줘.

순경 네? 6개월 전 건 오래돼서 안 남아 있을 텐데요.

김형사 아니. 여기 화재 신고 들어온 날. 그날 영상. 트럭 몰고 왔다 갔으면 찍혔겠지. (하는데 최형사 전화 와서 받는다) 어. 그래.

씬/32 차 안 + 지방 동네 일각 (N)

시동 꺼진 차 안. 최형사, 김형사와 통화하며 잠복 중이다. 막내 형사 졸고 있고.

최형사   김영수 고향 친구 집 앞에서 잠복 중이에요. 옛날에 군대 휴가 나왔을 때 신세진 적이 있었대요. 혹시 모르니까... (하는데 창밖으로 하얀 트럭 천천히 지나가는)

씬/33   영수 트럭 (N)

영수, 최형사 차 옆을 유유히 지나친다. 서늘한 표정으로 백미러 보는 영수. 백미러에 비친 잠복 차 점점 멀어지고... 영수 손 보면, 솔이 핸드폰을 꽉 쥐고 있다. 폴더를 탁탁 열었다 닫았다 하며 낮게 욕지거리하며 가는 모습에서.

씬/34   금 비디오&DVD 가게 (N)

복순, 가게 들어오는데 중앙 바닥에 물웅덩이가 보인다. "뭐야..?" 하며 올려다보면 천장에서 물이 쪼르르 새고 있다. "어머어머!" 놀란 표정.

씬/35   주택가 골목 + 류근덕 갈비 (교차) (N)

선재, 근덕과 통화하며 걸어가고 있다.

선재   새벽 시장? 오늘 못 들어오겠네?
근덕   기둘리지 말고 먼저 자. 그리고 좋은 소식 있어.
선재   좋은 소식?
근덕   그 미국 재활센터 있잖아. 운 좋게 앞에 선수 하나가 갑자기 취소해서 바로 치료받을 수 있다길래 얼른 예약했어. 몇 개월은 대기해야 한다던데 아주 운명인 갑다.

선재   ! (표정)

근덕   급하게 비행기 티켓 끊고 그러느냐고 발바닥에 불이 났네. 집에 가서 확
        인해봐. 내일 바로 휴학 신청도 하고.

선재   출국이 언젠데요?

근덕(F) 그게 출국 날짜가... (하는데)

선재   (말자가 양동이 들고 계단에서 뛰어 내려오다가 넘어지는 모습 본다) !!!
        (놀라 전화 확 끊고 달려가 말자 부축하는) 괜찮으세요?!

씬/36 주택가 골목 (N)

솔, 걸어가는데 한 손에 꽃다발 든 태성이 쫄래쫄래 따라 걸으며 떠드는.

태성   니 말 믿어줄게 말해봐. 올해 한국시리즈 우승 어디가 해?

솔   기억 안 나거든? 그리고 알아도 말 못 해.

태성   그럼 뭘 보고 믿으라는 거야?

솔   믿든 안 믿든 그건 니 자윤데. 제발 15년 동안 내 말 잘~ 기억하고 있다
        가 김형사님한테 꼭 전해줘. 누구 하나 구한다 생각하고.

태성   (흠.. 가만 보다가) 혹시 미래에 류선재한테 뭔 일 생겨? 크게 다치거나
        그래?

솔   ...미래에 일어날 일 말 못 한다고 했잖아.

태성   근데 넌 전남친한테 다른 놈 지켜달란 부탁을 하냐. 질투 나게.

솔   저거저거 아주 숨 쉬듯이 플러팅을 해대요. 바람둥이.

태성   (주위 둘러보며) 근데 동네가 좀 어둡긴 하네... 자. 잡아~ (손 내민다)

솔   뭔 손을 잡아.

태성   손 말고. (바지에 달린 체인 흔들며) 이거라도 잡고 가라고.

솔   ... (정색, 어이없는 표정)

태성   (솔이 반응에 웃겨 죽는)

솔   장난 그만하고 이제 가라고 쫌! 어디까지 쫓아오려고 그러니?

태성   (장난기 빼고) 집 앞까지 데려다줄게. 그놈 아직 안 잡혔다며. 또 찾아오

면 어떡해.

솔   ... (표정) 괜찮아. 아직은 아니야.

태성   아직은?? (갸웃하며 보면)

솔   (전화 와서 받는) 어 엄마. 뭐어??!! (경악)

씬/37 금 비디오&DVD 가게 (N)

솔, 태성 다급히 뛰어 내려오는데, 보면, 말자, 대걸레로 흥건한 물 닦고
있고. 선재와 복순이 의자에 올라서서 세숫대야 들고 천장에서 새는 물
을 받고 있다. (*너무 멀지 않게 적당히 떨어진 두 군데서 물이 새고 있
음) 이를 본 솔, 헉!!! 경악. 태성, 놀란 표정.
선재, 세숫대야에 물이 다 차자 옆에 놓인 큰 대형 대야에 물 쏟아 붓고
다시 세숫대야 들고 새는 물 받는데. 복순이 물 받고 있다가 솔, 태성 발
견하는.

복순   너 왜 이제 와!

솔   이게 뭐 하는 거야..?! (소리치면)

선재   (세숫대야 든 자세로 솔, 태성 보고 표정 굳는)

복순   (태성 보곤) 근데 이게 누구야? 솔이 전남친?

태성   안녕하세요. (얼결에 인사하는데 난리 통인 광경에 벙쩌 있는)

복순   저번엔 불 난리~ 이번엔 물 난리~ 집안 난리 날 때만 보네? 오호홍~ (주
       책맞게 웃으며 세숫대야 살짝 내리자 바닥에 물 뚝뚝 떨어지는) 어머.
       (다시 세숫대야 높이 드는)

솔   (이 악물고 작게) 선재가 왜 저러고 물을 받고 있는 건데?!

말자   할미가 좀 도와달라고 부탁하고 데려왔으~

복순   물바다 되게 냅둬 그럼? 금이가 전에 수도관 고쳐줬던 김 씨 아저씨 데리
       러 갔으니까 좀만 버티면 돼.

솔   그래도 그렇지! 미치겠네...! (선재 쪽으로 가 눈치 보며) 저기...내가 할게
       이리 줘.

선재   (굳은 표정으로) 됐어.

복순	이것아 엄마 팔 아픈 건 안 보이냐? 니가 해! (의자에서 내려와 세숫대야 주면)
태성	(재킷, 꽃다발 내려놓으며 달려가는) 제가 할게요!
복순	(태성 보고 웃으며) 어머. 우리 태성 군이? 시간 좀 있어?
솔	엄마!!!
태성	(세숫대야 받아 들며) 전 남는 게 시간이에요~ (하는데 선재랑 눈 마주 치는)
선재	(표정 더 굳고)

(컷 튀면)

선재, 태성 의자 밟고 올라가 똑같은 자세로 세숫대야 높이 들고 마주 보고 있다. 이글이글 눈빛 신경전 오가는. (*천장 높이에 따라 의자 안 밟아도 됩니다. 벌서듯이 세숫대야 높이 들거나 정수리에 물동이 이고, 마주보고 서 있는 구도)

솔	(대걸레로 바닥에 물 닦으며 복순에게 작게) 쟤네들 이제 집에 보내 쫌!
복순	지들이 나서서 도와준다는데 왜 그래? (물 찬 큰 대야 낑낑대고 옮기려 는데)
태성	(복순이 대야 옮기려는 거 보고, 선재에게) 야. 이거 좀 잠깐 잡아봐.
선재	?? (얼결에 한 손 뻗어서 태성이 들고 있던 세숫대야 잡으면)
태성	(의자에서 폴짝 내려가더니 복순 쪽으로 달려가는) 제가 옮겨 드릴게요! (무거운 대야 힘으로 번쩍 옮겨 배수구 또는 적당한 곳에 물 쏟는)
복순	태성이 앤 얼굴도 이쁜데 일도 이쁘게 잘하네~ (칭찬하면)
태성	제가 좀 이쁩니다 어머님~ (씩 웃는)
선재	(양팔로 세숫대야 두 개 잡고 있는데 팔 부들부들 떨리는) 빨리 와서 좀 들지?
태성	(괜히 어깨 돌리며 천~천히 돌아가 의자 밟고 올라서 세숫대야 잡으면)
선재	(어이없는) 어머님?
태성	아버님은 아니잖아?
선재	(혀 차며 노려보며 물 찬 세숫대야 물을 대야에 확 쏟아 붓는데)
말자	(들어오다 보고) 아이고. 선재는 팔뚝이 기냥~ 역시 운동했던 몸이라 그

른지 다르네이. 확실히 다부져이!

선재   놀고먹던 놈이랑은 근육 자체가 다르긴 하죠. (괜히 팔 더 걷으며 세숫대야 들면)

태성   놀고먹던 놈?

선재   틀린 말 했어?

태성   하!

말자   야야 복순아! 지금 금이가 김 씨 데려왔은께 언능 2층 올라가보자고.

복순   그래? 솔이 넌 옥상에서 대야 좀 하나 더 내려 빨리. (솔 데리고 나가는)

씬/38 솔이 집 건물 2층 (N)

금, 김 씨 베란다 또는 다용도실(적당한 장소)에서 누수 지점 찾고 있는.

씬/39 금 비디오&DVD 가게 (N)

선재, 태성 둘만 남은 비디오 가게 안. 태성, 물 다 찬 세숫대야를 대야에 붓는데.

선재   (물 튀기자 표정 구기며) 튀었잖아.

태성   이미 젖은 거 좀 튀면 어떠냐.

선재   하, (짜증. 세숫대야를 대야에 확 쏟아 붓는데)

태성   (물 튀자 표정 구기는) 어허이...야!

선재   이미 젖은 거 좀 튀면 어때서?

태성   (큰 대야에 또 물 다 차 있자) 야, 또 잡아봐.

선재   (화 꾹 누르며 손 뻗어 태성 세숫대야까지 잡아주면)

태성   (의자에서 내려가 대야 옮기려다 실수로 물 쏟는) 하...젠장...

선재   (열받는) 힘들게 닦아 놓은 건데! 야 김태성. 똑바로 좀 하지?

태성   뭐가.

선재   (의자에서 내려와 양쪽 의자에 세숫대야 올려놓고-천장의 물이 세숫대

	야로 떨어지게-태성 노려보는) 제대로 안 할 거면 그냥 가든가..
태성	이 집 사위냐? 뭔데 이래라 저래라야.
선재	넌 뭔데 쫓아와서 이 집 물을 받고 있냐?
태성	전남친? 그럼 넌 친구도 아니고 전남친도 아니고.
선재	이.웃.사.촌. 먼 친척보다 가깝다고 하지.
태성	(피식 웃으며) 아니지. 차였으면 남보다도 못한 사이지.
선재	하...백인혁 입 싼 새끼...
태성	난 한 번은 사겨본 사이고.
선재	그게 사귄 거냐? 이용해 먹은 거지? (하며 돌아서서 물 찬 세숫대야 하나
	들어 대야에 쏟아 붓는데)
태성	그걸 니가 어떻게 아나.
선재	(세숫대야 들고 멈칫) 뭐?
태성	진짜 좋아서 만난 거면.
선재	뭐 하자는 건데? (열받아 세숫대야 신경질적으로 툭 집어 던지면)
태성	(이것 봐라? 열받은 듯 표정 굳고) 나랑 뭘 해? 할 거면 솔이랑 해야지.
	(하며 똑같이 세숫대야 던지는데, 세숫대야가 날아가 선재 다리에 맞는)
선재	(맞은 곳 내려다보더니 욱해서 이런 씨..! 태성 멱살 확 잡아채는 데서)

씬/40 솔이 집 건물 계단 (N)

솔, 옥상에서 대야 들고 뛰어 내려오는데, 말자, 2층 현관 앞에 서 있고.

솔	어디서 터진 거래?
말자	보일러실에서 터졌나 베. 김 씨가 일단 급한 불부터 끈다고 고치고 있은
	게 우린 내려가서 정리나 하자이. (솔이 데리고 내려가는)

씬/41 금 비디오&DVD 가게 + 솔이 집 건물 일각 (교차) (N)

내려앉은 천장에서 물 떨어지고 있고. 떨어지는 물 맞으며 두 남자 싸우고 있는.

선재, 태성 멱살 잡고 "솔이 데리고 장난치지 마라.." 태성, "뭔데 지랄이야." 선재, 한 대 치려다 꾹 참고 태성 확 밀쳐 쓰러트리는데. 태성, 넘어졌다 일어나며 열받아 세숫대야 확 던지며 성질내는데. 날아간 세수대야가 천장 형광등을 맞추자, 형광등이 아래로 떨어지면서 연결된 전선이 길게 늘어진다. 길게 늘어진 매달린 형광등 끝에서 파지직- 전기가 흐르는 CG. 이때부터 형광등 불빛이 불안하게 깜빡깜빡거리기 시작한다.

그때, 솔과 말자가 들어온다. 두 남자 뒤엉켜 있는 모습 보고 헉! 놀란다. 그러다 길게 늘어진 형광등이 눈에 들어온다. 끝에서 전기가 지지직거리며 튀고 있다.

솔　　아, 안 돼...! (얼음처럼 굳어서) 선재야!! 김태성!! (안 되겠다 싶고 다시 뛰어나가는)

젖은 두 남자, 멱살 잡고 엎치락뒤치락 움직이는데 그 사이로 전선줄이 아슬아슬하게 흔들린다. 몸에 닿기라도 하면 감전될 것만 같은 상황!
그러다 전선이 두 남자 몸에 거의 닿기 직전, 말자 목소리가 크게 울린다.

말자(E)　제발 그만해~~~ (*⟨오징어 게임⟩ 패러디)
선재,태성　(멈추고, 돌아보면)
말자　　(의자 밟고 올라서서 소리치는) 나 무서워...이러다 다 죽어~~다...다 죽는다고~~

선재, 태성 그제야 형광등 전선 발견하고 헉!!! 동시에 벌떡 일어나 몸 피하는데. 태성, 발이 꼬여 넘어진다. 이를 본 선재가 손 내밀며 소리친다. "내 손 잡아!" 태성이 선재 손 탁 잡아 일으키는 순간, 형광등이 더 가까이 떨어진다. 헉! 놀란 선재가 태성 손을 확 놔버리고 태성, "으악!" 소리치며 뒤로 나자빠진다.

⟨솔이 집 건물 옥상 인서트⟩
솔, 차단기 확 내리며 안도의 숨 내쉰다.

차단기 내려가는 순간 형광등 불빛 꺼지며 암전.

씬/42 금 비디오&DVD 가게 앞 (N)

선재, 태성 젖은 몰골로 가게 앞 파라솔 아래 앉아 툭탁대고 있는.

태성   손을 놔?
선재   그럼 같이 죽냐?

복순, 금, 솔이 대야, 세숫대야, 대걸레 들고 가게에서 나온다.

복순   아이구. 고생들 했어~~ 고마워서 어떡해~~ 올라와서 밥 먹고 가.
솔   (복순 쿡 찌르며) 엄마. 벌써 12시도 넘었어...
복순   어머 벌써 그렇게 됐어? 그럼 담에 맛있는 거 해줄게 또 와.
태성   네! 언제든 불러주세요~
선재   (태성 째려보다가, 솔이랑 눈 마주치는)
솔   (표정)
복순   근데 버스도 끊겼겠네? 늦었는데 태성인 자고 갈래? 옷도 다 젖어서 어떻게 가~
태성   아~ 그러면 저야 좋... (죠 하려는데)
선재   (눈 뒤집혀 O.L) 그건 안 되죠!
일동   (선재 보는) ??
금   그래 엄마! 다 큰 딸내미 있는 집에 남자애를 재워 자꾸.
복순   으이그. 어른들 다 있는데 설마 뭔 일 날까!

〈금 회상 인서트〉 *6화 17씬
금이, 방에서 끌어안고 있는 솔, 선재 목격한 장면 스치는.

금   (선재, 솔 번갈아 보며) 날 일은 어떻게든 나더라고.

복순	그럼 어떡해? 옷도 다 젖어가지구 버스도 끊겼을 텐데 미안해서.
태성	그냥 자고 가도 되는... (데 하려는데)
선재	(O.L) 저희 집에서 재울게요!
태성	??? (의아한 듯 보면)
복순	그래. 그게 낫겠네~ 근데 둘이 사이 안 좋은 거 아니야? 좀 전에 싸우더니...?
선재	(어색하게 웃으며) 하하하. 무슨 소리예요. 저희 친해요! (태성 어깨에 팔 두르는)
태성	(황당) 우리가?

씬/43 선재 집 거실 (N)

선재, 거실 바닥에 이부자리 툭 내려놓으면. 태성, 욕실에서 씻고 나온다.

태성	물 있냐?
선재	(부글부글. 꾹 참으며 식탁에 있던 물 대충 따라 주는)
태성	얼음은 없냐?
선재	대충 먹지?
태성	넵. (씩 웃으며 물 벌컥벌컥 마시면)
선재	기어이 자고 가야겠냐?
태성	재워준다며~ 어? 말 바꾸기야? 친한 사이에?
선재	(꾹 참으며) 그럼 입 다물고 자든가. (발로 대충 요 펴주면)
태성	근데 나 바닥에서 못 자는데. 니 방에 침대 있어?
선재	(욱하는) 죽고 싶냐?
태성	장난이다~ 장난. 나라고 너랑 한 침대서 자고 싶겠냐? 소파에서 잘 거야. (이불 끌어가 소파에 눕는데, 팔짱 끼고 서 있는 선재 올려다보는) 뭐야?
선재	뭐가.
태성	불침번 서? 내가 너 잠들면 솔이네 집에 기어들어 갈까 봐 그래?
선재	그런 의심이 안 든다곤 못 하겠다.
태성	으휴... 너나 임솔이나 나를 아주 개쓰레기로 보는구만.

선재	알면 눈 뜨자마자 나가라. (불 끄고 돌아서는데)
태성	......눈치가 없는 건지, 아예 눈깔이 없는 건지.
선재	(가다 멈칫, 돌아본다. 혼잣말인지 들으라고 하는 말인지 모르겠는)
태성	좋아하는 애 속도 모르냐? 니가 날 왜 의식하는지 도대체가 모르겠다 나는.
선재	...뭐?
태성	괜히 쓸데없이 질투한답시고 나한테 힘 빼지 말고 니 몸이나 지키라고. 임솔이 자기 대신 널 지켜달란 소리를 왜 하게 만드냐. 덩치는 산만한 놈이...
선재	그게 무슨 말이야.
태성	더 이상 말하면 나 또 혼난다~ 직접 물어보시든가요.
선재	...?? (뭔 소린가 싶은데)
태성	(이불 펄럭이며 덮는데 테이블에서 뭔가가 툭 떨어진다. 주워 보면 비행기 티켓인) 이건 뭐야? 너 어디 가냐?
선재	(표정에서)

씬/44 선재 집 선재 방 (N)

선재, 비행기 티켓 보고 있다. 출국 날짜 확인하곤 핸드폰 열어 오늘 날짜 본다.

근덕(E)	운 좋게 앞에 선수 하나가 갑자기 취소해서 바로 치료받을 수 있다길래 얼른 예약했어.
선재	뭐 이렇게 갑자기 가... (마음 복잡한 표정에서)

씬/45 솔이 집 솔이 방 (N)

솔, 모니터 앞에 앉아 인터넷으로 '주양저수지 사건' 기사 검색해본다. 최근에 뜬 기사들 보는데 '6개월 넘게 수사 오리무중' '이대로 미제사건 되나' 등의 기사뿐이다. 솔, 답답하고 초조해진다. 생각에 잠긴 표정에서...
(F. O. F. I.)

씬/46 장충체육관 실내 (D)

강당 중앙에 여러 개의 오디션 부스 설치되어 있고.
체육관 안을 가득 채운 '슈퍼스타K' 지역 예선 참가자들 보인다.

씬/47 장충체육관 앞 (D)

건물에 커다랗게 걸려 있는 '슈퍼스타K' 현수막. 수많은 지역 예선 참가
자들 줄이 길게 이어져 있고 VJ가 카메라로 쭉 찍고 있다. 참가자들, 카메
라 지나가면 각자 손 흔들며 포즈 취하고. 체육관 입구에선 합격한 참가
자들이 합격티셔츠 흔들며 뛰어나온다. 합격자들 중 등판에 '서인국' 이
름표 보인다. 팬하면, 인혁, 현수, 제이 악기 들고 서서 부러운 듯 보고 있
다. (*인혁, 염색이나 달라진 헤어스타일)

인혁 와. 합격했나 봐. 부럽다...
제이 우리도 티셔츠 받고 싶다...근데 형. 머리 가발이야? 리얼하다?
인혁 그럼 빡빡이로 어떻게 와! 방송 타면 평생 남을 텐데.
현수 근데 선재는 언제 와?
인혁 (당황) 어? 그게...곧 와! 올 거야 곧. (뭔가 숨기는 듯한 표정)

씬/48 근덕 차 안 + 거리 일각 (D)

근덕 운전하고 있고. 선재, MP3 음악 들으며 창밖 보고 있다.
마침, 모의 경기했던 수영장 앞을 지나치자 과거 기억 떠오르는.

〈선재 회상 인서트〉 *1화 54씬

솔	(선재 끌어안고 울며) 혼자서 끙끙...얼마나 외로웠을까. 누구한테 힘들다고 말도 못 하고...그렇게 아파했는지 몰랐어...몰라줘서 미안해...사랑해 선재야!

#다시 현실
선재, 생각에 잠긴 표정.

씬/49 대학 건물 복도 + 체교과 과방 (교차) (D)

#복도

금(E)	동생아. 우리 과방에서 내 과제 좀 찾아서 교수님한테 내주라!! 플리즈.

솔, "으휴. 진상..." 한숨 쉬며 복도 걸어가다가 체교과 과방 앞에 멈춰 선다. "여긴가?" 하며 들어가려는데 안에 있던 현규, 초롱이 대화 소리 들려와서 멈칫.

초롱(E)	선재 오늘 출국이랬지?
솔	(철렁) ...오늘이라고?!

#과방

초롱	근데 뭐 이렇게 갑자기 가?
현규	갑자기가 아니라 작년부터 코치님이 계속 재활하자고 했었어. 안 한다고 버티더니 맘먹자마자 이렇게 바로 가네?
초롱	아...공항에 마중 갈 걸 그랬나?
현규	배웅이지 새꺄. 그리고 여섯 시 비행기라 한 시간 뒤면 출국이야. 이미 늦었어.

#복도

솔, 핸드폰 시간 확인한다.

씬/50 공항 일각 (D)

선재, 근덕 수화물 수속하려고 기다리고 있다.

근덕 고추장 통 잘 싼다고 쌌는데 깨지지 않게 조심하고. 미역이랑 김자반은...
선재 (O. L) 이민 가? 그리고 식단도 거기서 알아서 짜주더만.
근덕 아, 그리고 도착하자마자 안코치한테 연락해. 픽업 나온다고 했으니까.
선재 알았다고요. 불안하면 따라오든가.
근덕 아빠도 가게만 아니면 따라가고 싶지~
선재 그니까 어서 가게 들어가 봐요. 이제 수속하면 바로 들어갈 거니까.

씬/51 장충체육관 실내 (D)

인혁, 현수, 제이. 오디션장 바로 앞이다.

제이 (불안) 이제 다음 차랜데 선재 형 왜 안 와?
인혁 (눈 피하면)
현수 (뭔가 낌새 눈치채고) 야 백인혁. 너 너 솔직히 말해.
인혁 그게...사실 선재 못 와.
현수,제이 뭐??

씬/52 슈퍼스타K 오디션 부스 (D)

좁은 부스 안, 제작진 두 명 테이블에 앉아 있고.
인혁, 현수, 제이 악기 세팅하고 서 있다.

인,혁,제	안녕하십니까. 이클립습니다!
작가	근데 밴드 멤버가 네 명인데...한 명은 어딨어요?
PD	그래, 보컬. 보컬이 왜 없지?
현수,제이	(인혁 보며 눈치 주면)
인혁	아, 바로 데리고 올게요. (천막 밖으로 후다닥 나가는데)
일동	???? (뭐지, 싶은 표정으로 있는데)
인혁	(능청맞게 다시 들어오며) 안녕하세요. 보컬 백인혁입니다.
일동	???? (어이없는 표정에서)

씬/53 공항 일각 (D)

선재, 출국장 들어가려고 줄 서 있다. 선재 차례 되고, 티켓 꺼내는 모습.

씬/54 공항 외경 (해 질 녘)

비행기 이륙하는 컷.

씬/55 공항 일각 (N)

솔, 한산한 출국장 앞 벤치에 앉아 있다. 시계 보는데 6시 10분이다.

솔	갔네 진짜... (한숨) 다행이다.

마음이 놓이는 솔. 그런데 또 막상 과거의 선재를 다시 볼 수 없다 생각하니 아쉽고, 벌써 그립다. 울컥 여러 감정 올라와 쉽사리 자리를 뜨지 못하고 있다.

〈솔 회상 인서트〉 *17씬

선재	시간여행이고 뭐고 난 다 모르겠고. 니가 어느 시간에서 왔건 하나도 안 중요해. 나한테는! 과거의 너나 미래의 너나 다 똑같이 그냥 너니까. 근데 넌? 니가 살아온 모든 시간 속에서 나를 좋아했던 넌 없어? 단 한 순간도 없었어?
솔	응. 없어...

#다시 현실

솔OFF	거짓말해서 미안해. 근데 선재야. 나는...네 마음을 잃는 것보다 또 다시 널 영영 잃을 게 더 두려워서...끊어낼 용기도, 붙잡을 염치도 없어서...이렇게 비겁하게 밀어내는 것 말곤 할 수 있는 게 없어. (눈물이 그렁하다)

씬/56 장충체육관 앞 (N)

인혁, 현수, 제이 축 처져서 시무룩한 표정으로 걸어 나온다. 오디션 떨어졌나 싶은데... 갑자기 품 안에서 합격티셔츠 꺼내며 돌변. "아아아악!" 소리치며 좋아서 방방 뛰는 세 사람.

인혁	(하늘 보며 티셔츠 흔들어대는) 선재야!! 니 노래로 우리 붙었다!! 우리 선재한테 절이라도 하자! 웅?
제이	그럴까? 근데 미국 방향이 어디지?
일동	고맙다 선재야!! (냅다 절하는)

씬/57 주택가 골목 (N)

솔, 터덜터덜 걸어온다.

솔	이제 내가 무사할 방법만 찾으면 되겠네...

한숨 푹 쉬며 걷다 고개를 드는데. 저만치 앞에 멈춰 서 있는 하얀 트럭 한 대가 눈에 들어온다. 영수가 몰던 트럭과 같은 차종이다! 순간 심장이 쿵.

〈솔 회상 인서트〉
*7화 24씬. 하얀 트럭에 탄 영수가 도망치는 솔을 쫓아 달려오던 장면.

김형사(E) 혹시 그 트럭에 대해서는 더 기억나는 게 없니? 범인 행동 특성을 보면 현재 차량으로 도주 중일 가능성이 커서.

#다시 현실
솔, 두려움에 찬 표정으로 굳어 서 있는데. 갑자기 하얀 트럭, 시동이 걸리며 라이트 불빛이 켜진다.
솔, 본능적으로 뒤를 돌아 뛰어가기 시작한다.

씬/58 놀이터 앞 (N)

쫓기듯 정신없이 달려가던 솔, 놀란 표정으로 우뚝 멈춰 선다. 보면, 저만치 앞에 선재가 거짓말처럼 서 있다.

솔   (철렁) 선재야. 니가 왜...여기...
선재   왜 그렇게 뛰어와?
솔   왜 여기 있냐고...!
선재   ...
솔   (정신 차리고 돌아보면 하얀 트럭이 오고 있다)
선재   (솔이 쪽으로 걸어간다)
솔   (뒷걸음질 치며) 아, 안 돼...! 오면 안 돼. 오지 마.
선재   (안 멈추고 성큼성큼 다가가는)
솔   오지 말라고!

솔, 도망치려는데 그때, 하얀 트럭이 스쳐 지나가는 모습 slow. 점점 멀어지는 트럭을 보고 서 있던 솔, 온몸에 힘이 풀린다. 그때, 어느새 다가온 선재가 그런 솔을 붙잡아 품에 안는다. **M. 김형중 '그랬나 봐'** 선재 품에 안긴 솔, 공포감이 가라앉자 정신이 들고... 울컥 눈물이 차오른다.

솔	(울먹이며) 너 왜 안 갔어..! (밀어내려는데)
선재	(안 놔주려, 솔을 더 꽉 안으며) 안 가. 아무 데도.
솔	왜... (선재 등을 힘없이 때리며) 갔어야지! 안 가고 여깄으면 어떡해...!
선재	너 나 좋아하잖아.
솔	(멈칫) !!!
선재	다 알았어.
솔	(철렁. 불안해진다)
선재	니가 왜 자꾸 날 밀어내는지...다 알았다고.
솔	!!!
선재	그래서 내가 너 붙잡으려고 왔어.

솔, 놀란 표정으로 품에서 벗어나 선재 얼굴 본다. 혹시 다 알게 된 건가... 불안해져 눈빛 흔들린다. 선재, 자연스레 팔이 풀리자, 주머니에서 뭔가를 꺼내는데... 솔, 보고 놀란 표정이 된다. 보면, 선재 손에... 태엽시계다!

씬/59 선재 시점 몽타주 (N)

#1. 공항 일각 (N) *53씬 연결
출국장에 들어가려고 줄 서 있는 선재. 태성이 한 말이 떠오른다.

태성(E)	괜히 쓸데없이 질투한답시고 나한테 힘 빼지 말고 니 몸이나 지키라고. 임솔이 자기 대신 널 지켜달란 소리를 왜 하게 만드냐.

〈선재 회상 인서트〉 *9화 55씬

솔	(주먹으로 선재 가슴을 힘없이 때리며 우는) 어? 너 진짜 바보냐고! 내가 너만 생각하라고 했잖아...나 같은 거 못돼먹은 애라고 실컷 욕이나 하고 마음에서 치워버리지! 왜 미련하게 굴어서 그런 일을 당해 왜!

#다시 현실

선재, 마음에 걸리는 표정. 선재 차례가 되자 티켓 꺼내 드는데, 일각에 걸린 여행사 광고 문구.

'더 넓은 세상에서 나를 만나다. 세계 곳곳에 쌓이는 나만의 타임캡슐... 함께 떠나볼래요? - 메모리 여행사'

선재, '타임캡슐' 단어가 눈에 들어온다. 공항 직원이 "고객님?" 부르는데. 잠시 광고판 보며 서 있던 선재. 뭔가 떠오른 듯 그대로 돌아서서 달려간다.

#2. 자감고 교정 일각 (N)

타임캡슐 묻었던 장소에 달려온 선재. 커다란 나무 올려다본다.

〈선재 회상 인서트〉 *5화 13씬

솔	(장갑 벗으며 일어나며) 그럼 2023년 1월 1일 밤 12시. 우리 달리기 시합했던 그 한강 다리 위에서 만나. 그날 같이 꺼내보자.
선재	왜 하필 그날인데? (타임캡슐 묻은 커다란 나무 올려다보는)
솔	꼭 그때 줘야 의미가 있는 선물이거든.

#다시 현실

교정 일각에 있는 벤치에 앉아 있는 선재.
타임캡슐 열려 있고, 그 안에 솔이 넣어둔 태엽시계와 편지를 꺼내 보고 있다.

솔(E)	*다시 흘러가는 시간... 이게 내 선물이야. 이 선물이 정말 미래의 너에게 닿을 수 있을까? 부디 그러기를 간절히 기도하면서 이 편지를 쓰고 있어.*

만약 네가 이걸 보고 있다면 이 말을 꼭 해주고 싶어. 선재야...고마워. 살아 있어줘서.

선재, 조심스레 시계태엽을 돌려본다. 그러자 멈춰 있던 시계 초침이 움직이기 시작한다. "다시 흘러가는 시간..."

〈선재 회상 인서트〉 *2화 45씬

선재   니가 내 걱정을 왜 하냐?
솔   지켜주고 싶으니까...!
선재   왜? 니가 날 왜 지켜? 내가 죽기라도 해?!

#다시 현실
선재, !!!! 모든 걸 알아챈 듯한 표정.

씬/60 다시 놀이터 앞 (N)

솔, 선재 손에 태엽시계 보며 놀란 표정인데...

선재   너 나 살리러 온 거잖아.
솔   (쿵!)
선재   2023년에...나 죽는 거지?
솔   (왈칵 눈물 흘리며 아무 말도 못 하고 고개만 젓는데)
선재   (슬프지만, 한없이 다정한 말투로) 내가...혹시 너 때문에 죽나? 너 구하다가?
솔   (흡... 눈물이 주체 없이 흐른다. 감정 복받치고) 아니야...그게 아니고 선재야. 난...나는... (말을 못 잇는다. 무슨 말을 해야 할지 몰라 고개 숙이고 그저 우는데)
선재   (부드러운 손길로 푹 숙인 솔의 얼굴을 감싸 올린다) 그 이유 때문이라면...솔아.

솔	(눈물범벅인 얼굴로 선재 보면)
선재	이제 도망치지 말고 그냥 나 좋아해라.
솔	(마음 무너지고)
선재	(눈물 차오르는) 너 구하고 죽는 거면...난 괜찮아. 상관없어.

솔, 그러지 말라는 듯, 고개 저으며 왈칵 울음을 쏟는데. 선재, 가슴 아픈 표정으로, 솔의 볼을 타고 흐르는 눈물을 닦아준다. 눈물이 그렁그렁한 채로 눈이 마주치는 두 사람.
선재, 그대로 천천히 고개를 내려 솔에게 입을 맞춘다. 솔, 스르르 눈을 감자, 맺혀 있던 눈물 한 방울이 떨어진다.
따뜻한 가로등 불빛 아래. 애틋하고... 순수한 키스를 나누는 두 사람 모습에서. (F. O. F. I.)

씬/61 현재, 몽타주 (N)

시간이 멈춰 있는 2023년 현재.
거리 전광판에 떠 있던 류선재 피습 사건 뉴스 화면이 다른 화면으로 바뀌고. 멈춰 있는 사람들 손에 스마트폰 화면. 선재 기사 사라지는 모습들. 그러다 이클립스 소속사 건물에 커다랗게 걸려 있던 현수막 또는 전광판. 이클립스 멤버 단체 사진 속에서 선재 모습만 사라지는 데서.

Lovely ♡
Runner
♡

11화

우리 선재...오래오래 행복하게 해주세요.

우리 솔이...오래오래 행복하게 해주세요.

씬/1   놀이터 앞 거리 (N) *10화 60씬에서 연결

복순, 걸어가는데 솔과 키스하고 있는 선재 뒷모습 보고 헉! 놀라 멈춰
선다.

복순   저거 선재잖아? 어머어머 웬일이니... (살금살금 지나가려는데 바닥에 떨
       어진 깡통을 툭 쳐서 소리 나자 얼음!) 어머 쏘리쏘리~ (민망) 아유~ 조
       용히 지나갈랬드니만.

솔   !!! (놀라 떨어지며 속삭이는) 엄마 목소린데? (안 들키려 선재 품에 파
       고들면)

선재   (헉! 솔을 감싸 안아 외투 속에 숨기며 벽 쪽으로 돌아서서 한 팔로 벽 짚고)

복순   그르게 왜 길바닥에서 쪽쪽대구 그래~ 여자친구 생겼나 봐?

선재   (복순과 눈 마주치자 어색하게) 아, 안녕하세요...

복순   (손가락 펴고 눈 가리는 시늉) 좋을 때다~ 안 볼게. 마저 해~ 오호홍~
       (총총 지나간다)

솔,선재 (복순 지나가면 휴... 안도의 숨 내쉬는)

씬/2   금 비디오&DVD 가게 (N)

복순   (들어오며) 으이그. 선재 재는 지네 집 코앞에서 남사스럽게... 고딩이 빨
           간 비디오 빌려볼 때부터 알아봤어 하여간. (고개 절레절레)

씬/3   아늑한 카페 (N)

솔, 선재. 한 소파에 나란히 앉아 있다.

선재   (세상 심각) 나 이제 어떡하지...?

솔   (마음 아픈) 선재야...걱정하지 마. 내가 너 꼭 지킬 거니까...

선재   (O. L) 그게 아니라... (솔이 돌아보며) 너네 어머님이 나 안 좋게 보시면
           어떡하지?

솔   ...뭐?

선재   그냥 너라고 말할까? 그럼 더 화내시려나?

솔   (황당) 야...너어는. 그거 걱정하고 있었어? 그게 중요해?

선재   (진지) 엄청 중요하지. (하다가 씩 웃어 보인다)

솔   하... (한숨 쉬며 마음 복잡한 표정으로) 넌 이 상황에 웃음이 나와?

선재   왜. 15년 뒤에 죽는 거 알게 된 사람은 웃으면 안 돼?

솔   ! (울컥) 넌 어떻게 그 말을 그렇게 쉽게 해. 난 입에 담으면 현실이 될까
          봐 무서워서 입 밖으로 꺼내지도 못하겠는데 너는... (또 눈물 날 것 같아
          입을 꾹 다문다)

선재   (덤덤하게) 엄마가 옛날에 그랬거든. 누구나 언젠가는 다 죽는다고. 사람
          은 날 때부터 시한부 인생을 사는 거라고. 내일 당장 죽을지도 모르는 게
          사람인데 난 일단 15년은 벌어놓은 거 아니야. 안 그래?

솔   (스스로에게 다짐하듯) 아니야. 내가 절대 그렇게 안 만들어.

선재   그래. 나 그렇게 빨리 안 죽어. 몰랐으면 모를까. 내가 내 미래를 알게 된
          순간 이미 내 운명은 바뀐 거야. 알고 당하는 사람이 어딨냐?

솔OFF   ...정말 그럴까? 네 운명은...바뀌었을까? (불안한 표정)

선재   (불안한 솔이 표정에, 태성이 했던 말 떠올리는)

태성(E) 임솔이 자기 대신 널 지켜달란 소리를 왜 하게 만드냐.

선재   혹시 15년 뒤에 너한테 무슨 큰 사고라도 나? 그래서 그 일 때문에...

솔	(O. L) 아니야! 그런 거 아니야 선재야.
선재	정말? 너한텐...아무 일 없는 거지?
솔	(안심시키는) 그러엄. 그러니까 이렇게 멀쩡하게 시간여행 하고 있지.
선재	다행이네. (미소) 난 그거면 됐어. 그러니까...앞으로 나한테 무슨 일이 생겨도 절대. 너 때문이라고 생각하지 마.
솔	...!!
선재	내 운명은 내 꺼니까. 내 운명은 니가 아니라 나만 바꿀 수 있어. 내가 다치거나...설사 죽는다고 해도, 너 때문이 아니라 그냥 내 선택의 결과야. 그러니까 죄책감 갖지 마. (솔이 손 더 꽉 잡으며) 그것 때문에 나 밀어내는 거...다신 하지 마.
솔	(다시 차오르는 눈물)
선재	(꼭 잡은 솔의 손목시계 보는. 숫자 '1') 이번이 마지막이라고?...언제 돌아가?
솔	(울음 참으며) 글쎄...한 달 정도...남았으려나.
선재	안 갈 순 없어? (솔이 대답 없자) ...가야 하는구나.
솔	(서글퍼지고. 고개 숙이는데)
선재	(잠시 생각하다) 그럼! 한 달 뒤에 너 돌아가면...거기서 만나.
솔	...?! (다시 보면)
선재	(솔이 볼 다정히 쓸어주며) 부지런히 달려갈게. 니가 있는 2023년으로.
솔	! (뭉클한데, 미안하고, 안쓰럽고) 그때까지 어떻게 기다려...미련하게...
선재	미련하게 가만히 기다린대? 니가 나 좋아하게 만들어야지. 내가 그랬잖아. 나한텐 과거의 너나 미래의 너나 다 똑같다고. (장난스레) 열심히 한번 꼬셔볼게.
솔	(눈물 참으며 피식 웃다가) 근데 너 공항에서 온 거야? 캐리어는 어딨어?

〈밤하늘 인서트〉
구름 위에 비행기 날고 있는 컷.

선재	...미국 잘 가고 있으려나.
솔	(손 놓고 헉! 입 틀어막으며) 뭐? 야아! 어쩌려고! 아저씬? 너 미국 안 간 거 아셔?

선재	몰라아. (하며 좋아서 히죽 웃고)
근덕(E)	아들~~~ 잘 가고 있지?

씬/4   류근덕 갈비 (N)

직원들 마감 중이고. 근덕, 구석 테이블에서 혼자 술 마시고 있던 분위기.

근덕	롱다리 꾸겨 넣고 가느라고 힘들겠네. 일등석으로 끊어줬어야 되는데 급하게 예약하느라고 에휴...기내식은 잘 나오겠지? (울먹이면)
직원	다 큰 아들인데 고작 몇 개월 떨어져 있는 게 그렇게 섭섭하세요?
근덕	다 큰 아들이면 뭐! 20년 동안 전지훈련 며칠씩 보낸 거 말고는 이렇게 떨어져본 적이 없는데! (하며 선재 어릴 때 사진들 꺼내 보는)
직원	(사진 보고 놀란) 이게 뭐예요?
근덕	(사진 보면 학교 운동장에서 꽃다발 든 초딩 선재, 근덕 뒤로 30~40명 정도의 친척, 근덕 친구들 대열 맞춰 찍은 사진이다) 이거? 우리 선재 초등학교 졸업 사진이지.
직원	에?? 무슨 결혼식 단체 사진인 줄 알았네요.
근덕	(코가 찡해지는) 엄마 없는 티 안 나게 하려고 내가 이렇게 애지중지 키웠어~
직원	나중에 지 색시 생겨봐요! 다 부질없네요~ 그니까 사장님이나 챙기세요. 거 쓰레빠도 좀 버리시고! 아들한텐 펑펑 쓰시면서.
근덕	(발 들어 보이면, 떨어진 슬리퍼 청테이프로 붙여서 신고 있는) 말짱한데 왜 버려?

씬/5   솔이 집 솔이 방 + 경찰서 (교차) (N)

솔, 김형사 전화하고 있다.

김형사	너희 집...앞에?! (놀란 표정)

솔	네! 확실하진 않은데...그때 김영수가 타고 쫓아오던 트럭이랑 같은 트럭이었어요.

〈솔 회상 인서트〉 *10화 58씬

하얀 트럭 쫓아오던 컷.

솔	한번 확인해주시면 안 될까요?
김형사	(표정!) 그래 알았다. 바로 확인해볼게. (끊고 다급히 최형사에게) 지금 김영수 납치 미수 피해자 집 근처 씨씨티브이 싹 다 확보하고 하얀 트럭 보면 동선 추적해봐!
솔	(전화 끊고 생각에 잠긴. 선재 말 떠올리는)
선재(E)	이제 도망치지 말고 그냥 나 좋아해라.
솔	...그래도 될까? (마음이 무겁지만 설렌다. 가슴에 손 올리고 창밖, 선재 집 보는)

씬/6 선재 집 선재 방 (N)

선재, 태엽시계 들어 보며 미소. 심장 뻐근해지고. 솔에게 **'자?'** 하고 문자 보내는. 저장된 이름을 **'솔이'**로 바꿔놓고, 그 옆에 **'♡'**를 연달아 붙인다. (*하트 찍을 때 선재 심장에서 하트 뿅뿅 튀어나오는 CG) 오버인가 싶어 **'솔이♡'**로 해놓고 단축번호 1번 설정해놓으며 좋아 죽는데. 문득 벌떡 일어나 거울 보며 얼굴 살핀다.

선재	아~ 15년 동안 관리 잘해놔야 되는데... (생각난 듯 책상 서랍 뒤지며) 백인혁이 놓고 간 게 있을 텐데... (마스크시트 찾아 든다) 찾았다!

어설프게 얼굴에 척척 붙이는데 문자 알림음 울린다. 후다닥 뛰어가서 확인하면 솔에게 답장 와 있다. **'아직. 넌 왜 안 자? (๑ˊ꒳ˋ๑)'**

선재	(이모티콘 반짝이는 CG) 귀여워 미치겠네... (단축번호 1번 눌러 전화 거

는데 배터리 다 돼 꺼지는) 아... (얼른 충전기 찾는데 없다) 맞다! 충전기 캐리어에 있지?!

씬/7   선재 집 거실 (N)

현관문 열고 근덕, 살짝 취해서 들어온다. 불 꺼진 거실. 왠지 으스스한.

근덕   아들내미가 없으니까는 집이 허전하구만... (하는데 뒤에서 현관문 쿵! 닫히자 화들짝) 깜짝이야! 어후...넓은 집에 혼자 있으니까 무섭네. (후다 닥 욕실 뛰어 들어가는)

씬/8   선재 집 선재 방 (N)

옷장 구석에서 낡은 충전기를 찾아 든 선재. 얼른 콘센트에 코드 꽂는 순 간! 정전.

씬/9   선재 집 욕실 (N)

러닝 바람으로 이 닦고 있던 근덕, 순간 정전되자 심장 쿵! 칫솔 쥔 손... 떨린다!

씬/10   선재 집 거실 (N)

근덕, 입에 칫솔을 문 채로 천천히 거실로 나오는데. 위층 마룻바닥이 삐 걱거리는 소리가 섬뜩하게 들려온다. 근덕, 헉!! 놀라 얼음처럼 굳는다. 삐걱거리는 소리를 따라 눈동자를 굴리는. 그때, 계단 쪽에서 소리가 멈 추자 두근두근.... 심장박동 빨라진다. 떨리는 목소리로 "누...누구냐." 하는 그때, 계단 층계참에 선 선재가 턱 밑에서 손전등을 탁 키자, 마스크시트를 붙인 선재 얼굴이 귀신처럼 보인다!

근덕, "으허허허헉!" 소리치다 뒤로 쓰러진다. 선재, "아부지!!" 놀라 뛰어내려와 근덕 얼굴에 손전등을 비추면, 근덕, 치약을 거품처럼 물고 기절해 있는 데서.

(컷 튀면)

근덕   (선재 등짝 때리며) 비행기에서 기내식 먹고 있어야 될 놈이 여기 왜 있어 왜!!

선재   (마스크시트 붙인 채) 안 갔으니까 여깄지...

근덕   (마스크 떼며) 이런 건 왜 붙이고 있어! 애비 심장마비 걸리게 하려고 작정했어?! 너 똑바로 말해, 왜! 왜 안 갔냐고오! (등짝 또 패려고 하면)

선재   (근덕 팔 잡고 소파에 앉히며) 말 좀 하자 쫌. (한숨 쉬며) 다들 원하니까! 마지막으로 한번 해보려고 했어. 했는데! 솔직히 자신 없었어요. 마지못해서 하는 마음으로 비싼 돈 들여서 무슨 재활을 해.

근덕   그래도 그렇지. 난다 긴다 하는 선수들도 예약 잡기 힘든 곳이라던데 좋은 기회를 이렇게 날려먹어!

선재   막상 수영 다시 한다 생각하니까 예전처럼 뜨거운 마음이 안 들더라고. 미련이 남았다고 생각했는데 아니었나 봐. 생각보다 잘 정리됐었나 봐요.

근덕   (안타까운) 너 후회 안 하겠어? 앞으로 어쩌려고 그래!

선재   나 아직 스무 살이야 아부지. 천천히 한번 찾아봐야지. 앞으로 뭘 하고 싶은지.

근덕   어흐! 속 터져...!

선재   누가 알아? 내가 다른 걸로 엄~청 유명해져서 막 팬도 생기고 그럴지.

근덕   꿈도 야무지다. 그게 쉽냐! (하다 문득) 근데 너 짐은! 공항에서 짐 부치는 것까지 보고 갔는데 내가. 찾아왔어?

선재   ...... (딴 데 보며 딴청)

근덕   (욱해서 벌떡 일어나며) 야 이놈아!! 내 꼬추장 어쩔 거야!!!

씬/11 솔이 집 거실 (D)

복순, 에어로빅 하고 있는데, 말자와 솔이 옥상에서 빨래 걷어서 내려온다. 솔, 시끄러운 음악이 귀에 쿵쿵... 울리는데 순간 어떤 장면이 스친다.

〈인서트〉 *54씬과 연결됨.
작은 클럽 무대 위. 인혁, 현수, 제이 공연하는 모습 몽환적인 화면으로 보여지는데... 관객석 쪽에 김대표 모습 스치듯 보이고... 선재 모습은 안 보인다!

#다시 현실
솔, "뭐지 이건 또...?" 갸웃하는데 왠지 모를 불안감 스치는.

말자	아우 시끄러!! 저거슨 갱년기도 안 오나. 아침 댓바람부터 뭔 흥이 저래 많대?
복순	(음악 끄고 물 마시며) 안 아프고 오래 살려면 운동해야지! 안 그래?
솔	(피식) 그래. 백번 그래~ (앉아서 빨래 개기 시작하는)
복순	맞다! 글쎄 어젯밤에 선재가 요 앞에서 여자랑! (속삭이듯) 키스를 하고 있더라고!
솔	!!!!!! (뜨끔)
말자	뭐, 키쑤?? 넌 그걸 구경하고 앉아 있었냐? 이 주책바가지야!
복순	길바닥에서 그르는데 어떻게 안 봐~ 고놈 순수하게 생겨가지구 은근 밝혀?!
솔	아, 아니야! 그런 애.
복순	니가 그걸 어떻게 알아? 사내놈들이 다 그렇지 뭐. 근데 뭐. 그 여자애도 끼리끼리지 뭐. 남자친구 집 앞까지 쫓아와서는 보는 눈도 많은데 그냥 쪽쪽~~
솔	아우! 애도 아니고. 죄야 그게? 서로 좋으면 그럴 수도 있지!
말자	복순이 야도 니 애비랑 담벼락이고 어디고 눈만 맞았다 하면 기냥~~
복순	(O.L) 아 엄마 그만! (민망해져) 우유나 갖고 와야겠다. (후다닥 나가는)

씬/12 솔이 집 앞 (D)

복순, 우유 꺼내는데 신문 줍는 근덕과 마주치자 "안녕하세요~" 인사 나누는데.

복순 근데 사장님~ 아들내미 여자친구 생겼나 봐요?

근덕 (들어가려다 멈칫, 돌아보는) 예?

복순 어제 집 앞에서 봤거든요. 여자친구랑 꼭 끌어안고 막...!

근덕 막? 뭐요?

복순 아주 본능적이더라구요 아들이. 〈원초적인 본능〉을 하도 봐서 그런가? 어후 막! 막!

근덕 (궁금해 죽는) 막! 막! 뭐요!

복순 그게... (뜸들이다) 에이. 아니에요. 아들 푸라이드도 있고~ (쏙 들어가면)

근덕 (약 올라 버럭) 푸라이드는 치킨이고! 푸라이버시고 나발이고 막!막! 뭐냐니까?

씬/13 선재 집 거실 (D)

근덕, 신문 들고 씩씩대며 들어오는데 선재가 2층에서 급히 내려온다.

근덕 (나가려는 선재 붙잡고) 야, 선재야. 너 혹시... (심각하게 묻는) 미국 안 간 거 말이야. 여자 때문은 아니지?

선재 어? (멈칫) ...아니야. 그런 거. 다녀올게요! (나가면)

근덕 그럼 그렇지. 수영밖에 모르던 놈인데 여자는 무슨! 잘못 봐놓고 난리부르쓰야!

씬/14 솔이 집 앞 (D)

솔, 건물에서 나오면, 기다리고 있던 선재가 웃으며 와락 안는다. 솔, 좋아서 안겨 있다가 놀라 확 밀어낸다. 솔, "누가 또 보겠다. 어서 가자." 후다닥 뛰어가면.

선재, 씩 웃으며 쫓아가 솔이 손잡는다. 솔, ! 선재 돌아보면. 솔이 손에 깍지 껴서 다시 고쳐 잡는 선재 손 타이트. 간질간질 분위기로 걸어가는.

씬/15 캠퍼스 입구 (D)

솔, 캠퍼스 들어서자마자 주위 눈치 보며 선재 손을 놓는다. 아쉬운 선재.

솔　　　과 애들이 보면 어떡해.

선재　　그럼 숨겨?

솔　　　그냥. 이래도 되나...싶어서. 나 돌아가고 나면... (말하다 아차 싶어 말 멈추는데)

선재　　(다시 손잡으며) 난 1분 1초가 아까워 지금. 그러니까 마음 숨기지 말고, 숨지 말고 맘껏 좋아만 하자. 너 돌아가면 뒷수습은 내가 해. 너 혼란스럽지 않게 할게.

솔　　　(좋고, 미안하고, 그런데 괜히) 너 계속 손잡고 싶어서 그러는 거지?

선재　　(반 장난) 어.

솔　　　(피식... 웃으면서도 마음이 무겁고)

선재　　그래도 걱정돼? (마음 알겠고) 그래. 정 맘에 걸리면 비밀로 해... (손 놓으려는데)

현주,초롱(E)　(동시에) 딱 걸렸어! / 뭐야 너네!

솔, 선재 헉! 놀라 돌아보면, 한쪽엔 현주, 다른 쪽엔 현규, 초롱, 다혜가 서 있다. 그 외 지나가던 학생들 죄다 멈춰 서서 보고 있고, 현주, "너네 사귀냐?!!" 소리치며 달려가. 다혜, 실망한 표정. 초롱, 그런 현주 보고 !!!! 반한 표정.

씬/16 대강의실 (D)

솔, 선재 맨 뒷자리에 앉아 있고. 현주, 솔을 타박하고 있는.

현주   아니라며! 친하지도 않다며?! 별 사이 아니라며! 시침 뚝 떼고 숨기더니, 뭐 비밀로 해? 너 진짜 베프한테 이러기야?

솔   뭘 화를 내고 그러나아...응? 너도 나한테 숨기는 거 있잖아.

현주   (뜨끔) 내가 뭘? 난 숨기는 거 없거든?

솔   (다 안다는 듯) 없기는~

현주   (선재 째려보며) 넌! 나한테 잘해야 돼. 솔이한테 어떻게 하는지 두고 볼 거니까 행동 똑바로 하고! 한눈팔지 말고! 솔이 속 썩여서 울리기만 해. 그땐 내가 확...!

선재   (듣다가 문자 와서 보더니 O. L) 아까 봤던 내 친구가 너 소개팅 해달라는데...

현주   (돌변해서 O. L) 0114882848. (귀 넘기며 웃으며) 그 친구한테 연락하라구 전해줘. 그럼 둘이 오붓한 시간 보내렴. 자리 피해줄게. (일어나 다른 자리로 후다닥 가면)

솔,선재   (눈 마주치며 피식.. 웃는데)

솔   (교수님 들어오자) 이제 가 어서. (선재 가만있자) 왜? 너 설마...강의 들으려고?

선재   어. (웃는)

솔   오늘 강의 없어?

선재   오늘 공강인데?

솔   공강인데 학교 온 거야? (교수님 눈치 살피며 속삭이는) 야아! 들키면 어쩌려고?

선재   쉿. (씩 웃으며 수업 듣는 척)

솔   (황당해하다 피식... 웃는다)

(컷 튀면)
몽타주 이어진다. 솔, 강의 듣고 있는데 선재, 솔이 보고 있다가 괜히 어깨 쿡 찌르고, 솔이 돌아보면 딴청 피우며 씩 웃고. 책상 아래로 솔이 손 꽉 잡는 선재.

씬/17 대학 건물 앞 + 슈퍼스타K 최종예선장 일각 (D)

선재, 솔 손잡고 다정하게 걸어 나오는데, 선재, 인혁 전화 와서 받는다.

인혁(F)	야! 너 미국 안 갔다며! (버럭)
선재	(큰 소리에 핸드폰 살짝 떼며) 어떻게 알았냐?
인혁	아저씨가 전화하셨더라! 너 땜에 속 터져 죽겠다고 새벽 내내 하소연하셨어!
선재	니가 울 아버지 마누라냐?
인혁	안 갈 거면 말을 했어야지 오디션도 우리끼리 내보내놓고!
선재	아 맞다. 오디션 어떻게 됐어?
솔	오디션? (갸웃)
인혁	붙었다 인마! 지금 최종예선 보러 왔어. 진작 알았음 너랑 같이 왔을 거 아니야!
선재	(피식) 잘됐네. 저번에도 나 빼고 붙었는데 이번에도 잘되겠지.
제이	(일각에서 인혁 손짓하며 부르는) 형!! 이제 우리 차례야!
인혁	야, 이제 들어가봐야 돼. 하여튼 너! 나중에 두고 봐. (서둘러 끊는)
선재	그래. 꼭 합격해라. (끊고, 솔이 보고 웃으며) 가자. (손잡는데)
솔	오디션이라니...너 오디션 나가려고 했었어?
선재	응. 인혁이가 슈퍼스타K인가 뭔 오디션 같이 나가달라고 했었거든.
솔	뭐? (철렁) 근데 너 빼고...붙었다고?
선재	어. 지금 최종예선 보러 갔대.

〈솔 회상 인서트〉 *11씬 인서트 장면 떠올리는.
작은 클럽 무대 위. 인혁, 현수, 제이 공연하는 모습 몽환적인 화면으로 보여지는데... 관객석 쪽에 김대표 모습 스치듯 보이고... 선재 모습은 안 보인다!

#다시 현실

솔   (심장 쿵해서) 안 돼! 선재야...뛰어!! (선재 손 확 잡아끌고 달려가는)

선재   어디 가는데?

솔   (정신없이 선재 손잡고 달려가며) 오디션장!

선재   (황당) 뭐? (멈춰 서는데)

솔   빨리 와! 인혁이한테 연락해서 지금 바로 간다고 해! (선재 손 잡아끌고
       달리는데)

그때, 오토바이가 솔이 앞으로 쌩 지나가자, 솔을 끌어당겨 안는 선재.

선재   진정해. 진정해봐 솔아. (솔이 등 다독이는)

솔   빨리 가야 돼! (물러나서 또 가려는데)

선재   (솔이 어깨 붙잡으며) 지금 가도 소용없어. 이미 다음 차례랬어.

솔   뭐? (쿵!) 어떡해...

선재   (걱정된다. 다정하게 물어보는) 왜? 또 뭐가 잘못됐어? 뭐 바꿔야 돼?

솔   ....! (불안한 표정에서)

씬/18 빈 강의실 안 (D)

솔, "어떡하지..." 울상 지으며 앉아 있고.

〈솔 회상 인서트〉
*4화 36씬. 선재 방에서 명함 찢어버리던 컷.
*5화 57씬. 노래하지 말라 소리치던 컷.

솔   내가 미쳤지... (고개 푹 숙이는데)

선재   (솔이 얼굴 가까이 들여다보며) 왜 그러고 있어, 응? 얼굴 좀 들어봐.

솔   (잔뜩 기어들어가는 목소리로) 아무래도 내가 니 앞길을 막은 것 같아.

선재   나 인혁이랑 그 오디션 나갔어야 되는 건가...나 혹시 미래에 가수야?

솔	...! (놀라 선재 보면)
선재	내 노래. 미래에서 네가 듣고 알 정도면. 나 되게 유명한 거 아니야?
솔	(잉... 울상. 다시 테이블에 이마 박듯 엎드리며) 이제 아닐지도 몰라아. 너 빼놓고 다른 애들만 오디션 붙어버리면 어떡해. 너만 데뷔 못 하면 어쩌냐고오...
선재	(피식) 못 하면 어때서.
솔	(벌떡 일어나며) 그걸 말이라고 해? 내가 니 무대...얼마나 좋아했는데.
선재	(좋고) 그랬어? 그럼 가수가 돼야 되나~
솔	(가만 보다가) ...노래하고 싶은 마음. 없어?
선재	흠...모르겠네?
솔	전에 처음 무대 섰을 때 어땠어?
선재	뭐...솔직히 좋았어. 그러니까 수능 보고 나서 어릴 때 배우다만 피아노도 다시 쳐보고 인혁이한테 기타도 배우고 했지. 근데 수영처럼 내 모든 열정을 다 쏟을 만큼 좋아질지. 아니면 이러다 금방 식어버릴 마음인지 아직 잘 모르겠네.
솔	너 노래하는 거...좋아했어. 그때는 정말 행복해 보였거든.
선재	정말?
솔	(끄덕이며) 응. 그래서 내가 네 행복을 빼앗은 걸까 봐...나 때문에 네가 다시는 무대에서 노래할 수 없을까 봐 걱정돼.
선재	그런 말 하지 말랬지. 노래가 하고 싶어지면 내 노력으로 내 의지로 성공할 거야.
솔	(한숨) 아직 어려서 뭘 모르네. 세상엔 의지만으로는 안 되는 게 있단다...
선재	혹시 미래로 돌아갔는데 내가 가수 안 되어 있으면 실망할 거야?
솔	그런 게 어딨어. 난 너만 행복하면 돼.
선재	행복한 백수 되어 있으면?
솔	너만 행복하다면 내가 먹여 살려야지 뭐.
선재	든든하네~ (씩 웃는)

씬/19 대학가 카페 (N)

금, 체교과 과대랑 커피 사고 있는데, 뭔가 보고 멈칫한다. "어?"
보면, 현주와 초롱. 소개팅 중이다. 화기애애한 분위기.

초롱 (웃다가) 그럼 넌 쉴 때는 주로 뭐 해?

현주 영화도 보고, 해축 팬이라 시즌 중엔 주로 경기 보느라 날밤 새고.

초롱 해축? 나돈데! 혹시...박지성 팬?

현주 너도???

현주,초롱 지성곽!! 와아!! (반가워 손뼉 치며 박지성 응원가 불러대는) 텔텔테르때
위쑹빠뤠~

금 (깔깔대는 현주 보며 저도 모르게 삐죽거리며) 딴 놈 찾아보랬더니 금세
찾았나 보네... (과대에게) 야. 저놈 우리 과지? 쟤 어때? 성격 좋아?

과대 초롱이요? 술 열라 잘 먹고 웃기죠. 별명 술도남이래요. 술 잘 먹는 도라
이라고.

금 술 좋아하는 놈은 영 별론데...하여간 골라도 저런 놈을! 으휴...가자. (나
가려다 현주 웃음 소리에 멈칫, 돌아본다) 뭐 좋다고 저렇게 웃어대고 있
어? (삐죽이는)

씬/20 솔이 집 앞 (D)

근덕, 가게 나가려고 나오는데 대문 앞에 쓰레기봉투 놓여 있다.

근덕 아니 뭐야. 우리 집 쓰레기가 아닌데? 누가 여기다 버려났어? (하며 보면
맨 위에 버려진 영화 포스터 보이는) 비디오 가게 쓰레기구만?! 딱 걸렸
으! (하며 쓰레기봉투 들고 씩씩대며 비디오 가게로 걸어 들어가는데)

복순 (나오며 대걸레 빤 물이 담긴 대야를 문 밖으로 확 끼없는) 으쌰!

근덕 어흑! (물 쫄딱 맞고 얼음!)

복순 어머어머! 괜찮으세요?

근덕 (얼굴에 물 훔치며 버럭) 안 괜찮습니다!

복순 이를 어째~~ 죄송해요~~

근덕 (열받아) 에잇! 자요! (쓰레기봉투 툭 던지자 바닥에 쓰레기 쏟아지고)

복순	(황당) 어머, 기껏 청소 다 해놨는데 뭐 하시는 거예요?
근덕	그 집 겁니다! 냄새나는 쓰레기를 왜 남의 집 대문 앞에 던져놔요?
복순	네? 저 안 그랬거든요? 가게 앞에 내놓은 걸 누가 옮겨놨나?
근덕	이걸 누가 옮겨요! 말이 되는 소릴. 들켰으면 사과를 해야지 개념을 죽 쒀 먹었나...
복순	뭐, 개념? 하! 지금 쌩 사람 잡으시는 거예요?! (팔 쭉 뻗어 걸어붙이는)
근덕	(때리는 줄 알고 가드 올리며) 어허이! 나 치려고 지금?!
복순	치다니! (반대쪽 팔도 쭉 뻗어 걸어 올리며) 팔도 못 걸나?!
근덕	어어! (또 가드 올리며 쫄았다가) 하! 앞으로 다시는! 이런 일 없었으면 좋겠네요!
복순	아~ 예! 얼굴 마주치는 일 없었으면 좋겠네요!
근덕	하이고~ (박수 치며) 첨으로 맘이 맞네. 찌찌뽕입니다!! (버럭 소리치며 돌아가면)
복순	(열받아서 씩씩대며) 어흐. 안 맞아! 안 맞아!

씬/21 대학 복도 + 체교과 과방 (D)

초롱, 현규 걸어온다. 초롱, 땀 뻘뻘 흘리며 지친 듯 보이는.

현규	오전 수업 다 빠지고 어디 마라톤 뛰다 왔냐?
초롱	우리 형 결혼하거든. 신혼여행 선물 사 왔다~ (묵직한 검은 비닐봉지 들어 보이는)
현규	뭔 선물인데? (하며 검은 봉지 들여다보곤 허억!! 놀라는. *내용물 뭔지 안 보이게)
초롱	(씩 웃으며) 편의점 100군데 돌았다.
현규	너 진짜! 와! 짱이다 진짜!

초롱, 현규 들어가려는데, 안에서 선재, 다혜 대화 중이라 멈칫.

| 선재 | ...미안하다. |

다혜	그럼 만약에...나중에 걔랑 헤어지면? 나한테도 기회 줄 거야?
선재	아니. 그럴 리 없어. 혹시 헤어지게 되더라도 다시 만날 거거든. 오랜 시간이 걸리더라도, 어떻게든.
다혜	... (울음 참으며 휙 돌아나가려다 초롱, 현규랑 마주치는)
초롱,현규	(동시에, 초롱은 현규 귀 막아주고, 현규는 초롱 눈 가려주며 허둥대는)
선재	(다혜 나가면 초롱, 현규 한심하게 보며) 너네 뭐 하냐?
초롱	류선재 여친 생겨서 여자 여럿 울린다 아주? (들어와 테이블에 있던 선재 외투 위에 검은 비닐봉지 올려놓으며) 아~ 나도 여친 생기면 여자 애들 여럿 울겠네.
현규	지랄...
선재	(피식 웃으며 밀어내며) 어제 소개팅은 잘했어?
초롱	어. 고맙다 친구야. 현주랑 잘되면 우리 더블데이트 하자.
현규	뭐?! (버럭) 너 얘만 소개팅해줬냐?!
선재	(솔이 전화 와서 얼른 받는) 어. 끝났어? (핸드폰 어깨에 받치고 테이블 위 외투랑 책들 한 번에 가방에 쓸어 담는데. *검은 비닐봉지도 같이 딸려 들어가는 타이트) 지금 나갈게. 인문대 앞에서 봐! (끊고 서둘러 나가며 대충 인사) 나 간다!

씬/22 데이트 몽타주(D)

#1. 캠퍼스 일각 (D)
솔, 건물에서 나오면 선재, 손 흔들며 달려가 "가자." 솔이 손잡고 가는.

#2. 대학로 소극장 (D)
연극 보는 솔, 선재. (당시 인기 있던 〈옥탑방 고양이〉 〈김종욱 찾기〉류)

#3. 민들레영토 (D)
커플석에서 밥 먹고 있는 솔, 선재. 그러다 커플 핸드폰고리 달고 웃는.

#4. 예쁜 벚꽃길 (N)

손잡고 걸어가는 솔, 선재. 그때 봄바람이 살랑살랑 불어오자 벚꽃 꽃잎들이 예쁘게 흩날린다. 솔, 꽃잎 잡으려고 양 손바닥 마주치는데.

선재   뭐 해?

솔   너 몰라? 떨어지는 벚꽃잎 잡으면 소원 이뤄진다잖아. (하며 폴짝폴짝 뛰며 꽃잎 잡으려 하는데 계속 실패하자 실망한 표정)

선재, 피식 웃으며 그런 솔이 뒤에 다가서서 백허그 하듯 허리 숙여 솔의 양손을 감싸 잡는다. 솔, !!! 설레서 멈칫, 몸이 굳는다.
선재, 솔이 양손을 잡은 채로 포르르 떨어지는 벚꽃 꽃잎을 잡아주는 모습 slow. 선재, 자신의 손안에 포개진 솔의 손을 천천히 펼치면... 솔이 손바닥에 벚꽃 꽃잎 하나가 살포시 놓여 있다. 솔의 귓가에 선재 목소리 울린다.

선재   소원 빌자. 눈 감아. (눈 감고 마음속으로 소원을 빈다) ......

솔   (눈 감고 소원 비는) ......

선재   (눈 뜨고, 같은 자세로) 무슨 소원 빌었어?

솔   비밀. 너는?

선재   나도 비밀.

솔   치... (삐죽이면)

선재   (솔 귀엽게 보다가) 근데...내 소원은 벌써 이뤄질 것 같은데? (장난스런 미소)

솔   응? (하는 순간)

선재   (솔이 볼에 뽀뽀를 쪽! 하며 잡고 있던 솔이 손을 놓고, 솔의 앞으로 돌아선다)

솔   !!! (주위 둘러보며, 부끄러운 듯) 뭐야...사람도 많은데! (하는 순간)

선재   (솔이 두 볼을 잡고 입술에 뽀뽀 쪽! 쪽! 연달아 하곤 씩 웃으며 도망간다)

솔   !! (잠깐 멍하니 서 있다가 얼굴 달아올라) 야!!! (소리치며 쫓아가는데)

같이 잡았던 벚꽃 꽃잎이 솔이 손에서 떨어져 날아가버린다.
바람에 힘없이 떨어져 흩날리는 꽃잎들 사이로 달려가는 두 사람 모습이 점점 멀어지고, 둘의 웃음 소리도 점차 작아지는데... 어쩐지 슬픈 모습이

다. 벚꽃길 끝까지 달려간 두 인영이 점처럼 사라지는 데서...

씬/23 캠퍼스 일각 (N)

금, 주차된 차 옆에 무릎 꿇고 앉아 차 밑에 떨어진 500원짜리 동전 주우려고 애쓰고 있다. 팔이 안 닿는지 바닥에 얼굴까지 대고 손 뻗어서 간신히 동전 잡는. "예쑤. 좋아쒀!" 동전 후후 불며 일어나는데 초코 우유 든 초롱이 서 있다.

금   (초롱 알아보고) 어? 너!!

초롱   안녕하세요 선배님!

〈금 회상 인서트〉*19씬
현주, 초롱 소개팅하며 화기애애했던 모습 스치는.

금OFF   현주랑 안 세월이 10년인데. 오빠로서 이상한 놈 만나게 둘 순 없지. (취조하듯 ON) 니가 우리 과 술 잘 먹는 도라이라며?

초롱   아, 네. 집안 내력이에요. (히죽 웃으면)

금OFF   꽝이다 이놈아! (ON) 신입생한테 할 질문은 아니다만 졸업하고 뭐 할거지? 임용 준비? 공부는 좀 하나?

초롱   전 공부 머리가 없어서. (머리 긁적이며 헤 웃는)

금   나보다도 미래가 없네. 쯧쯧쯧. 후배님. 인생을 그렇게 계획 없이 살면 되겠어?

초롱   전 제 인생을 계획할 수가 없어요. 졸업하면 아버지 일 물려받아야 해서요.

금   아버진 뭐 하시고?

초롱   축산업이요.

금   (콧방귀 뀌며 OFF) 이놈 만나면 시골 가서 소 젖 짜게 생겼네! 고생길이 열렸어! (ON) 뭐, 소 키우시나? 아님 돼지?

초롱   (초코우유 들며) 이런 거 만드시는데? 여기 사장이세요. 초롱목장.

금   (당황) 어, 어? (우유팩 보면 '초롱목장 우유'라 적힌. 헉!) 너...재벌이였

구나. (초롱 시계, 가방, 신발 하나하나 뜯어보는)

초롱　에이. 진짜 재벌 앞에선 명함도 못 내밀어요~ (차 키 꺼내 주차된 차 문 뻑- 여는)

금　(당황) 이거...니 차였냐? (크음... 기죽는데)

그때, 현주가 웃으며 막 달려오자, 금이 인사해주려 손 드는데 쌩 지나쳐 초롱한테 가버린다. 금, 갈 길 잃은 손 뻘쭘하게 접으며 돌아보면.

현주　우와! 너 차도 있어? (하다가 그제야 금이 발견하는데 흥! 모른 척하는)

초롱　우리 한강으로 드라이브 가자. (하며 금에게) 역까지 태워드릴까요?

금　(자존심 상하지만 애써 웃는) 아니! 난 BMW 타고 갈게. 버스메트로월킹 ~ 하하하! 그럼 드라이브 잘해라! (웃으며 돌아서자마자 울상이 되는)

씬/24 솔이 집 앞 (N)

솔, 선재 손잡고 천천히 걸어오다 멈춰 선다.

선재　(꼭 잡은 손 흔들흔들하며 아쉬운 듯) 뭐 이렇게 하루가 금방 가냐...

솔　그러게... (아쉽고) 어서 들어가서 쉬어. (손 놓으려는데)

선재　(손 꼭 잡고 안 놔주는) 안 들어가면 안 돼?

솔　(두근) 어?

선재　더 같이 있고 싶은데...안 돼?

솔　...돼. 어? 아니. 이, 이 시간에 갈 데가 어딨다구. (두근두근)

선재　갈 데가 왜 없어?

솔　(화르르) 어, 어, 어디?

씬/25 금 비디오&DVD 가게 (N)

불 꺼진 가게 안. 소파에 앉아 영화 보고 있는 솔, 선재.

솔OFF	언제 정신 차릴래. 임솔... 왜 혼자 김칫국이냐고오.
선재	왜 그래?
솔	어? 아니야! (영화로 시선 돌리면 바닷가 장면이다) 하하하. 바다 예쁘다.
선재	(바닷가 장면 가만 보다가) ...우리도 갈까?
솔	응? 바다?
선재	응. 바다 보러 가자. 너 돌아가기 전에...
솔	(문득 다가올 이별을 실감하고, 애써 웃는다) 그래. 꼭 가자.

두 사람, 잠시 말없이 서로의 얼굴을 눈에 담는다. 아쉬움이 가득 담긴 표정으로, 솔의 옆머리를 쓸어 넘겨주는 선재. 그러다 선재가 솔에게 가까이 다가가자, 솔, 꼭 키스하는 줄 알고 저도 모르게 눈을 스르르 감는데!

솔	......? (키스 기다리다가 실눈을 살짝 떠 보면)
선재	(솔이 옆에 놓인 리모컨을 집다가 눈 감은 솔을 보고 당황한 표정) !
솔	(헉! 눈 번쩍 뜨면서 민망해져 괜히 헛기침을 하는데)
선재	아니. 난. 되감기 좀. 하려고...
솔	(O.L) 해! 해! 돌려! 1분 정도만 돌리면 되겠다. 하하하.
선재	우리도 1분 전으로 돌아갈까?
솔	어?
선재	다시 기회를 주면 내가 잘해볼ㄱ... (게, 하려는데)
솔	(민망해서 확 밀며 O.L) 됐거든? 니가 아까 길에서 막 뽀뽀하고 도망가고 그러니까 착각하는 거 아니야! 영화나 봐 어서.
선재	(장난스레) 아~~ 아쉽다아.

(시간 경과)
영화 끝나고... 선재, 아쉬운 듯 돌아보면 솔이 눈 감고 잠들어 있다.

| 선재 | 이 와중에 잠이 오냐 너는... (피식 웃다가, 시계 본다. 새벽 두 시가 넘은. 가는 시간이 아깝고) 오늘도 벌써 두 시간이나 지났네. 하... 한 달... (잠든 솔 애틋하게 보며, 솔의 머리를 자신의 어깨에 기대게 하는) 조금만 더 |

이러고 있자. 조금만 더...

씬/26 주택가 외경 (D)

씬/27 금 비디오&DVD 가게 (D)

TV 지지직거리며 켜져 있고. 팬바면 좁은 소파에서 선재 어깨에 기대 자고 있던 솔. 햇살에 눈이 부셔 눈을 스르르 뜨다가 놀라 벌떡 일어난다.

솔	언제 잠들었지?! (돌아보면, 선재 셔츠가 솔이 흘린 침으로 축축하게, 젖어 있는. 헉!) 어떡해! (그대로 선재 가슴팍에 부채질해대는데)
선재	(눈 감은 채 잠시 있다가, 못 참겠다는 듯 쿡쿡쿡 웃는)
솔	(부채질하다 멈칫) 깼어?
선재	(웃다가 눈 뜬다) 나 안 잤는데?
솔	안 잤다고?
선재	잠을 어떻게 자냐?
솔	(눈치 없이) ...왜? 나 코 골았어?
선재	(속도 모른다는 듯) 아니다...근데 갑자기 부채질은 왜 했어?
솔	어? 더, 더울까 봐!
선재	뭐? (시선 내리려 하자)
솔	!! (얼른 침으로 젖은 선재 셔츠 손으로 확 움켜쥔다)
선재	(웃기고) 먹살은 왜 잡지?
솔	하하하. 뭐가 묻은 것 같아서...
선재	(O.L) 침 흘렸어? 괜찮... (아 하며 솔이 손잡고 놓으려는데)
솔	(O.L) 아니라니까!
선재	(피식) 괜찮다니까... (하는데 창밖으로 금이 보이자 헉! 놀라 벌떡 일어나는데, 그 바람에 솔이 움켜쥐고 있던 셔츠 단추가 투두둑 떨어지며 옷이 훌렁 벗겨진다. 한쪽 어깨 훤히 드러나고) !!!
솔	(헉! 얼굴 붉히며) 미안. 어떡해! (하는 순간)

금	(동시에 문 열고 들어오다 그 광경 보고 얼음) !!!
솔,선재	(놀라 얼음) !!!
복순	(들어오다 보고 금이랑 똑같이 얼음. *원색 에어로빅 복장) !!!
금	(옷 반쯤 벗겨져 있는 선재 보며 눈 뒤집히는) 이 쉐키가!!! (달려들어 먹살 잡는)
솔	(놀라 뜯어말리며) 오빠아! 왜 이래!
복순	그럼 골목에서 쪽쪽거리던 게! (눈 돌아가 솔이 잡아끌며) 이 지지배 너였어?
금	내 동생 데리고 밤새 뭐 했어 짜식아!!
솔	아 이거 놔봐 엄마아! (뿌리치고 다시 금이 말리며) 하긴 뭘 해!
선재	(당황) 아무것도 안 했는...
금	(O.L) 그럼 옷은 왜 벗고 있냐!!! (하는데)
근덕	(가게 안으로 뛰어들어 오며) 감히 누구 아들 먹살을 잡아! (금이한테 달려들면)
선재	(놀라) 아버지!
복순	어머어머! 왜 이래?! (금이 보호하려 근덕 밀치면)
근덕	아고고! (쉽게 뒤로 나자빠지고)
선재,솔	아부지!! / 엄마!!
근덕	이 아줌마가!! (다시 일어나 금이 확 밀치며 선재 떼어내는)
금	(뒤로 나자빠지는)
복순	(열받는) 지금 내 아들 쳤어요?! (달려들려 하면)
솔	(복순 잡아 말리며) 엄마아! 일단 진정하고 얘기 좀 들어봐!
근덕	그래요! 쳤습니다! 내 아들이 수모를 당하고 있는데 그럼 가만있나?!
복순	수모라니!! 아들 꼬라지 좀 보고 얘기하시죠!
근덕	(그제야 선재 옷차림 눈에 들어오고 헉! 솔이랑 번갈아 보는) 둘이 설마...그렇고 그런 사이? (욱해서) 너 이놈 혹시 미국 안 간 거 솔이 얘 때문이야?!
선재	아니 아부지 그게 아니라...!
근덕	(버럭 O.L) 여자애 하나가 뭐라고 꿈을 포기해!!
복순	(열받는) 여자애 하나라니! 남의 집 귀한 딸내미한테!
근덕	내 아들도 귀해요! 우리 순진한 아들 어떻게 꼬셨길래 미국도 못 가게 발

	목 잡아!
복순	발목을 잡긴! 우리 딸 꼬시려고 우리 집 물난리 났을 때 머슴처럼 물 퍼댄 게 그 집 아들내미거든요? 그때 우리 솔인 관심 요만큼도 없어 보이더만!
근덕	진짜야?! (선재 노려보면)
선재	어. 내가 매달린 거야.
근덕	(혈압 오르고) 입 다물어 이눔아! (선재 입 찰싹 때리는)
복순	그리고 순진한 아들 조오아하시네! 미성년자 때부터 빨간 비디오나 빌려 보던 게! 〈원초적인 본능〉 빌려가선 아주 한 달 내내 테이프가 늘어지도록 보고 또 보고!
솔	(살짝 놀라며 선재 보며) 진짜?
선재	(솔이 귀 막으며 고개 젓는) 아니야...듣지 마.
근덕	그놈의 〈원초적인 본능〉 그거 내가 봤다고 내가! 우리 선재! 먹고 자고 수영밖에 모르던 앱니다! 여자라고는 일절! 고런 쪽으로는 요맨~큼, 정말 요맨~~~~큼도 관심 없던 앱니다! 순수 그 자체! 산소 같은 남자라고 오오! (빽 소리치곤) 가자! (하며 선재 가방 확 집어 들고 가려는데)
선재	(가방 잡으며) 아부지 이러고 가면 안 되지! (하며 버티는)
근덕	순진해 빠진 놈아! 나오라고! (하며 가방을 확 잡아채는데)

그때, 가방 지퍼가 열리면서... 안에 있던 검은 비닐봉지와 함께 비닐에 들어 있던 콘돔 수백 개가 공중으로 폭죽 터지듯 날아가는 모습 slow... 일동, 넋 나간 표정으로 쏟아지는 콘돔들을 보는 표정 slow... (*영화 〈웰컴 투 동막골〉 팝콘 씬 느낌)
잠시 후, 바닥에 후두두둑 비처럼 떨어지는 콘돔들.

선재	(당황) 이, 이게 왜...아니 왜.
근덕	!!!!!
솔	(얼굴 붉게 달아오르는)
복순	뭐, 순수?? 산소 같은 남자?! (선재 보면)
금	(욱해서) 이 변태 쬐식이!!! (다시 달려들어 선재 먹살 잡고)
말자	(들어오다 보고 놀라며) 옴마! 이게 뭔 난리여!!! 왜들 이런대?!
복순	엄마, 아니 글쎄... (말하려는데)

근덕	그마아안!! (일동 쳐다보자) 이거 다 내 껍니다! 내 꺼라고!! (소리치는)
일동	(황당. 정적 흐르고) ....
복순	그게 말이 돼요?! 됐고! 아무리 스무 살 성인이래도 그렇지! 어머머머 몇 백 개를!! (솔에게) 너! 이런 속이 시꺼먼 늑대 같은 놈이랑은 절대 안 돼! 절대 만나지 마!
근덕	하이고오! 반대해주셔서 고오맙습니다! (선재 멱살 잡은 손가락 하나하나 떼어내며) 너도 저런 기 쎈 집안 딸내미랑은 절대 만나지 마!
선재	(젠장, 안절부절) 이거 제 꺼 아닌데요!
근덕	빨랑 나와 너는! (선재 잡아서 질질 끌고 나가고)
솔	(답답) 저희 얘기 좀 들어보시지...선재야~~~~ (선재 손 꽉 잡는데)
복순	지지배야 놔! 놔!!! (하며 솔을 질질 끌어당긴다)
솔,선재	선재야~~~ / 솔아~~~ (꼭 잡고 있던 두 사람 손 애절하게 떨어지는 모습에서)

씬/28 선재 집 마당 (D)

근덕, 씩씩대며 선재를 대문 안으로 밀어 넣고 대문 쾅! 닫는다.

근덕	으휴...망할 노무 자식. 여자한테 빠져가지고. 애비 동네 망신이나 시키고!
선재	내 꺼 진짜 아니라니까요?
근덕	그건 둘째 치고. 너! 너어! 진짜 솔이 쟤 때문에 미국 안 간 거야? 어?
선재	....
근덕	(대답 없자 허억!!!) 너 설마!
선재	안 가기로 한 게 솔이 때문이 아니라 가기로 한 게 솔이 때문인 건 좀 있긴 한데...
근덕	(O. L) 뭐라고?! 이놈이! (슬리퍼 한 짝 벗어 들고 때리려는데)
선재	(휘두르는 슬리퍼 빼앗아 잡고 말리며) 하, 아부지 근데. 전에 내가 한 말은 진심이야. 수영 말고 내가 좋아하는 거 찾아본다고 했잖아!
근덕	그래. 그건 그렇다 쳐. 근데 왜 하필 왜 그 기 쎈 여자 딸내미냐고! 그러니 집에 물까지 퍼 나르면서 호구 짓을 하지!

| 선재 | 언젠 솔이가 내 걱정해준다고 며느리 같다더니. 솔이 싫어요? |

〈근덕 상상 인서트〉

#1. 선재 집 거실 (D)

추석날. 근덕, 차례상 앞에 앉아서 "이놈 자식 왜 안 와?" 하며 기다리는.

#2. 솔이 집 거실 (D)

복순, 말자, 솔이 소파에서 과일 먹으며 TV 보고 있고. 선재가 옆에서 앞치마 두르고 앉아서 송편 빚고 있다가 씩 웃으며 송편 들고 "어머니~ 저잘 빚죠!"

| 근덕(E) | 안 돼애애!!!! |

#다시 현실

| 근덕 | 싫어! 무지하게 싫다! 됐냐! (짝짝이 발로 씩씩대며 들어가면) |
| 선재 | 하... (한숨 쉬다 문득 손에 든 근덕 슬리퍼 보는 표정. *테이프로 붙인) |

씬/29 금 비디오&DVD 가게 (D)

복순, 빗자루로 가게 쓸고 있는데 소파 아래에서 콘돔들이 쓸려 나온다.

| 복순 | 끝도 없이 나오네. 몇 개를 사 모은 거야! (하며 상상) |
| 솔(E) | 엄마~ 저희 왔어요! |

〈복순 상상 인서트〉

명절 분위기. 복순이 "와, 왔어?" 달갑지 않게 맞이하는데. 보면, 선재와 다크서클 진하게 내려온 솔이 아이 한 명씩 안고, 그 옆으로 아이들 9명 나이별로 줄줄이 서 있다. 아이들, "할머니~~~~" 하며 우르르 달려오는 데서...

복순(E)   안 돼애애애!!!!

#다시 현실

복순   (질색하며 고개 흔들며) 증말 보통 밝히는 놈이 아니구만! (버럭) 축구팀 만들 일 있어?! 절대 안 돼!

씬/30 선재 집 선재 방 + 솔이 집 솔이 방 + 체교과 과방 (D)

선재, 솔 통화 중이다.

선재   화 많이 나셨어?
솔   내가 너 그런 애 아니라고 열심히 해명해봤는데...안 통하네?
선재   하...어떡하지? (심각한 표정으로 고민하는데)
솔   근데...선재야. 있잖아. 그거어...진짜 니 꺼 아니지?
선재   (벌떡 일어나서 억울해 버럭) 아니야! 아니라고!! 어떻게 너까지 날! 와...!
솔   그래. 그래. 나는 너 믿지. 믿어.
선재   백 프로 믿어?
솔   (잠깐 정적) ...어? 어어!!! 그러엄!
선재   안 믿네! (억울해 죽겠는) 안 되겠어. 한 시간 내로 내가 해명할 테니까 딱 기다려봐. (전화 끊고 한쪽 다리 덜덜 떨며 생각) 그래. 그게 어떻게 내 가방에 들어오게 된 건지 집중을 해보자. 집중을. (벌떡 일어나서 왔다 갔다 하는데)

〈선재 회상 인서트〉 *21씬
강의실에서 가방 급히 챙기던 컷 스치고.

선재   (!!) 그때 들어갔나? (초롱이한테 전화 거는데 전원 꺼져 있고) 얜 왜 안 받아. (끊고 현규에게 전화 거는)
현규(F) 어 선재야.

선재	야야! 그..콘... (막상 콘돔이라 말 못 하는) 콘! 그거!
현규	콘? 뭔 콘.. 유니콘?
선재	(이 악물고) 아니이. 검은 비닐봉지에 몇백 개나 들어 있던데 그거 모르냐고!
현규	아~ 그거? 그걸 어떻게 알아? 초롱이가 형 결혼 선물 산 건데 잃어버려서 난리던데?
선재	김초롱 꺼였어? (버럭 성질) 아아!!!
현규	(귀 아파서 인상 쓰며) 왜 그래?
선재	(진정하고) 초롱이 전화 꺼져 있던데. 애 어딨어?
현규	이따 형 결혼식이랬는데?
선재	(진정하고 머리 굴리는) 최현규...한 시간 내로 김초롱 좀 우리 집으로 데려와.
현규	에? 한 시간? 야, 나 오늘 바빠...
선재	(O. L) 박태환 싸인.
현규	(말 끝나기 무섭게 돌변, 벌떡 일어나며) 오케이!

씬/31 솔이 집 외경 (D)

씬/32 솔이 집 거실 (D)

현관문 활짝 열려 있고. 말자 가운데 앉아 있고, 양옆으로 선재, 근덕, 솔, 복순, 금이 가족끼리 마주 보고 앉아 있다. 근덕, 복순 서로를 노려보고. 근덕이 일어나려 하면 선재가 힘으로 허벅지 눌러 앉힌다.

말자	자! 우리 선재 학생이! 아니지...이제 알 거 다 아는 것 같은께. 선재 청년이! 오해를 풀고자 이렇게 자리를 마련했으니! 이제 양방 간에 오해를 한 번 풀어보자고.
복순,금	(선재 짐승 보듯 보는)
말자	이 사단의 시작! 거... 〈원초적인 본능〉은 누가 봤는가?

선재	제가 빌리긴 했는데. 보진 않았습니다.
금	(어이없고) 하! 음주는 했지만, 음주운전은 아니다?
선재	(바닥에서 미리 가져온 DVD 기계 테이블에 떡하니 올려놓으며) 보세요! 저희 집은 디비디 플레이어라 비디오는 틀어 볼 수가 없습니다!
말자	에? 그럼 왜 빌렸대?
선재	그건, 그때 너무 떨려서 막 아무거나 집어 들고 나오다보니까...
복순	(O.L) 왜! 뭐가 떨려! 수전증 있나?
선재	그...카운터에. 솔이가 너무 예뻐가지고.
솔	뭐야아~ (좋아서 씩 웃다가 근덕과 눈 마주치자 민망. 눈 내리깔고)
근덕	(선재 보며 뒷목 잡는) 어흐! 호구 쉐키 저거.
복순,금	(꼴값이라는 듯 입 떡 벌어져서 둘 번갈아 보고)
말자	우리 막둥이가 느므 이뻐서 눈이 멀어버렸구면? 그럴 수 있으. 있으. 그람 다음! 아침 맷바람부터 왜 헐벗고 있었는지는! 누가 해명할 텨?
솔	그게 할머니. 내가 뭐 좀 닦아주려다가 찢어진 거라니까?
복순	(버럭) 뭐? 니가 찢었어? 이 지지배가! (등짝 때리려고 하면)
선재	(복순 손 막으며) 옷은 찢었지만 아무 일도 없었습니다!
금	(어이없는) 하! 사랑은 했지만 불륜은 아니다냐?!
솔	진짜야! 영화보다 깜빡 잠들었는데 침을 흘려가지구. 믿어주라 할머니이~~~ 응?
말자	(녹는) 그려. 우리 똥강아지 말은 믿어야지 할미가. 그럼 다음! (선재 가방 테이블 위에 툭 올리며) 여기서 산더미처럼 나온 요 거시기들!
복순	(헉! 쿡 찌르며 O.L) 아 엄마. 거시기라니!
근덕	그러게요. 거시기라고 하니 좀 듣기가 거시기하네요.
말자	거시기를 거시기라 하제 그럼! 좌우지당간 수백 개는 족히 되는 요 거시기!들은 어떤 마음가짐으로 준비했는가?
선재	그건 정말 제 게 아니라...제 친구 건데요.
금	하! 뻥치시네! 그걸 어떻게 믿나?
선재	증인 있습니다! 증인이 오기로 했는데... (핸드폰 보면 현규 '가고 있어!' 문자 와 있고)
복순	증인이라니? 뭐, 거시기들 주인이라도 불렀나?
선재	네! 곧 올 겁니다!

(시간 경과)

일동 (말없이 멍하니 앉아 있는데)

근덕 이눔 자식아. 이게 뭐 하는 짓거리야! (벌떡 일어나며) 가! 가!

복순 그래! 어설프게 해명할수록 더 창피해져! 그만 가! 나 곧 에어로빅 가야 돼.

말자 그려. (일어나며) 나도 문화센타 갈 시간도 됐고 하니께 이쯤에서 정리...

선재 (O. L) 잠깐만요! 제발 조금만... (하는 순간)

초롱(E) 선재야아!!!

일동 (현관문 쪽 보면)

초롱 (구세주처럼 들어오는 slow) 헉..헉..안녕하세요. 제 콘돔들 어딨어요?!

선재 살았다...! (감격해서 솔이 와락 껴안는 데서)

씬/33 홍대 클럽 일각 (D)

인혁, 현수, 제이. 클럽 사장이랑 대화 중이다.

인혁 이번 달까지요? 그럼 내일이 마지막인데요? 한 달만 더 기회 주시면 안 돼요?

클럽사장 그 슈퍼스타K인가 오디션 나갔다며. 혹시 방송 타는 거면 그거 방송될 때까진 연장해줄게. 합격은 했어?

인혁 아, 그게요... (현수, 제이랑 눈빛 주고받는)

〈인혁 회상 인서트〉
#슈퍼스타K 3차 오디션장 입구
인혁, 현수, 제이 오디션장에서 축 처져서 나오는데. VJ, 카메라 들이대자 인혁, 얼굴 가리고 "찍지 마세요..." 하며 현수, 제이 끌어안고 엉엉 울기 시작한다. VJ "여기 운다! 울어!" 하며 다른 VJ까지 찍으려고 달려드는.

#다시 현실

클럽사장	에이...떨어져서 우는 거 방송 타서 뭐 어쩌게?
인혁	그래도 사장님~ 저희 여기 아니면 갈 데 없는 거 아시잖아요.
클럽사장	니들 음악 좋은데 나도 장사꾼이야. 인기 많은 애들 세우는 게 낫지. 미안해~ (간다)
인혁	사장님! (하는데 뒤도 안 돌아보고 나가는 모습에) 하... (고개 푹 숙이는)
제이	혀엉. 우리 이제 어떡해?
현수	그러게. (하며 인혁 보면)
인혁	(깊은 한숨)

씬/34 경찰서 회의실 (D)

김형사, 최형사, 영수가 찍힌 CCTV 영상 보고 있다.

〈CCTV 영상 인서트〉 *나뭇가지에 화면이 살짝 가려진.
갓길에 하얀 트럭이 멈춰 선다. 트럭에서 내린 한 남자가 프레임 밖으로 걸어 나가기 직전 화면 정지해서 보면 흐릿하게 찍힌 영수다.

최형사	좀 흐릿하긴 한데... (영상 정지시키며) 김영수 맞아요. 나름 씨씨티브이 없는 위치에 세우려 한 것 같긴 한데 다행히 이건 가로수에 가려져 있어서 못 봤나 봐요.
김형사	... (표정)
최형사	(영상 빨리 돌려 영수가 다시 나타나자 정지) 그리고 15분 뒤에 다시 돌아와서 출발했어요. 이후 동선은 추적 불가입니다. 씨씨티브이 없는 국도로 이동했나 봐요.
김형사	갓길에 차 세워놓고 15분이나 사라졌었다? 누굴 만났나? ATM 있어 혹시?
최형사	(한 건 해냈다는 듯) 공중전화요. 여기서 1킬로미터 거리에 공중전화가 있더라구요. 그 시간대 발신 번호들 전화국에 요청해서 받아 봤는데요. (발신 내역 내민다)
김형사	(받아 보면 발신 내역 딴 한 건이다) 여기가 어디야?

최형사	가축 사료 팔고 그러는 곳인데 주인이 예전에 불법 도축장을 운영했었대요.
김형사	(!!) 혹시 그놈이 범행 때마다 쓰는 동물 마취제 있잖아. 그거 구하려는 거 아니야?
최형사	그럼 설마, 다음 범행 준비 중인 걸까요?
김형사	....! (표정에서)

씬/35 가로수길 또는 홍대 거리 (D)

한껏 빼입은 태성, 커피 한 잔 들고 걸어가다 살짝 멈춰서 돌아보면 이슬, 파파라치 컷 느낌으로 사진 찍고 있다. (*2000년대 인터넷 쇼핑몰 모델 포즈들)

이슬	좋아! 간지나! 헐리웃 느낌으로! 좋아! (오버하며 땅에 드러누워 사진 찍는)

태성, 의상 바꿔 입으며 여러 포즈 취하는 모습 컷컷으로 보여지고...

(컷 튀면)
태성, 건물 유리창 거울 삼아 머리 정돈하고 있고. 이슬, 커다란 옷가방, 카메라 챙겨 들고 있는. 그때, 여고생들 지나가며 핸드폰 꺼내 든다.

이슬	(경호원처럼 태성 얼굴 가리며) 사진 찍으시면 안 돼요~
여고생들	(황당) 문자 하는 건데요? 연예인이야 뭐야... (하다가 태성 보고 반한 표정)
태성	오바 좀 하지 마. 오바 좀. (타박하는데 여학생들 눈 마주치자 웃어준다)
여고생들	와~ 열라 잘생겼다... (하며 가면)
태성	어~ 열라 고마워~ (인사하며 씩 웃고)
이슬	씨..열라 부럽다. (하는데)
태성	(전화 와서 보면 '아빠'다) 어. 무슨 일인데... (얘기 듣고) 뭐?! (표정 굳는)

씬/36 주택가 외경 (N)

씬/37 금 비디오&DVD 가게 앞 (N)

솔, 태성 파라솔 아래 앉아서 대화 중이다.

솔   진짜 우리 집 앞에 있던 그 하얀 트럭...김영수 맞다고?

태성   어.

솔   (쿵! OFF) 그럼 계속 내 주변을 맴돌면서 기회를 보고 있었나 보네.

태성   너한테도 곧 연락 가긴 할 텐데 조심하라고 미리 말해주려고 왔다~

솔   ...고마워.

태성   (솔이 표정 살피며) 근데 상황이 이런데 가족들한테 말하고 그놈 잡힐 때까지 피해 있어야 되는 거 아니냐?

솔   (고개 저으며) 안 돼...날 찾으려고 마음먹은 거면 내가 어디에 있든 아마 반드시 찾아낼 거야. (OFF) 내가 괜히 피했다가 여기 남아 있는 선재가 위험해지면 어떡해.

태성   대체 김영수 그놈 때문에 무슨 일이 생기길래 그래? (한숨) 이것도 대답 못 하지?

솔   응...그니까 제발 아무한테도 말하지 말고 비밀 지켜줘.

태성   (걱정되지만, 할 수 있는 게 없고) 맨입으로? 밥이라도 사든가~

솔   알았어. 밥 살게... (하는데 대문 열리는 소리에 돌아보면 선재 서 있다) 선재야...!

태성   (선재 보고 표정, 손 흔들며) 하이~~ 친구?

선재   (무시) 김태성한테 밥을 왜 사?

솔   그게... (당황스러운)

선재   (태성 보며) 넌 여긴 왜 왔냐?

태성   (솔이 눈치 살피곤 둘러대는. 쇼핑백 들어 흔들며) 울 아빠 팬티 받으러 왔는데?

솔   어! 전에 실수로 내가 가져와버렸거든...하하하. 미안해서 밥 산다고 한 거야.

선재   (솔, 태성 빤히 보다 결심한 듯) 가자. 밥. 내가 사줄게.

태성   내 밥을 니가 왜요~

선재   내 여자친구가 전남친이랑 밥 먹는 거 싫어서. 왜.

태성   (여자친구란 말에 철렁) 뭐?

씬/38 조촐한 술집 (N)

태성, 선재 적당한 음식, 소주 시켜놓고 앉아 있다.

선재   (팔짱 끼고 태성 노려보며) 앞으로 솔이 찾아오지 마라.

태성   밥 좀 먹자 친구야? (소주 흔들어 따는)

선재   우리가 언제부터 친했다고 아까부터 왜 자꾸 친구래?

태성   같이 잠도 잤는데 친구지. (소주 따라주며) 그니까. 임솔이 니 여자친구다?

선재   (병 뺏어 들고 태성 잔에 술 따라주며) 이제 '내' 여자친구지.

태성   (선재 잔에 혼자 짠 하며) 축하한다? (마시는)

선재   ?? (축하라니, 왜 저래? 떨떠름한 표정으로 마시면)

태성   근데...영원할 줄 알지? 아니다? 나 봐. 2주 만에 차였잖아~ 있을 때 잘해라~

선재   (욱하는데 참고) 됐고. 솔이가 아무한테도 말하지 말라는 비밀, 그게 뭐냐?

태성   뭐야, 아까 들었어? 참 나. 그거 캐물으려고 밥 사준다 했냐?

선재   아님 너한테 밥을 왜 사겠냐?

태성   흠...근데 어쩌냐. (얄밉게) 아.무.한테도 말하지 말랬는데?

선재   내가 아.무.나는 아니지?

태성   차, 아 몰라. 난 절대 말 안 할 거니까 니 여자친구한테 물어보세요.

선재   (말 안 해줄 것 같자, 획 일어나며) 계산하고 갈 테니까 먹고 가라.

태성   (선재 손목 붙잡고) 가려고? 나 혼자 먹는 거 되게 싫어해~

선재   애냐? (손 뿌리치고 획 가버리는)

(컷 튀면)

선재, 태성 둘 다 취해서 고개 푹 숙이고 있다.

선재   (고개 들면 볼 빨갛고) 너어 솔이 옆에 알짱거리지 좀 마라아.

태성	(고개 들면 볼 빨갛다) 알짱거릴 이유가 있다고오. 알쥐도 못하면서.
선재	그게 뭔데.
태성	비밀이다.
선재,태성	(동시에 테이블에서 팔꿈치 툭 떨어지는)
태성	부럽다 새꺄...
선재	잘하지 새꺄...
태성	(꾸벅꾸벅 끄덕이다가) 있잖아...내가 꽤 많이 좋아했나 보더라?
선재	어쩌라고...내 알 바냐?
태성	(울적) 근데...한 달 뒤에 진짜 가나?
선재	(급 울컥해서) 몰라 새꺄.... (훌쩍)
선재,태성	(동시에 고개 떨구며 테이블에 이마 박는 데서)

씬/39 주택가 외경 (D)

씬/40 솔이 집 거실 (D)

복순, 설거지하고 있고. 솔, 물 따라 마시다 복순 보며 태성 말 떠올리는.

태성(E)	상황이 이런데 가족들한테 말하고 그놈 잡힐 때까지 피해 있어야 되는 거 아니냐?
솔OFF	내가...어떻게 해야 할까. (마음 복잡하고. 다가가 서서 설거지 도우며 ON) 엄마. 우리...이사 갈까?
복순	갑자기 뭔 소리야?
솔	그냥...동네가 좀 밤에는 으슥하고 그렇잖아. 아파트로 이사 갈까?
복순	나도 이놈의 동네 떠나고 싶다 이것아. 집이 팔려야 이사를 가지.
금	(방에서 정장 입고 나와) 봐봐. 봐! 나 오늘 어때. 변호사 같애? (폼 잡는)
복순	또 엑스트란지 뭔지 하러 가냐?
금	(진지) 엄마. 오늘은 나 되게 큰 역할이야. 나름 액션도 있거든?
복순	변호사라며 뭔 놈의 액션?

씬/41 인혁 자취방 (D)

침대에서 자고 있던 선재. 잠이 깨는데, 뭔가 쎄한 기분에 눈을 번쩍 뜨고 내려다보면 품 안에 까만 정수리가 보인다. 누군갈 꼭 끌어안고 자고 있는. "으아!" 놀라 확 밀어내며 일어나서 보면 그제야 눈 부비며 일어나는 사람 태성이다.

태성 굿모닝~ (씩 웃는)

인혁 (바닥에 잔뜩 굴러다니는 솔방울 주워 담으며 씩씩대는) 으휴. 저것들도 친구라고.

선재 (성내는) 뭐야. 야. 내가 왜 이 자식이랑 여기서 자고 있어?

인혁 (짜증 난 듯, 솔방울 집어 던지며) 니들 기억 안 나냐??

〈인혁 회상 인서트〉

#1. 거리 일각 (N)

인혁, 어이없는 표정에서 빠지면... 선재, 태성 길가 화단에 들어가 쪼그리고 앉아 솔방울들 주우며 취해서 중얼대는. "솔이네..." "솔이야..."

#2. 추억의 데몰리션 노래방 (N)

미러볼 조명 아래, 인혁, 넋 나간 표정에서 빠지면...

취한 선재, 태성 사이좋게 어깨동무하고 우는 소리로 노래하고 있다.

선재 (브라운 아이즈의 '가지 마 가지 마'를 울며 부르는) 가쥐 마 가쥐 마 가쥐 마아~

태성 (노래에 취해 화음 넣는)

(컷 튀면)

태성 (나윤건의 '나였으면'을 울며 부르는) 나였으며언~~그대 사랑하는 사람

나였으며언~

선재　(흐흡. 태성 끌어안으며 같이 울컥하는)

#다시 현실

선재　말도 안 돼... (입 막고 경악스런 표정, 믿을 수 없다는 듯 고개 저으면)

인혁　봐라. (핸드폰 내밀면 선재, 태성 끌어안고 브이 하며 찍은 사진 보이는)

태성　우리 간밤에 사이가 많이 찐해졌네?

선재　(질색. 확 밀치며 인혁 폰 뺏어서 막 삭제 버튼 눌러대고)

인혁　아주 절친 다 됐어? 하긴. 여자 보는 눈이 똑같이 이상한 게 코드가 딱 맞네!

선재,태성　(동시에) 솔이가 어때서? / 임솔이 뭐!

인혁　(다시 폰 뺏어가며) 니네 다신 같이 술 먹기만 해봐. 그리고 류선재 너! 그러는 거 아니다? 어떻게 임솔이랑 사귀는 걸 나보다 김태성한테 먼저 말할 수가 있나! 내가 섭섭해서 막 눈물이 다 나더라?

선재　삐질 일이냐 그게?

인혁　나 오늘 예민하니까 제발 좀 꺼져주라 응? (일각으로 가 계란판 뜯는)

태성　(못 들은 척) 해장라면이나 끓여야겠다. (주방 향하며 선재한테) 두 개?

선재　세 개. (하며 일어나 욕실로 가는)

인혁　저것들이...후... (화 참으며 계란판 확 뜯는 모습에서)

씬/42 인혁 자취방 욕실 (D)

세수하고 고개 드는 선재. 거울 보며 지난밤 회상한다.

〈선재 회상 인서트〉 *38씬 사이 숨겨진 장면.

선재　(취해서. *인사불성 정도는 아닌) 솔이가 말한 비밀이 뭐냐고오. 내가 알아야 되지 않겠냐? 뭔데 도대체에!

태성　(술 마시며) 우리 아빠가 김영수 그 새끼 잡고 있으니까 신경 꺼! 더 이상 말 못 해.

선재, "김영수...?" 갸웃하며 생각에 잠긴 표정에서.

씬/43 다시 인혁 자취방 (D)

태성, 라면 냄비 들고 돌아서는데, 계란판 거의 다 뜯어진 벽 보는.

태성	(라면 냄비 테이블에 놓으며) 그건 왜 뜯냐 근데?
인혁	방 내놨다~ (애써 덤덤한 척) 밴드 다 접고 고향 내려갈라고.
태성	뭐? 갑자기? 너 괜찮아?
인혁	(쓰레기봉투에 계란판들 쑤셔 넣으며) 안 괜찮으면 뭐. 클럽도 짤려서 오늘 공연이 마지막인데 동섭이도 관둬서 것도 못 하게 생겼다~ (씁쓸한 표정 스치고)
태성	(마음에 걸려) 그래도 마지막 공연을 안 하면 되겠어? 내가 보컬 해줄까? 노래는 못해도 이 비주얼은 되잖아 내가~ 관객들로 꽉 채워줄게. 어때?
인혁	오...니가? 진짜? (혹하는 표정에서)

씬/44 시골 읍내 허름한 가게 앞 (N)

인적 없는 어두운 시골 읍내길. 소리 없이 걸어오는 누군가의 두 다리. 그러다 허름한 가게 앞에서 걸음을 멈춘다. 보면, 모자를 푹 눌러쓰고 주위를 살피는 남자, 영수다! 조심스레 낡은 미닫이문을 드르륵... 열고 들어가는 영수.

씬/45 시골 허름한 가게 안 (N)

영수, 가게 안을 한번 둘러보다 일각에 놓인 캐비닛을 발견하곤 곧장 그

쪽으로 걸어간다. 캐비닛 천장 위를 더듬어 열쇠를 찾아 들더니 캐비닛 문을 연다.

보면, 선반에 검은 봉지 놓여 있고, 들여다보면 동물용 마취제 들어 있다. 물건 확인 마친 영수, 주머니에서 준비해온 돈뭉치를 넣어놓고 캐비닛 문을 쾅 닫고 돌아서는데...! 가게 문 앞에 김형사, 수갑을 들고 서 있다!! 영수, 바로 휙 돌아 뒷문 쪽으로 도주하려는데, 최형사와 막내 형사가 가스총 겨누고 서 있다. 영수, 도망칠 곳이... 없다!! 김형사 "김영수. 너 잡혔어 새끼야.."

씬/46 영화관 앞 (N)

막장 드라마 '내 딸의 맞바람' 촬영 중이다. 일각에서 금이 여배우랑 팔짱 끼고 걸어오면, 기가 세 보이는 중년 여성이 친구들 끌고 나타나 "감히 내 딸을 두고 바람을 펴?!" 소리치고, 다 같이 우르르 달려들어 금이 머리채 잡아 흔들며 마구 패는.

금   아악!!! (바닥에 나뒹굴고, 맞으며 열연하는데)

감독   엔지! 혜숙 선생님! (주먹 꽉 쥐며) 주먹 좀 써볼까요? 딸 두고 바람 핀 새끼인데 때려죽이고 싶잖아요~ 이놈 죽일 거다! 하는 마음으로 다시 갈게요! (금에게) 괜찮지?

금   그럼요! 제가 맷집 하난 자신 있습니다!

감독   그래! 마인드 좋아! 다시 갑시다!

(컷 튀면)

금, 머리채 잡히고, 발로 마구 밟히고 있는데...

감독   (문자 확인하곤 놀란 표정, 벌떡 일어나며) 잠깐! 촬영 접어! 접어!

스태프들 네? / 왜요? (웅성웅성)

금   (바닥에서 웅크리고 있다가) ??? (일어나보면)

감독   이 씬 불륜남 역! 황정호 배우가 까메오 해준대! (흥분해서) 당장 촬영

	접고! 무조건 황정호 스케줄에 맞춰서 다시 일정 잡아! (가려는데)
스태프들	네? 황정호? / 깐느 남우주연상 그 황정호? 대박 (웅성웅성)
금	!!! (감독 쫓아가 붙잡고) 저기, 그럼 전...짤린 건가요?
감독	웬만해선 교체 안 하는데 황정호잖아. 응? 황정호! (가면)

머리 산발된 금, 속상해서 돌아보는데... 일각에 현주, 초롱 영화 보고 나온 듯 팝콘이랑 영화 팸플릿 들고 서 있는. 금, 현주랑 눈 마주치자 민망, 굴욕적이다.

씬/47 동네 슈퍼 앞 (N)

금, 평상에 앉아 깡소주 마시고 있는데, 현주가 다가와 파스 내민다.

현주	이거나 붙여요. 아주 여기저기 두들겨 맞더만.
금	(축 처져서 불쌍하게) 울 엄마한텐 비밀로 해주라.
현주	으휴. 짤려서 다행이라고 생각해요~ 더 했으면 뼈 하나 부러졌겠던데.
금	(괜히 툴툴) 그걸 위로라고 하냐. 동정하지 마. 이 오빠가 불쌍해?
현주	(진심) 오빠가 뭐가 불쌍해요? 오빠 같은 인재를 못 알아보고 개무시하는 방송 관계자들이 더 불쌍하지? 내 눈에는 오빠가 현빈이고 공유거든요!
금	뭐? 차암나... (좋으면서 괜히) 야...그건 아니다! 나도 양심이 있다야~~
현주	아닌데? 오빤 나한테 24케이 순금 같은 남잔데? 완전 골드바 같은 남자라구요!
금	골드바는 무슨... (웃다 정색) 근데 너 초롱이 그놈이랑 잘 돼가는 거 아니었나?
현주	누가 그래요?
금	아주 둘이 꺄르르꺄르르 하하호호 좋아 죽더만! 닭살 돋아서 못 봐주겠더라! 이 봐! (팔 걷어서 보여주며) 보여? 내 살 닭살 된 거!
현주	(눈 가늘게 뜨고 가만 보다가) 어어? 딱 걸렸어.
금	(멈칫) 뭐가.
현주	오빠 지금 질투하는 거죠?

금	(당황) 야, 질투는 무슨!
현주	어? 맞잖아요! 말은 왜 더듬지? 얼굴도 막 빨개지고? (가까이 들이대면)
금	아 몰라. 저리 가라 가. (툭탁대는데)

(E) 개 으르렁거리는 소리에 멈칫하고 돌아보는 두 사람. 가로등 아래 개 그림자가 크게 보인다. 코너 뒤에 꼭 대형견이 서 있는 것처럼.
긴장한 두 사람. 순간 금이 현주 손을 잡고 "뛰어!!" 도망치기 시작한다.
그 뒤로 (E) 왈왈! 컹컹! 대형견 짖는 소리 크게 울려 퍼지고.

씬/48 주택가 골목 + 캐비닛 안 (N)

금, 현주 도망가는데 막다른 골목에 다다르자 피할 곳이 없는 두 사람. 그때, 옆에 버려진 커다란 철제 캐비닛이 눈에 들어온 현주.

현주	(캐비닛 문 여는데 너무 비좁다) 오빠! 들어가요 어서!
금	아니야! 먼저 들어가!
E	왈왈! 개 짖는 소리 점점 가까워진다.
현주	좁잖아요! 오빠가 들어가요! 오빠라도 살아야지! (재난영화 한 장면처럼 오버하는)
금	(버럭) 말이 돼? 어떻게 나만 살아! (현주 꽉 끌어안으며 캐비닛에 들어가 숨는)

#캐비닛 안
좁아서 꼭 끌어안고 숨은 두 사람. 바로 문밖에서 (E) 왈왈왈!! 개 짖어대는데. 금 "하...살았다" 안도의 숨 내쉬는데.

#캐비닛 앞
한편, 캐비닛 앞에서 꼬리 치고 있는 개, 아주 작고 귀여운 소형견이다!
(E) 왈왈!! 울음소리만 대형견처럼 우렁차고 사나운.

#캐비닛 안

현주   왜 안 가는 거야... (하는데 금이랑 눈 마주치고)

금   (진지) 근데 너...방금 왜 나만 숨으라고 했냐.

현주   ...오빠 물릴까 봐요.

금   (울컥, 버럭) 그걸 말이라고 해?! 니가 저 큰 개한테 물려서 죽을 뻔했잖아!

#캐비닛 앞

작은 강아지, 캐비닛 앞에서 킁킁대며 꼬리 치고 있고.

#캐비닛 안

현주   오빠...!!! (두근두근)

금   너 정말...하... (순간 현주를 보는 눈빛 불타오르고, 키스할 듯 확 다가가는 데서)

#다시 골목길

가로등 아래 철제 캐비닛이 통탕통탕 소리를 내며 마구 흔들리고. 강아지, 그 소리에 깜짝 놀라 도망가는.

씬/49 선재 집 거실 (N)

불 꺼진 거실, 근덕이 들어오자 현관 센서등만 켜진다.

근덕   아주 여자친구 생겼다고 집에 붙어 있질 않는구만... (구시렁대며 신발 벗는데 현관에 쇼핑백 놓여 있는) 이게 뭐야?

쇼핑백 들여다보는데 새 신발 들어 있고, 같이 있던 카드 꺼내 읽어본다.

선재(E)   *다 떨어진 슬리퍼 내가 버렸어요. 앞으로 슬리퍼 신고 다니지 마. 허리 다쳐.*

근덕   멀쩡한 슬리퍼는 왜 버려 버리긴... (삐죽이면서도 좋아서 신어 보는) 딱 맞네...내 발 사이즈는 언제 알고 있었데? (일어나 왔다 갔다 해보며 좋아하는 모습)

씬/50 대학 도서관 복도 (N)

솔, 김형사 전화받다가 놀라 벌떡 일어난다.

솔   네?? (놀란) 잡혔다구요?!!
김형사(F) 그래 솔아. 이제 다 끝났으니까 걱정 안 해도 될 것 같다.
솔   (믿기지 않고) 네 형사님! 감사합니다...! (전화 끊는데 팔에 힘 툭 풀려 떨어진다. 손끝이 덜덜 떨린다.) 정말...다 끝났어...!

운명을 바꿨다. 벅차고 감격스러운 솔인데. 핸드폰 진동이 울려 보면, 선재에게서 온 문자 도착 알림이 떠 있다. **'오늘 인혁이 마지막 공연이래. 같이 볼까?'** 솔, 반가운 표정. 벌떡 일어나 가방 챙겨 달려 나가는.

씬/51 시골 읍내 일각 + 김형사 차 안 (N)

통화 마친 김형사, 뒷좌석에 올라타면, 운전석에 앉은 최형사 출발한다. 수갑을 차고 앉아 있는 영수, 서늘한 옆모습...

씬/52 홍대 클럽 안 (N)

솔, 어색한 표정으로 들어가보면, 공연 보러 온 사람들로 북적북적 꽉 차 있다. 무대 쪽 보면 다음 공연 준비 중인 듯한 분위기고.
솔, 주위 두리번거리며 "선재는 아직 안 왔나?" 하며 찾는데.

씬/53 클럽 무대 뒤편 (N)

현수, 제이 관객석 쪽 확인하며 의아한 표정.

제이　원래 우리 타임에 사람도 없는데 오늘은 웬일이지?
인혁　내 친구가 힘 좀 써줬거든. (씩 웃고)

〈태성 싸이월드 인서트〉
태성이 인혁과 찍은 사진과 함께 이클립스 공연 홍보글 올려둔.

현수　가자 애들아.

씬/54 홍대 클럽 안 (N)

솔, 무대 보는데 인혁, 현수, 제이가 차례로 무대에 오른다. !! 놀란 표정. 그때, 김대표가 클럽 안으로 들어온다. 클럽 사장, 김대표 보고 반기며 다가가는데 김대표 역시나 무대 보고 놀란 표정이 된다. (*아직 선재 모습 화면에 보이지 않게)

인혁　(꽉 찬 관객들 보며 뭉클하다) 안녕하세요. 정말 많은 분들이 와주셨네요. 감사합니다. 사실 오늘이 저희 이클립스 마지막 무대거든요. 그래서 특별히 객원 보컬이 함께 해줬습니다. (하며 무대 일각 가리키면)

피아노 앞에 앉은 선재 모습 보인다! 박수와 함성 소리 울려 퍼지고. 솔, !!!! 감격스럽다. 순간 기시감처럼 스쳤던 장면이 다시 떠오른다.

〈인서트〉 *선재 모습 드러나는.
작은 클럽 무대 위. 인혁, 현수, 제이 공연하는 모습 몽환적인 화면으로 보여지는데... 무대 일각에 피아노에 앉은 선재 모습 보인다!

#다시 현실

솔 "선재야...!" 이 장면이었구나 싶고, 무대에 선 선재 모습에 심장이 뛴다.

한편, 긴장한 듯 보이는 선재. 관객들 사이에 서 있는 솔이 모습 발견한다.

솔(E)　나 때문에 네가 다시는 무대에서 노래할 수 없을까 봐 걱정돼.

선재　(솔이 말 떠올리며, 긴장 가라앉히고, 마음 다잡는) 후....

인혁　첫 곡은...저희 객원 보컬이 만든 곡인데요. 처음 들려드리네요. '소나기' 입니다.

솔　('소나기'라니! 숨이 멎을 것 같고) !!!!!

이클립스 연주 먼저 시작되고... 이내 선재, 피아노 치며 노래하기 시작한다. 한편, 관객석 다른 쪽 일각에서 공연 보고 있던 태성, 솔이 발견한다. 선재 보며 글썽이는 솔이 모습 보며 씁쓸한 표정. 선재, 진심을 담아 노래하고, 선재 노래 듣는 솔, 감동한 듯 눈물 차오른다.

〈솔&선재 회상 인서트〉 *22씬 벚꽃길에서 두 사람이 마음속으로 빌었던 소원 보여지는.
#예쁜 벚꽃길 (N)

선재　소원 빌자. 눈 감아.

눈 꼭 감은 두 사람. 간절한 소원 비는.

솔OFF　우리 선재...오래오래 행복하게 해주세요.

선재OFF　우리 솔이...오래오래 행복하게 해주세요.

#다시 현실

솔, 눈에서 벅찬 눈물이 흐른다. 선재 노래가 끝나자 관객들 박수 소리 클럽 안을 가득 채운다. 일각에서 김대표, 씩 웃으며 클럽 밖으로 나가는 모습 스치고.

한편, 선재, 박수와 환호 소리에 가슴 벅찬 듯한 표정. 인혁, 그런 선재에게 잘했다는 듯 눈빛 보내자, 선재... 환하게 미소 짓는데.
객석 쪽 눈물 닦고 있던 솔, 환하게 웃고 있는 선재와 눈이 마주친다. 솔, 선재 서로를 바라보며 미소 짓고 있는 얼굴에서...

씬/55 한적한 지방 도로 (N)

구급차가 갓길에 서 있고. 팬하면, 산길 국도 가드레일이 우그러져 있다. 그 너머에 경찰차가 나무 사이에 처박혀 있다. 앞 유리는 깨져 있고, 구급대원 달려가면 운전석에서 비틀대며 내리는 최형사, 뒷좌석 쪽을 손짓하는.
보면, 뒷좌석에 김형사, 머리에 피를 흘리며 정신을 잃고 쓰러져 있고, 영수는 사라지고 없는. 바닥에는 수갑만 풀어진 채 떨어져 있다.

씬/56 시골길 또는 적당히 으슥한 장소 (N)

산속을 빠져나온 영수. 한쪽 다리를 절뚝이며 천천히 걸어가는 뒷모습...

〈영수 회상 인서트〉 *50씬 영수 시점
김형사 차 안, 수갑 차고 앉아 있는 영수. 창밖으로 일각에서 솔과 통화 중인 김형사 모습 보이는데. 살짝 열린 창문을 통해 김형사 통화 소리 들린다. "그래 솔아. 이제 다 끝났으니까 걱정 안 해도 될 것 같다."
영수, 통화 내용 들은 듯 서늘한 표정에서.

#다시 현실
영수, 핸드폰 꺼내 드는데 솔이 핸드폰이다. 핸드폰 쥔 손에 꽉... 힘을 준다. 살기에 찬 표정. 멀리서 들려오는 앰뷸런스 소리에 어둠 속으로 사라지는 모습에서...

Lovely♡
Runner
♡

12화

좋아해.

이 말...또 안 하고 가면 후회할까 봐.

좋아해 선재야.

씬/1   공원 일각 (N)

솔, 선재 손 꼭 잡고 걸어온다. 솔, 기분 좋은 듯 손을 앞뒤로 흔들흔들.

선재   기분 좋아 보이네?

솔   응. 좋아. 무지무지 행복하네~ (OFF) 다 끝났대...우리에게 미래가 생겼어. 선재야.

선재   근데 아무 말도 안 해줄 거야? 멋있다...감동했다...뭐 그런 뻔한 말 해줘야지.

솔   (피식..) 당연히 멋있었지.

선재   얼마큼?

솔   (선재 키만큼 팔 쭉 뻗으며) 이만~~~큼?

선재   에이...겨우? (하며 솔을 번쩍 안아 들어 벤치 위에 올려 세운다. *옆에 꽃잎이 거의 다 떨어져가는 벚꽃나무 있는)

솔   !! (놀라는데 쭉 뻗고 있던 손이 높이 올라가는)

선재   이만큼이나? 와. 엄청 멋있었나 보네.

솔   (피식 웃으며 손 내리고 바라보는)

선재   너 돌아가면 스무 살 임솔한테 노래를 불러줘야 되나? 그럼 나한테 반하려나?

솔   (피식... 웃으며 벤치에서 내려와 앉으며) 나 보여주려고 노래한 거야?

선재	(솔이 옆에 앉으며) 그럼. 그리고...한 번쯤은 다시 무대에서 노래해보고 싶었어.
솔	해보니까 어땠어? (보면)
선재	정말 내 마음이 움직인 건지, 내 미래를 미리 알게 돼서 그런 건지 잘은 모르겠는데 확실한 건... (솔이 돌아보며, 반짝이는 눈빛) 가슴이 뛰어.
솔	(덩달아 가슴이 두근)
선재	옛날에 수영 배울 때, 처음으로 킥판 없이 내 힘으로 레인 끝까지 가본 날. 꼭 그날처럼 벅찼어.
솔	(미소) 거봐. 내가 뭐랬어.
선재	그리고 이거. (주머니에서 명함 꺼내 건네주는) 공연 끝나고 나오는데 주더라.
솔	(받아보면 JNT 김대표 명함이다!) 어? 이건...김대표님 명함 맞지? (들떠서) 뭐래?
선재	(살짝 쑥스러운) 뭐, 이클립스. 데뷔시켜주고 싶다고. 계약하자고.
솔	(기뻐서 꺅!) 잘됐다 선재야!! (벅찬 표정) 진짜 잘됐어...
선재	그렇게 좋아?
솔	좋지...내가 니 앞길 막은 걸까 봐 얼마나 마음 졸였는 줄 알아?
선재	그런 소리 하지 말랬지. (솔이 양 볼을 아프지 않게 꼬집으며 웃으면)
솔	선재야 난...이제 더 바랄 게 없어.
선재	난 있는데. 시간이 좀 천천히 흐르면 좋겠다. (벚꽃나무 보며) 꽃도 다 져가네...
솔	(지는 벚꽃 보며 마음 쓰린데)
선재	(주머니 또는 가방에서 태엽시계 꺼내 태엽을 감는다)
솔	이걸 갖고 다녀?
선재	꽤 자주 감아줘야 되거든. 근데 이거. 오래돼 보이는데 어디서 났어?
솔	음...우리 아빠 유품이야.
선재	(살짝 놀란) 나...줘도 돼?
솔	그러엄. 나 대신 잘 갖고 있어 줘. 이 시계가 다시는 멈추지 않게.
선재	(솔이 손잡으며) 그래. 미래에서 우리 다시 만날 때까지 절대 안 멈추게 할게.
솔	응. 그때까지 꼭. (부디 그러길 바라며, 미소)

씬/2   병원 응급실 (N)

땀을 뻘뻘 흘리며 정신없이 뛰어 들어온 태성, 불안한 표정으로 김형사를 찾는다.
그때, 일각에 위급 상황인 듯 간호사들 모여 있고. 의사가 피 흘리는 응급 환자 위에 올라타 CPR 하는 모습 보인다. 태성, 순간 심장 쿵! 내려앉는데. 간호사가 커튼을 닫기 직전 환자 얼굴을 보는데 김형사 아니고.

태성   (간호사 잡고 묻는) 저희 아빠 어딨어요? 경찰인데 사고가 났다고 해서 왔는데...
간호사   (O. L) 아, 저기 제일 끝에 커튼 뒤로 가보세요.

태성, 달려가서 떨리는 손으로 커튼 확 젖혀보면. 침대 시트가 피로 흥건히 젖어 있고, 바닥엔 피 묻은 김형사 외투와 경찰신분증이 떨어져 있는.

태성   (충격) 아빠... (눈물 차오르고 지나가는 의사한테) 여기 있던 환자 어딨어요?
의사   (얼핏 보곤) 위독하셔서 응급 수술 들어가셨어요! (급히 지나가는)
태성   위..위독하다구요? (충격에 잠시 멍해 있다가 울컥 울음 터지는) 흐읍... (외투 끌어안고 오열) 아빠아아...어떡해...아빠아아.... (엉엉 우는데. *여기까진 진심의 눈물)
김형사   (태성 옆으로 프레임 인. *봉합한 이마엔 드레싱 되어 있고, 목 보호대 찬) 너 우냐?
태성   흐아아아아....하암~~~ (울다가 하품하는 척 자연스레 일어나서 시침 떼고) 아, 하품이 이렇게 나오냐. (눈물 닦으며 놀란 척) 어? 뭐야. 아빠?!
김형사   나 죽은 줄 알고 울고 있었냐?
태성   내가? 언제 울어? (뻔뻔) 난 여기 일이 좀 있어서 왔는데 아빤 여기 웬일이야?
김형사   (어이없고) 쌩쑈를 해라 인마. 걱정돼서 달려와놓고는.

태성	구급대원이 전화해서 사람 곧 죽을 것처럼 말하니까 놀라서 뛰어왔지!
김형사	(피식) 이마 이십 바늘 꿰매고 목 살짝 삐었다더라. 아빠가 강력반 네버 다이 아니냐.
태성	네버 다이는 무슨. 불사신인 줄 아나... (안도의 숨 내쉬며) 근데 어쩌다 다친 건데?
앵커(E)	주양저수지 살인 사건 용의자가 검거되어 호송되던 중... (이어지는)

씬/3 선재 집 거실 (N)

뉴스 화면에서 빠지면... 근덕, 뉴스 보고 있다.

앵커(E)	...고의적으로 사고를 내고 도주하는 사건이 있었습니다. 경찰은 도주한 용의자를 공개수배 하기로 결정하고 관할 지역에 협조를 요청한 상황인데요...
근덕	저게 뭔 일이래...
선재	(욕실에서 나오다가 문고리 살펴보는) 고장 났나..이거 화장실 문이 좀 이상한데?
근덕	뭐? (돌아보면)
앵커(E)	경찰이 공개수배 한 용의자 김영수의 사진입니다. 약 180센티미터 키에 건장한 체형, 쌍꺼풀이 없는 긴 눈매가 특징이고 도주 당시 착용한 복장은... (멘트 이어지고)
선재	('김영수'란 말에 멈칫, 뉴스로 시선 돌린다 OFF) 김영수?!

씬/4 솔이 집 거실 (N)

앵커(E)	다시 한번 몽타주를 주목해주시길 바랍니다. 용의자 김영수를 공개수배합니다. 또 다른 피해자가 발생하지 않도록 용의자를 목격하신 분은 가까운 경찰서로 빠른 신고 바랍니다.

TV 뉴스 화면에 떠 있는 김영수 공개수배 사진을 보며 서 있는 솔. 솔, 두려움에 찬 표정에서.

씬/5 선재 집 선재 방 (N)

선재 (생각에 잠겨 앉아 있는) 주양저수지 살인 사건 용의자 김영수...
태성(E) 우리 아빠가 김영수 그 새끼 잡고 있으니까 신경 꺼!
선재 ...! (솔이 비밀이 이 사건과 관련된 일인 것 같다. 불안한 표정에서)

씬/6 주택가 외경 (D)

씬/7 솔이 집 앞 + 선재 집 마당 (D)

솔, 굳은 표정으로 건물에서 나와 걸어간다.
한편, 마당으로 나오던 선재, 대문 너머 솔이 지나가는 모습 보는 표정.

씬/8 폐건물 앞 (D)

솔, 김형사 대화 중이다. (*김형사, 목 보호대는 빼고 이마에 상처 드레싱 정도)

김형사 뭐? (폐건물 올려다보며 의아한 표정) 여기로...와달라고?
솔 네. 5월 10일이요. 그날 이 건물 주위에 잠복해주시면 안 돼요?
김형사 10일? 무슨 일 때문에...혹시 그놈이 다시 찾아올까 봐 그래? 이 주변에서 꼬리가 밟혀서 잡혔었는데 또 오겠니.
솔 아마...올 거예요.
김형사 불안해서 그런 거면 네 신변 보호 조치는 진작 해놨다. 그래도 걱정되면

	가족들과 상의해서 당분간 주거지를 옮겨보는 건 어때?
솔	주위에 경찰들 있는 거 김영수가 눈치채면...못 잡아요. 불안해서가 아니라 꼭 잡아야 되니까 부탁드리는 거예요.
김형사	너 혹시 그놈을 여기로 유인이라도 할 생각인 거야? 안 돼. 그럼 니가 위험해져.
솔	(표정) ...형사님이 막아주시면 되잖아요.
김형사	(뭔가 확신에 찬 솔이 태도에 의구심이 드는) 너...대체 무슨 생각으로...
솔	(O. L) 제가 왜 이러는지, 여기서 무슨 일이 일어날지 말하고 싶어도 말할 수가 없어요. 제발 아무것도 묻지 마시고 그냥 제 신변 보호, 그거 해주신다 생각하고 제 말대로 해주시면 안 될까요? (간절한) 그래야...김영수 잡을 수 있어요!

팬하면, 건물 뒤편에 선재가 서 있다! 대화 듣고 놀란 표정.

씬/9   폐건물 안 (D)

폐건물 안으로 조심스레 들어가는 선재. 천천히 계단 올라가며 주위를 둘러본다.

〈선재 회상 인서트〉 *10화 58씬 선재 시점

솔	(뒷걸음질 치며) 아, 안 돼...! 오면 안 돼. 오지 마. 오지 말라고!

선재, 도망치려는 솔을 붙잡으려는데 옆으로 하얀 트럭이 지나가는 모습 slow. 그때, 선재... 운전석에 영수와 잠시 눈이 마주친다.

#다시 현실

태성(E)	임솔이 자기 대신 널 지켜달란 소리를 왜 하게 만드냐.
선재OFF	이제 알겠어. 네가 날 살리기 위해 뭘 바꾸려고 했는지. 뭘 막으려 하는지.

계단 올라와서 보면 시멘트 벽돌들 아무렇게나 버려져 있고 먼지가 뿌옇게 쌓인 유리창으로 가로등 불빛만 희미하게 들어오고 있다.

선재OFF 그날 여기서 대체 무슨 일이 일어나는 거야?

〈선재 회상 인서트〉 *9화 55씬

솔 너 진짜 바보냐고! 내가 너만 생각하라고 했잖아...나 같은 거 못돼먹은 애라고 실컷 욕이나 하고 마음에서 치워버리지! 왜 미련하게 굴어서 그런 일을 당해 왜!

(컷 튀면)

솔 (울며) 그냥 나 좀 모른 척해. 걱정하지도 말고! 내가 어디서 뭘 하든, 무슨 일이 생기든 제발...나 좀 내버려두라고...

#다시 현실

선재OFF 그 어떤 일이 닥친대도 솔아. 내가 어떻게 널 모른 척해...어떻게 그럴 수 있겠어. 왜...너 혼자 감당하려고 그래. (마음 아픈 표정에서) (F. O. F. I.)

씬/10 앤하우스 카페 (D)

태성(*찡 박힌 야상조끼 입은), 솔에게 문자 전송 버튼 누를까 말까 망설이고 있다. **'아빠한테 얘기 들었어. 놀랐겠다. 괜찮아?'**

이슬 (불쑥 나타나 태성 눈앞에 손 휘저으며) 워이~ 왜 핸드폰 들고 멍을 때리고 있나?

태성 (못 보내고 폰 닫으며) 왜 여기서 보재. 이런 델 여자랑 와야지 너랑 와야겠냐?

이슬　나 꽃무늬 좋아해. 여기 파르페도 맛있어.

태성　용건이나 빨리 말해라~

이슬　짜식...자. 봐봐. (넷북 꺼내며) 짠~~ 엉아 넷북 샀다! 기절하지 마. 잘 봐! (와이브로 모뎀 넷북에 꽂고 확 돌리면 태성 쇼핑몰 창 떠 있다) 짠!!! 야, 이것만 딱 꽂으면 카페에서도 인터넷을 할 수 있다? 짱 신기하지!

태성　오...세상 좋아졌네? (신기한 듯 보면)

이슬　그리고 봐. (태성이 야상조끼 입고 찍은 사진 옆에 주문 건수 떠워진)

태성　(주문 건수 확인하며) 일십백천...헉!! (입 떡 벌어져서 이슬 보면)

이슬　(태성 옷 잡고 흔들며) 우리 대박 났다! 이걸로 전체 쇼핑몰 매출 1위 찍었어!

태성　와!!!! (벌떡 일어나 이슬 안고 방방 뛰는)

이슬　우리 재벌 되는 거 아니냐? 와 씨. 나 파르페 하나 더 시킬래!

태성　스케일이 그게 뭐냐? 지를 거면 크게 질러야지!

씬/11 캠퍼스 일각 + 호수(또는 연못) (D) *솔, 이 씬부터 이니셜 목걸이 착용

야상조끼 입은 금(*10씬 태성 옷과 같은), 걸어가는데...
"오빠!!!!!"소리에 돌아보면, 현주가 멀리서 금이 향해 막 달려온다.

금　(심쿵) 아, 어떡하지. 너무 귀여운데.

현주　오빠~~~~ (달려가 금이 와락 껴안는데! 일각에서 걸어오는 솔이 모습 보인다) 헉!

현주, 금이 끌어안은 채로 호수에 몸을 던진다. 주위에 학생들 놀라서 웅성대고. 한편, 솔, 돌아보려는 순간, 핸드폰 벨소리에 전화받으며 가는. "어~ 할머니~"

씬/12 호수(또는 연못) (D)

홀딱 젖어서 네발로 기어 나오는 금, 현주.

금   오늘 뭐 잘못 먹었어? 왜 날 끌어안고 뛰어들어! 논개야?
현주   (미안) 갑자기 솔이 지나가서 당황해서 그랬지.
금   솔이 지나갔어? 휴...큰일 날 뻔했네?
현주   거봐~ 우리 오빠 나 아니었으면 어쩔 뻔했숑?
금   그드니까. 우디 현듀바께 없숑~ (닭살 떨다) 아, 근데 옷 다 젖어서 어떡
      하냐아.

씬/13 대학 건물 복도 (D)

선재, 복도 끝에 서 있는 솔을 발견하고 웃으며 걸어간다. 한편, 솔, 반갑
게 손 흔드는데, 순간 선재 뒤에서 걸어오는 남자가 영수로 보인다! 가슴
철렁, 얼굴 하얗게 질린 솔. 다시 보면 다른 사람이고...
어느새 다가온 선재, 그런 솔의 표정을 살피는데... 뭔가 이상하다.

선재   솔아...?
솔   (불안감에 말문이 막힌 채 선재 얼굴 보는)
선재   임솔...! (대답 없자 철렁) 왜 그래. 너 혹시...돌아간 거야?
솔   ...!! (그 말에 정신이 든) 아니야. 나 안 갔어.
선재   하... (안도의 숨. 솔을 품에 안으며) 난 또 벌써 너 미래로 돌아간 줄 알았
      잖아.
솔   (맘 아프고, 선재 등을 다독여주듯 토닥이면)
선재   (솔이 눈 마주치며) 너 앞으로 돌아가기 전까진 내 옆에 딱 붙어 있어. 나
      없인 멀리 가지도 말고, 내 눈앞에서 사라지지도 마. 알았지?
솔   (안심시켜주는) 응. 그럴게.
선재   약속해.
솔   약속.

선재   (그제야 솔이 얼굴 보며 미소) 가자. 전공이야?

솔   아니 교양인데 휴강됐어. 진작 알려주지. 책만 무겁게 들고 왔네.

선재   이리 줘. (들어주는)

씬/14 솔이 집 현관 + 거실 (D)

현관문 열리며 솔, 두꺼운 교양 수업 책 들고 들어온다. 선재, 현관문 밖
에 서 있고.

솔   엄마! 할머니! (조용하고) 다들 나갔나?

선재   (현관문 잠금장치가 안전한가 살펴보며 성큼 현관으로 들어가는)

솔   (선재에게) 잠깐 기다려. 얼른 책 놓고 나올게. (하며 들어가는데)

선재   (거실 창문 살펴보다가) 방 구경 좀 한다. (솔이 획 지나쳐 먼저 방 쪽으
        로 가면)

솔   뭐?! 야 안 돼! (놀라 달려가는)

씬/15 솔이 집 솔이 방 (D)

선재, 들어오려는데 후다닥 달려온 솔이 선재 제치고 방에 들어온다.

솔   (떨어진 옷가지들 주워서 옷장에 쑤셔 넣으며) 뭔 구경을 해! 볼 것도 없
        는데.

선재   궁금하니까. 임솔 방은 어떻게 생겼나... (하며 바로 창문 쪽으로 가는)

솔   (책상 급히 정리하며) 맨날 이렇게 더러운 거 아니다? 원래 되게 깨끗해~

선재   (창문 열었다 닫았다 하며 혼잣말) 뭐가 이렇게 허술해...방범창부터 달
        아줘야겠네.

솔   (책상 정리하고 돌아서며) 어? 뭐라고?

선재   이거 제대로 잠기긴 해?

솔   (갑자기 웬 창문인가.. 갸웃) 응. 잘 잠기지.

선재	잘 때 꼭 잠그고 자. 아, 그리고 전에 갖고 있던 전기충격기 그거 어딨어.
솔	어? (책상 서랍 열어 전기충격기 꺼내면) 이거?
선재	어! 그래. (잘 작동되나 확인하면서) 이거 머리맡에 놔두고 자고. (하며 서랍 안에 삼단봉, 호루라기 등 다른 호신용품 꺼내서 살펴보는데)
솔	(???) 너 왜 그래 갑자기?
선재	누가 내 여자친구 업어 갈까 봐 그런다 왜. 너무 예뻐서.
솔	그런 소리도 할 줄 알아? (피식) 날 누가 업어 가냐?
선재	(그런 솔이 얼굴 보며 불안한 표정)
E	쨍그랑! 유리 깨지는 소리
솔,선재	(동시에 심장 쿵! 거실 쪽 돌아보는)
솔	...누구지?
선재	(혹시 그 새낀가 싶고) !!!

씬/16 솔이 집 거실 + 솔이 방 + 안방 + 베란다 + 장롱 안 (D)

#거실

식탁 아래 숨어 있던 금, 현주! 깨진 와인 잔 보며 헉! 숨죽이고 있는.

금	(속삭이는) 임솔 교양 듣고 있다며!
현주	(속삭이는) 휴강 됐나? 어떡해!
금	여기 숨어 있어. 내가 수습할게... (하며 기어 나가려는데)
현주	악! (머리카락이 금이 옷 단추에 걸려 엉켜버린) 머리카락 걸렸어!

#솔이 방

선재	(삼단봉 집어 들고) 넌 여깄어. 나오지 마. (천천히 방문 열고 나가는데)
솔	(전기충격기 들고 쫓아가는)

#거실

금, 현주 식탁에서 기어 나와(*머리카락이 엉켜 있어 딱 붙어서 이동) 후다닥 안방으로 들어가면. 솔이 방에서 나오는 선재. 솔이 쫓아 나오자 "안에 있으라니까..." 하는데, 식탁 아래 깨져 있는 와인 잔 보고 !!! 표정. 선재, 주위 둘러보는데 안방 문이 살짝 열려 있다. 뭔가 수상하다.

선재   안방 문, 아까도 열려 있었어?
솔   (고개 절레절레 저으면)

#안방 + 베란다
어떡해! 허둥대던 금, 현주. 안방 창문 넘어가 베란다로 숨으면.
안방 문 확 열고 들어오는 선재와 솔. 방 안에 아무도 없자, 베란다 쪽으로 다가가는데. 그사이에 베란다에 쪼그리고 있던 금, 현주 살금살금 기어서 거실로 나가는 순간, 베란다 창밖 확 내다보는 선재. 또 아무도 없다. 이상하네?

#거실 + 베란다
금, 현주 현관 쪽으로 도망가려는데. 금이 옷 단추에서 현주 머리카락이 뜯겨 떨어진다. 현주, 아파서 소리치려는데 금이 얼른 현주 입 손으로 막으며 얼음!
솔, 선재 나가는 소리에 금, 현주 뒷걸음질로 되돌아가 다시 베란다로 나간다. 거실로 나온 선재, 다시 베란다 쪽으로 나가보면 아무도 없다. 그사이에 금, 현주 다시 창문 넘어 안방으로 되돌아가고.

#안방 + 장롱 안
금, 현주 허둥대며 장롱 안에 숨으려다가 금이 손가락이 문에 끼는 바람에 "악!" 놀란 현주, 얼른 금이 손 빼고 장롱 문 닫는데. 그 소리 들은 솔, 선재. !!!! 후다닥 안방으로 뛰어 들어온다.
장롱 안에 금, 현주 문 꼭 붙잡고 긴장한 표정. 방 안을 찬찬히 살펴보는 선재. 장롱에서 수상한 낌새 눈치채고. 선재, 첫 번째 장롱 문 확 열어 보는데 없다. 두 번째 장롱 문 앞에 선 선재.

선재   위험하니까 빨리 나가서 신고해. (솔이 밖으로 내보내고 안방 문 닫는)

선재, 장롱 문 열려는데. 안에서 금이 문 꼭 잡고 버티며 잠시 힘겨루기. 그러다 선재가 힘껏 확 열어젖히자 안에서 금이 튕겨져 나온다. 냅다 삼 단봉 휘두르려던 선재, 금이 얼굴 보고 놀라 멈칫!

그때, 베란다 창문 뛰어넘어 달려온 솔이 금에게 돌진한다. 선재, "안 돼!!" 막으려는데, 눈 깜짝할 사이 전기충격기로 금이 옆구리 찌르는 솔. 전기 오른 금, 그대로 기절해 쓰러진다. 솔, 그제야 금이 보고 헉! 놀라는 데. 그때, 장롱에서 "오빠~~~" 울먹이며 튀어나오는 현주.

솔, 선재 그제야 상황 파악. 황당한 표정에서.

씬/17 솔이 집 거실 (D)

식탁에 앉아 있는 네 사람. 솔, 금이 째려보고 있고. 금, 현주 민망해서 눈 피하면. 선재, 눈치 살피며 솔에게 부채질 살살 해주고 있다.

솔   .....더러워.

금   야. 아무리 그래도 오빠한테 더럽다니!

솔   하...이때부터였네. 어? 이때부터였어! 기어이 내 친구를 꼬셔?

현주   아니야. 솔아. 내가 꼬셨어.

솔   하, 아무도 없는 집에 둘이 뭐 하려고 왔냐? 현주가 왜 내 옷을 입고 있는 건데!

현주   호수에 빠져서 옷 갈아입으러 온 거거든?

금   뭐 눈엔 뭐만 보인다고 그럼 넌! 아무도 없는 집에 이놈이랑 뭐 하려고 왔어!

선재   솔이 책이 무거워서 놔두고 가려고 왔는데요.

금   하! 집에 아무도 없는 줄 알고 흑심 품고 쫓아 들어온 거 아니고?! (선재 째려보며) 너 그 가방 안에 또 거시기들 300개 챙겨온 거 아니야?! (버럭)

선재   그거 제 꺼 아니라고 해명했는데요.

금   스읍! 말대꾸는! 동생아. 깔끔하게 이렇게 하자. 나도 너네 교제를 허락 할게. 너도 우리 교제를 허락해라.

선재	(끼어들며) 굳이 허락 안 하셔도 저흰 안 헤어집니다.
금	(O.L) 스읍! 이게 어디 감히 형님한테 따박따박 말대꾸지?
솔	(욱해서) 어디 감히 선재한테 형님 노릇이야?!
현주	감히라니 솔아. 그래도 오빤데 버르장머리가 너무 없네.
솔	버, 버르장머리! (입 떡 벌어지고) 와...와하하하하!! (황당한데)
선재	열 내지 마. 응? 워워. (부채질 세게 해주면)
금	역시 내 생각해주는 건 이 세상에 우리 현듀공듀밖에 없어~
현주	우리 골드. 왜 집에서 이런 취급당하고 있어어~ (꽁냥대면)
솔	저것들을 확! (정색하고 전기충격기랑 삼단봉 양손에 집어 들면)
선재	(놀라 말리는 데서)

씬/18 아늑한 카페 (D)

솔, 아이스 음료 벌컥벌컥 마시고 탁 내려놓으면 선재 피식 웃는.

솔	으휴. 지지배. 내가 그렇게 언질을 줬는데도 기어이!
선재	충격이 컸나 보네. 그렇게 싫으면 뜯어말리든가~

〈솔 회상 인서트〉 *7화 59씬
신생아실에서 아기 보던 장면 스치는.

솔	또 그러기엔 꼬물이가 맘에 걸리고... (한숨) 둘은 어떻게든 만날 운명인 건가.
선재	아무리 바꾸려 해도 바뀌지 않는 운명이 있다면, 그건 선택이 바뀌지 않은 거야.
솔	응?
선재	결과가 어떻게 될지...알면서도 하는 선택도 있잖아. 어쩔 수 없이. 좋아해서.
솔	(선재 보며 무슨 뜻일까 생각해본다) 그래 맞아... 선택할 기회를 줬는데도 뻥 걷어찬 걸 내가 어쩌겠어. 둘이 좋아 죽나 보지 뭐.

선재	(피식) 그래. 그런가 보다 해.
솔	아, 근데 너 계약은 언제 해?
선재	아직 인혁이 답을 못 들어서. 이 자식이 며칠째 연락 두절이네. 내일 집으로 한번 가봐야지.
솔	무슨 일 있나? 걱정되네. (걱정스런 표정)
선재	(한숨, 혼잣말) 지금 누가 누굴 걱정해... (넌지시 묻는) 솔아. 너 있잖아...
솔	응?
선재	(물어볼까 망설이다 마는) 아니야. 아무것도. (표정)

씬/19 선재 집 마당 (N)

선재, 마당에 앉아 솔이 집 보고 있다. 걱정이 가득한 표정이다.

〈선재 회상 인서트〉 *8씬
"5월 10일이요. 그날 잠복해주시면 안돼요?" "아마...올 거예요"

선재, "5월 10일..." 날짜 곱씹으며 핸드폰 화면 보면 **5월 4일**이다.
그때, 솔이 방 불 꺼진다. 불안한 마음에 자리 지키고 앉아 있는 선재 모습에서.

씬/20 인혁 자취방 (D)

방에 악기들 다 빠져 있고, 행거에 쇼핑몰 옷들 잔뜩 걸려 있다. 인터넷 쇼핑몰 사무실처럼 바뀐 방 분위기. 현관 앞에 선 선재, 솔 놀란 표정.

선재	뭐야 이게...? (방 안 둘러보며 들어가는데 침대에 누군가 이불 뒤집어쓰고 있는) 백인혁. 너 집에 있었어? (이불 확 들추는데 태성이다. 깜짝 놀라는) 너 뭐야!
태성	(비몽사몽 눈 뜨며) 벌써 아침이네...

선재	야, 니가 여기 왜 있어?
태성	인혁이가 방 빼고 나가서 우리 사무실로 쓰기로 했는데 왜.. (솔이 보고 정신 번쩍 드는) 임솔 너도 왔어?! 너 괜찮... (나 물으려다 선재 보고 입 다무는데)
선재	방을 뺐다고? 갑자기?
태성	방송 보고 충격받아서 바로 짐 싸들고 고향 내려갔어. 너 몰랐냐?
선재	방송? 뭔 방송?

〈태성 회상 인서트〉

인혁, 태성 사이트에 뜬 동영상 보고 있다. 인혁이 슈퍼스타K 오디션에서 삑사리 낸 장면이 1초 컷으로 반복되고 놀라는 심사위원 리액션 짜깁기한 짧은 악마의 편집 영상. 그 아래 댓글들. '삑통령의 등장' '3단 삑사리세요?' '가수는 아무나 하나?' '개나 소나 밴드 하네' '학교 장기자랑 나옴?' '심사위원 표정=내 표정' 등등...

태성	와. 대박이다. (웃으며 인혁 보는데 인혁 엎드려 있는) 야, 너 우냐??

#다시 현실

태성	연애하느라고 친구한텐 관심도 없었나 보네. 사랑에 미쳐서 우정이고 나발이고~
선재	하...너 인혁이 고향집 어딘지 알아?
태성	니가 모르는 걔 고향집을 내가 어떻게 아냐?
솔	(O. L) 내가 알아! 이클립스 팬클럽 1기! 백인혁 고향집 지붕 색깔까지 알아.
태성	엥? 팬클럽?? (뭔 소린가 싶은데)
선재	거기가 어디야?
솔	근데...거기 좀 멀어서 어떻게 가지? 버스를 타야 되나, 기차를 타야 되나?

씬/21 인혁 자취방 앞 (D)

솔, 선재 어이없는 표정에서 빠지면...
보잉 선글라스 낀 태성이 노란색 뉴비틀 차에 팔 걸치고 서 있다.

태성   차 타고 가면 되지~ 뭘 고생고생해서 가니.
솔   돈 벌었다고 외제차부터 뽑았어? 쯧쯧쯧...돈 벌었음 착실하게 청약이나
      부을 것이지. 으휴. 아직 정신 못 차렸네.
태성   어때~ 죽이지? (차 부드럽게 쓸어보며) 우리 써니를 소개할게.
선재   (어이없는) 차 자랑하려고 태워준다고 했냐?
태성   당연하지~ 자랑도 안 할 거면 왜 태워줘?

씬/22 태성 차 안 + 고속도로 (D)

솔, 선재 어이없는 표정에서 빠지면... 비닐도 안 뜯은 차 내부. 태성, 양손
에 하얀 장갑 낀 채 운전하고. 세 사람 모두 신발에 비닐 씌워져 있다.

태성   (차 뚜껑 열어주며) 어때~ 죽이지? (씩 웃는)
선재   (정색) 비닐은 언제 벗길래?
태성   우리 써니 샤이해서 옷 벗는 거 싫어해. (박스테이프로 먼지 딱딱 떼는)
솔   (가방에서 쿠키 꺼내 선재에게 주며) 선재야. 아침 안 먹었지. 이거 좀 먹
      을래?
태성   (힐끔 보고 헉!) 잠깐. 차에서 먹게?
솔   왜! 흘릴까 봐 그래? 몇 시간 동안 가는데 과자도 못 먹게 하냐?
태성   누가 먹지 말래? 먹어. 근데! 살살 녹여 먹어.
선재   (정색) 야. 세워. 기차 타게.
태성   고속도론데 어디서 세우냐? 열 내지 말고 하늘이나 봐~ 죽이지?
선재   죽일까...?

씬/23 선재 집 욕실 (D)

거품 잔뜩 내서 머리 벅벅 감던 근덕. 헹구려고 샤워기 트는데 물이 안 나온다.

근덕   어? 왜 이래 이거! 물이 왜 안 나와. (당황스러운데) 단수야?! 에이! (성질내는데 샴푸 거품이 흘러내린다) 아유 눈 따거! (눈 감고 더듬더듬 세숫대야에 물 찾는데 없고) 그래 생수! 생수! (나가려는데 문도 안 열린다!) 이건 또 왜 이래! (문고리 흔드는데 절대 안 열린다)

〈근덕 회상 인서트〉 *3씬
선재가 "이거 화장실 문이 좀 이상한데?" 하던 컷 스치고.

근덕   환장하겠네! 어떡하냐아. (손등으로 눈에 거품 닦는데 맵다) 으헉!! 내 눈! 눈! (어쩔 줄 몰라 하다가 변기가 보이자 멈칫!) 아니지. 아무리 급해도 이건 아니지. 눈이 타들어가는 한이 있어도! 이건 아니야.

(컷 튀면)
근덕, 머리 헹궈져 있고 넋 나간 표정이다.

근덕   그나저나...문이 안 열려서 어떡하냐. 핸드폰도 밖에 있고 나 참... (하다 일어나서 욕실 창문 열고 소리친다) 여기요!!! 사람이 갇혔어요!!!

〈주택가 일각 인서트〉
인부들, 함마 드릴로 땅 뚫고 있다.

근덕(E)   화장실에 갇혔다고요~~~~ (하는데 시멘트 뚫는 소리에 묻혀버린다)

〈솔이 집 거실 인서트〉
말자, 복순 밥 먹고 있다.

근덕(E) 사람이 갇혔어요~~ (하는데 두두두두 함마 드릴 소리에 묻혀 안 들리는)

#다시 선재 집 욕실

근덕 사람이 갇혔다고!!! (소리치다 창문 확 닫는) 시끄러워서 어디 들리겠냐고! (털썩 앉으며) 선재 올 때까지 기다려야지 별수 없네.

씬/24 태성 차 안 + 시골 해안도로 (D)

솔, 선재 어이없는 표정에서 빠지면... 태성, 비포장도로를 천~천히 운전하고 있는.

선재 장난해? 더 안 밟냐?

태성 포장이 안 된 도로잖니? 돌이라도 튀어서 써니 몸에 상처라도 나면 어떡하니~

솔 이래서 어느 세월에 가니? 이럴 거면 뭐 하러 새 차를 뽑았어! 아끼다 똥 된다?

태성 하여간 우리나라 사람들 성질이 급해. 마음에 여유가 없어! 경치도 좀 보고 해!

선재 (경운기 한 대가 천천히 지나가는 모습 보며) 경운기보단 빨라야 되지 않겠냐?

(컷 튀면)

태성 (운전대 바짝 잡고 주위 살피며) 주소 맞아? 거의 다 왔는데?

솔 (창밖 보며) 이 해변가에서 바로 보이는 빨간 지붕 집인데? (하며 찾는)

태성 (속도 늦추며 창문 내리는) 어? 저거 인혁이 아니야?

일동, 창밖 보면. 멀리 해변에 서 있는 인혁. 물속으로 천천히 들어가고 있다.

솔	뭐야? 쟤 왜 저러는 거야?
태성	저놈 설마 죽으려는 거 아니야?!
선재	(철렁!) 차 세워... (버럭) 세우라고 빨리!!!

씬/25 바닷가 (D)

인혁, 바닷속으로 점점 깊이 들어가고 있다. 한편, 방파제 또는 바닷가 바로 옆 도로에 멈춰 서는 태성 차.
선재, 솔 먼저 내리고 태성도 급히 내리는데 정신없고 다급해 시동도 안 끄고 급히 내려 달려간다. (*브레이크만 잡고 멈춰 섰다가 그대로 내려서 달려간 상황) 태성 내려서 뛰어가면 차가 살짝 움직이는 컷 보여지고.
해변 쪽으로 달려간 선재, 태성 "인혁아!" "백인혁!" 소리치며 물에 뛰어들어가 인혁 붙잡는다. 한편, 솔, 해변가에서 발 동동 구르며 지켜보고 있는데. 인혁, 헉!! "뭐야?!" 하는데 선재, 태성 인혁의 팔 하나씩 잡고 질질 끌고 나온다.

솔	(달려가) 다들 괜찮아?
태성	헉헉...너 이러려고 고향 내려왔냐?
선재	(버럭 성질) 세상 끝났냐? 악착같이 살아야지 죽긴 왜 죽어!!!
인혁	(버럭) 죽긴 누가 죽어! 니네 때문에 아끼는 튜브 떠내려갔잖아! (바다 가리키면)
솔,선,태	(바다에 둥둥 떠 있는 큰 튜브 보는, 넋 나간 듯 입 떡 벌어지는)
인혁	갑자기 나타나서 왜들 이 난리야 이것들아!
선재	(지쳐 털썩 주저앉으며) 아...씨...미친놈.
태성	(털썩 앉으며) 진작 말하지! 옷 다 젖었잖아!
인혁	뭘 말해! 지들이 오해하고 뛰어들어놓고! (티격태격하는데)
솔	(뭔가를 보고 헉! 놀란) 어? 안 되는데...? 저, 저거 어떡해!! 저기 봐봐!!

선재, 태성, 인혁 솔이 가리키는 쪽 돌아보면.
태성 차가 바다에 빠져 점점 가라앉고 있다. 일동 헉! 놀란 표정.

태성　(울부짖으며 달려가는) 써니!!! 써니야!!! 안 돼 써니~~~~~~~
인혁　혹시......김태성 차냐?

솔, 선재 입 벌어져 넋 나간 표정에서, 바닷가로 카메라 팬하면.
태성 차, 이제 거의 다 잠겨서 물 위로 동그란 지붕만 바위섬처럼 솟아 있
다. 그때, 뒤에서 할아버지가 리어카 끌고 지나가는데, 카세트에서 구슬
픈 노래 흘러나온다. **M. 강촌사람들 '바위섬'**
그때, 갈매기가 날아와 태성 차 지붕에 앉는다.
솔, 선재, 인혁 안타까운 표정으로 태성 쪽 보면, 태성, 해변가에서 무릎
툭 꿇고 허망한 표정으로 바라보다 눈물 흐르는 데서...
(E) 끼룩끼룩... 갈매기 울음소리.

씬/26 인혁 고향집 마당 (D)

바다가 내려다보이는 시골집. 일각엔 닭장, 염소 우리도 보이고.
넓은 평상에 솔, 선재, 인혁, 인혁 부 둘러앉아 있다. (*선재, 인혁 옷 갈아
입은) 회, 문어찜, 해물전 등 각종 요리로 상다리 휘게 차려진 점심상 보
고 솔, 선재 놀란 표정인데. 그때 인혁 모가 해물탕 냄비를 버너에 내려놓
으며 앉는다.

인혁모　차린 게 얼마 없네~ 올 줄 알았으면 제대로 한 상 차려주는데.
인혁부　글게. 서울서 인혁이 친구들이 왔는데 대접 이 따구로 한다고 욕하겠네!
선재　(!!!) 아니에요! 이것도 엄청 많아요.
솔　임금님 밥상인 줄 알았다니까요?! 하하하.
인혁부　그래도 내 마음이 무거운디? 닭 한 마리 잡을까? (일어나려는데)
인혁　아 됐어! 애들 배 터져. (애들한테) 얼른 먹어. 진짜 닭 잡으러 가기 전에.
솔,선재　잘 먹겠습니다! (먹는데)

인혁부	(막걸리 따라주며) 선재는 인혁이한테 얘기 많이 들었어~ 아버지도 우리 인혁이 아들처럼 챙겨준담서? 감사해서 내가 인사를 간다간다 하면서 한 번을 못 갔네.
선재	아닙니다.
인혁모	인혁이가 갑자기 음악 관둔다고 내려와서 고깃배를 탄다 그르질 않나, 죙일 방구석에만 누워 있길래 심란했는데. 이렇게 와줘서 고마워~
선재	(인혁 보는 표정)
인혁	(민망해 괜히) 뭔 쓸데없는 말을 하고 그래.
인혁부	그럼 환영하는 의미로다가 짠!!! (건배하는데) 근데 쟤는 왜 저러고 있대?

팬하면. 태성. 홀딱 젖은 채로 넋 나가 앉아 있다. (*영상 짤 참고)

인혁부	자네도 막걸리 한잔 줄까나?
태성	.... (눈도 깜빡이지 않고 같은 자세, 같은 표정)

(컷 튀면)

인혁부	(계약 얘기 들은 듯) 뭐? 그럼 도장만 찍음 우리 인혁이 연예인이 되는 거여? 키야...! 얘가 돌잡이 때 잡으라는 건 안 잡고 지 엄마 부라자 끈을 잡고 튕겨대더니만 기타 줄을 튕겨서 성공할 팔자였구만?
인혁	무슨. 계약한다고 다 데뷔하는 줄 알아? 나 계약 안 해.
선재	왜?!
인혁	전엔 밴드 만들 생각 없다더니 덜컥 계약하자는 게 이상하잖아. 사기꾼 아니야?
인혁부,모	(걱정) 사기꾼?
선재	사기꾼 아니에요. 그리고 계약하면 우리 잘될 거야. 내가 알아.
인혁	(불신) 니가 그걸 어떻게 아냐?
선재	미래에서 온 사람이 말해줬어. (솔이 보는)
인혁	미래에서 오긴. 어디 이상한데 가서 점 봤냐? 돌팔이네. 암튼 난 계약 안 해.
선재	... (표정)
인혁부	일단 먹고 얘기해~ 짠이나 하자고! (잔 드는데) 근데 쟤는 언제 정신 차

린대?

팬하면, 태성. 아까와 같은 표정과 자세로 넋 나가 앉아 있는 모습에서.

씬/27 금 비디오&DVD 가게 (D)

창밖에 비가 추적추적 내리고 있고, 복순, "갑자기 웬 비야…" 하며 고개 돌리면, 가게 안 구석에 비옷 입은 손님(영수 얼굴 아직 화면에 보이지 않게) 뒷모습이 얼핏 보인다. 왠지 수상해 보이는. 갸웃하는 복순. 그때 전화 걸려 와서 받아보면 솔이다.

복순	응 솔아. (듣다가) 어디? 담포리? 거기가 어딘데. 뭐어? 그 먼 데까진 왜 갔어!
영수	(일각에 서 있다가 멈칫)
복순	어쩌다가 차가 바다에 잠겨! 아무리 다 컸대도 어디 남자친구랑 외박이야 외박은!
솔(F)	여기 선재 친구 부모님도 다 계시거든? 못 믿겠으면 바꿔드릴까?
복순	됐어 지지배야. 폐 끼치지 말고 얌전히 놀다 올라와! (전화 끊는데 가게 문이 흔들리고 있다. 갸웃하며 돌아보면 손님 사라지고 없는) 뭐야…빌리지도 않을 거면서.

씬/28 골목길 + 폐건물 앞 (D)

비옷 입은 남자 처벅처벅 걸어간다. 손에 든 폴더폰을 열었다 닫았다 반복하는데… 보면 솔이 핸드폰이다! 남자 얼굴 드러나는데 영수다. 영수, 으슥한 골목길로 들어서서 폐건물 앞을 유유히 지나가는 모습 slow…

〈인서트〉
9화, 폐건물 안에서 영수, 선재 몸싸움하며 대치하는 장면인데,

배경이 밤바다가 보이는 절벽으로 바뀐다. 운명이 바뀌는 장면이다!

#다시 폐건물 앞
영수, 유유히 폐건물을 스쳐 지나가는 모습에서.

씬/29 인혁 고향집 마당 (D)

수도 앞에 앉아 큰 대야에 담긴 그릇들 설거지하고 있는 선재, 솔, 인혁.

선재	힘들어. 들어가서 쉬고 있어.
솔	아니야~ 같이 하면 빨리 끝나잖아.
선재	물이 찬데? 손 트겠다. (솔이 손 살피는) 빨간 것 봐. (하... 입김 불어 녹여주는데)
솔	괜찮은데... (하는데 쎄한 기분에 돌아보면)
인혁	(정색하고 보고 있는) 당장 서울로 꺼져버려.
태성	(옷 갈아입고 나오며) 어떻게 꺼져! 우리 써니는 저 차가운 바닷속에 있는데! 아아아 차는 왜 태워줘가지고! (억울해하며 평상에 털썩 앉는데, 마당 일각에 염소 한 마리가 우리에서 나와 총총 대문 밖으로 나가는 모습 보이는) 근데 니네 집 염소는 혼자 막 마실도 나가냐?
인혁	뭐? (돌아보면 염소 우리 문 열려 있는) 하...씨. 얘 또 나갔네. 야야야 일어나서 우리 순돌이 좀 잡아! 순돌아!!! (벌떡 일어나 뛰어나가는)
솔,선,태	(멍쩌 있다가 얼결에 일어나 뛰어나가고)

씬/30 풀숲길 + 절벽 근처 숲 (D)

솔, 선재, 태성, 인혁 염소 잡으러 쫓아가는 모습 몽타주로 이어진다. 풀숲에 있는 염소 발견하고 달려가는데 염소가 쏙 빠져나가 도망가고. 그러다 절벽 근처까지 달려온 네 사람. 그때, 염소가 솔이 쪽으로 달려가자 솔, 당황해 뒤로 자빠진다. 이때 솔이 주머니에서 핸드폰 떨어지는 컷.

선재, "솔아!" 하며 솔이 쪽으로 달려간다. 그때, 태성, 인혁이 양쪽에서 "몰아! 몰아!" 하며 염소를 양쪽에서 몰아 태성이 염소를 확 잡는다.

태성 잡았다!! 잡았어!
인혁 순돌아~~ (태성에게서 염소 받아 들고 어르며) 왜 자꾸 집을 나가냐 순돌아~~~
선재 (솔이 살피며) 괜찮아? 안 다쳤어?
솔 응. (끄덕이는데)
태성 (옷에 묻은 흙 털며) 하, 다 더러워졌네. 쌩 난리를 다 겪는다 진짜.
인혁 내려가서 씻음 되잖아. (솔, 선재 쪽 보며 소리치는) 야!! 가자!!

씬/31 예쁜 바닷가 (D)

태성, 인혁 "와아아아!!" 소리치며 달려가 바다에 풍덩 뛰어든다.
파라솔 아래 돗자리 펴놓고 앉아 있는 솔, 선재.

선재 (피식) 씻는다더니 놀고 앉았네.
솔 (웃으며 보고 있는) 예쁘다 바다.
선재 너 가기 전에 바다 보러 가기로 했었는데, 이렇게 와버렸네?
솔 그러게. 그래도 좋다. 너랑 와서.
선재 (미소) 나도.
태성 (놀다가 큰 소리로) 야! 니들은 연애하러 왔냐?!

태성, 인혁 뛰어나와 선재 잡아끌고 가 물에 빠트린다. 흠뻑 젖은 선재, 일어나서 같이 물장난치기 시작하고... 선재가 "솔아!" 부르며 손짓하면 솔, 활짝 웃으며 일어나 바다로 뛰어간다.
네 청춘. 바다에서 노는 예쁘고 청량한 모습들.

(시간 경과)
흠뻑 젖은 채 물가에 앉아 있는 선재와 인혁. 밀려드는 파도가 발끝을 적

신다.

선재   너 진짜 음악 관두게?

인혁   (생각에 잠긴, 괜히 조개껍데기 물에 던지는)

선재   ...내가 사실 좀 겁나거든?

인혁   ?? (돌아보면)

선재   운동만 하던 놈이 갑자기 음악이라니. 안 가본 길을 선택하는 건데 무섭지. 근데. 너랑 같이 하면 잘할 수 있을 것 같다.

인혁   ...!!

선재   내가 언제 죽을지 모르겠지만...내 젊은 날 가장 빛나는 순간이 온다면 너랑 함께였으면 좋겠어.

인혁   (감동해서 울컥하는데 괜히) 치...뭐래. 이게 연애하더니 말만 늘어가지고! (파도치는 순간 선재 바닷물에 확 자빠뜨리면)

선재   (물 먹고 일어나) 야! 너 일루 안 와? (인혁 붙잡아 다시 물에 빠트리며 장난치는)

한편, 파라솔 아래 앉아 선재와 인혁 모습 흐뭇하게 보고 있는 솔.
그때, 태성이 아이스크림 사 들고 와서 솔이 옆에 털썩 앉는다.

태성   자~ (하며 아이스크림 하나 주며) 여기 와서 웃는 것 보니까 좀 안심이 되네~ 김영수 그놈 뉴스 보고 덜덜 떨고 있을까 봐 걱정했거든.

솔   (고맙고) 덜덜 떨긴...괜찮아. (장난스레) 근데 안 어울리게 요즘 왜 자꾸 내 걱정을 하지? 왜. 놓치고 나니 아깝고 그러냐? 있을 때 잘하지 이것아. 버스 떠났어~

태성   그러게~ 버스 떠나고 알았지 뭐냐.

솔   (살짝 놀란 듯 보면)

태성   그때 나 진심이었어. (솔이 돌아보며 진심으로) 너 이용한 거 아니라고. 때늦은 말인 거 아는데...혹시 그것 때문에 상처받았으면 오해 풀고 털어내라.

솔   (잠시 보다가) 그래...이제라도 말해줘서 고마워. (장난스레) 울 학교 인기짱이 진심으로 좋아해줬다니 자존감이 막 살아나네?

태성	(피식) 내가 니 생각만큼 개차반은 아니거든~
솔	알어. 내가 말은 그렇게 했어도 너 좋은 앤 거 다 알아.
태성	누구 덕에 좋은 사람 소리도 다 들어본다~ (왠지 마음이 쓰리지만 씩 웃어 보인다)
인혁	아이스크림 사 왔냐? (하며 뛰어오는)

선재도 물 뚝뚝 흘리며 나오는데. 태성, 솔이 옆자리 선재에게 내어주며 아이스크림 건넨다. 선재, 아이스크림 받아 들며 털썩 앉고.
돗자리에 나란히 앉은 네 사람. 아이스크림 먹는 예쁜 모습.

씬/32 선재 집 욕실 (N)

어둑한 욕실. 창문으로 가로등 빛 희미하게 들어오는.
졸고 있던 근덕. 배에서 나는 (E) 꼬르륵 소리에 놀라 번쩍 눈을 뜬다.

근덕	(쉰 목소리) 아우 배고파. 소릴 질렀더니 목도 맛이 갔네. 배고파 죽겠는데 언제 오냐 아들아... (문 노려보며 결심) 그래. 차라리 이 단단한 몸으로 부수고 나가자.

(컷 튀면)

근덕	(수건으로 어깨 감싸며) 진작 부수고 나갈걸. 낡아빠진 문짝 바꿀 때도 됐지 뭐. (비장하게 문에서 멀리 떨어져 선다) 이야아압!!! (달려가 문을 어깨로 빡! 치는데)
E	뼈 금 가는 소리
근덕	어헉...! (어깨 붙잡고 쓰러지는 데서)

씬/33 바닷가 마을길 (N)

솔, 선재, 태성, 인혁, 다 젖은 모습으로 걸어가고 있다.

솔   (주머니 뒤지며) 어? 내 핸드폰 어딨지? 바닷가에 두고 왔나?
태성   파라솔 접을 때 내가 다 봤는데. 없던데?
인혁   너 아까 염소 잡다가 자빠졌잖아. 그때 떨어트린 거 아니야?

          〈솔 회상 인서트〉*30씬
          솔이 폰 주머니에서 떨어지는 컷.

솔   그런가 봐...!
선재   같이 가보자. 너네 먼저 들어가!

씬/34 몽타주 (N) *13화와 연결되는 장면입니다.

#1. 담포리 선착장 인근 노포 앞
솔, 선재 손잡고 걸어가고 있는데. 순간 떠오르는 장면.

〈인서트 1〉
바닷가 노포 앞, 솔이 혼자 서 있다가 노포 안 불이 꺼지면 어디론가 걸어
가는 모습 스치고.

다시 노포 앞, 솔, 뭐지? 싶은 표정으로 노포를 유심히 눈에 담으며 걸음
옮기는.

**#2. 담포리 마을길 *벽화가 그려진 담벼락, 또는 우체통이나 특이한 대문 등 특징
있는 곳.**
솔, 선재 걸어가는데, 또 솔이 머릿속에 떠오르는 장면.

〈인서트 2〉
솔이 혼자 같은 마을길 걷고 있는 장면 스친다.

솔	뭐지...?
선재	어?
솔	아, 아니야. (갸웃하는 표정에서)

씬/35 풀숲길 → 절벽 → 풀숲길 (N)

선재, 솔 염소 잡던 풀숲 쪽으로 걸어온다. 솔이 들어가려고 하자 선재, 붙잡으며.

선재	벌레 물릴라. 내가 찾아올 테니까 어디 가지 말고 여기 있어. (하며 풀숲 들어가면)

솔, 그런 선재 미소 지으며 보다가 고개 돌리는데. 절벽 쪽으로 향하는 길이 보인다. 솔, 순간 뭔가 떠오른 듯 갸웃하며 보는 표정. (*절벽이 바로 보이지 않아도 됩니다)
한편, 풀숲 헤치며 핸드폰 찾고 있던 선재. 솔이 핸드폰 발견한다. "여기 찾았어..." 하며 일어나서 돌아보는데 솔이 안 보인다.

선재	(풀숲 밖으로 나오며) 솔아. (주위 둘러보는데 솔이 없다) 어디 갔지...? (순간 가슴이 철렁 내려앉고) 솔아! (찾으러 뛰어가는)

(시간 경과)
"솔아!!!" 소리치며 찾아 헤매는 선재, 절벽 쪽에 털썩 앉아 있는 솔을 발견한다. 한편, 솔, 절벽 너머 바다 보며 얼음처럼 굳어 있다.

선재	솔아! (부르며 막 달려가는) 임솔!! (솔이 앞에 허리 굽히면)
솔	(그제야 선재 돌아본다)
선재	(솔이 보자 안심되고, 순간 버럭) 핸드폰도 없으면서 말도 없이 사라지면 어떻해?

솔	선재야...
선재	하...근데 왜 이러고 앉아 있어. 넘어졌어?
솔	어, 어어...경치 보려고 왔다가...발을 헛디뎌서...
선재	봐봐. (솔이 무릎 다친 데 없나 살피고) 다치진 않았네. 발목은. (발목 잡아 조심스레 돌려보며) 괜찮아? 안 아파?
솔	(급히 벌떡 일어나며) 어서 가자. 빨리. 으슥해서 여기 좀 무섭다. (선재 손잡아 이끄는)

(컷 튀면)
선재, 솔, 손 꼭 잡고 걸어 나온다. 솔, 생각에 잠긴 표정인데.

선재	어디 가지 말고 서 있으랬잖아. 왜 산속을 혼자 돌아다녀. 겁도 없이.
솔	(표정 굳어 있다 애써 미소 살짝 지으며) 미안. 근데 요즘 왜 이렇게 과보호실까?
선재	(멈칫, 멈춰 서서) ...솔아. 너...나한테 할 말 없어?
솔	(모두 할 수 없는 말들뿐이다) 응. 없는데...왜?
선재	(맘 아프게 보며) 그냥. 너도 나한테만은 아픈 거, 힘든 거 꽁꽁 숨기지 말고 다 말해줬으면 좋겠어. 혼자 견디려고 하지 말고.
솔	...응. 그럴게.
선재OFF	거짓말. 나 지키려고 말 안 할 거면서.
솔	......
선재	(솔이 머리 쓸어 넘겨주며 OFF) 그런데 솔아...네가 아무리 숨기려고 해도 난. 그날 너한테 갈 거야. 이건...어쩔 수 없는 내 선택이야.

씬/36 솔이 집 솔이 방 (N)

복순, 솔이 침대에 빨래 내려놓는데. 침대 옆에 놓인 전기충격기, 삼단봉 보는.

복순	이게 다 뭐야...? 왜 이런 걸 샀대? (갸웃하는 표정)

씬/37 선재 집 욕실 (N)

긴 때타월을 어깨에 감은 근덕, 세숫대야 밟고 서서 한 손으로 백열전구 돌리고 있다. 그때, 전구에서 빛이 반짝하고 들어온다. "됐다! 됐어...!" 감격스런 표정. 근덕, 전구를 깜빡깜빡 껐다 켰다 하는 모습 위로. (*영화 〈기생충〉 패러디)

근덕NA 아들아. 밖에서 저녁은 잘 챙겨 먹었니...

씬/38 솔이 집 거실 (N)

근덕NA 이곳에 갇혀 있으니 모든 것이 아련해진다. 어제 먹은 짜장면 맛이 벌써부터 가물가물하구나...여기서 나가게 된다면 짜장면을 곱빼기로 먹어야겠다.

복순, 솔이 방에서 나오는데 열린 거실 창밖으로 선재 집 욕실 조명이 깜빡거리는 모습 본다. "전구가 맛이 갔나?" 하는데, 카메라 쭉 내려가면.

씬/39 솔이 집 건물 202호, 아이 방 (N)

근덕NA 그러기 위해서 이 아빠는. 이웃 중에 보이스카웃 출신이 산다면 참 좋을 텐데... 하는 작은 희망을 품고 이런 짓거리를 하고 있다.

남자아이가 침대 위에 무릎 꿇고 앉아 쌍원경으로 창밖 보고 있다. 선재 집 욕실에서 깜빡이는 전구 불빛 보며 뭔가 깨달은 듯 수첩에다 모스부호 적기 시작한다. 보이스카웃 책자에 나온 모스부호랑 비교해보는데 'SOS'다! 그때, (E) 안 자니?! 소리치는 엄마 목소리에 얼른 이불 뒤집어

쓰고 자는 남자아이 모습 위로.

근덕NA 이렇게 밤새 돌리고 돌리다 보면 언젠가는 누군가 이 신호를 알아봐주지 않겠니.

창문 밖으로, 선재 집 작은 화장실 창문에 전구 불빛이 외롭게 깜빡이는 모습에서.

씬/40 인혁 고향집 마당 (N)

솔, 선재 돌아오는데 집에 인기척이 없이 조용하다.

선재 뭐지? 다들 어디 갔나? (핸드폰 꺼내는데 인혁 문자 와 있는 '**다 같이 주꾸미 낚시 갈 거니까 선착장으로 나와라. 30분 안에 출발해야 돼!**')
솔 왜? 뭐래?
선재 (문자 보며 잠시 표정) ...쭈꾸미 낚시 가자는데?
솔 그래? 그럼 옷 갈아입고 가야 되나? (하는데)
선재 (막아서서) 가고 싶어?
솔 ...어?
선재 난 안 가고 싶은데.
솔 (화르르) !!

씬/41 선착장 + 작은 배 (N)

인혁 부, 인혁 모는 선실에, 태성, 인혁은 갑판에서 솔, 선재 기다리고 있는.

태성 아 30분 지났는데 얘네 왜 안 와?
인혁 (시간 보더니) 그럼 그렇지...이럴 줄 알았다 이것들. 으휴. (감겨 있던 닻 줄을 풀며) 아빠 출발해! 오라이~ 오라이~ (소리치는)

태성	뭐야. 쟤넨 안 데리고 가? 야 그럼 나도 안 갈래. (하며 내리려는데)
인혁	(태성 잡아끌어 앉히며) 넌 쭈꾸미 잡아야지 인마. 오라이~~ (배 출발하자 육지 보며) 친구야. 좋은 시간 보내라...
태성	어어? 안 돼애애~~ (울부짖으며 육지 향해 손 뻗는데 배 선착장에서 점점 멀어지는)

씬/42 인혁 고향집 마당 (N)

씻고 옷 갈아입은 선재, 평상에 앉아 있는데. 솔이도 씻고 나온다. (*인혁 모의 고쟁이 바지랑 티셔츠 입은) 눈 마주치자 살짝 어색한 분위기...

선재	감기 걸리려고 머리도 안 말리고 나와 왜.
솔	드라이기가 어딨는 줄 알고 말려. 내 집도 아니고...
선재	(솔이 평상에 앉히며) 자. 이거 먹고 있어봐. (딸기 소쿠리를 무릎에 올려주고 목에 걸려 있던 수건으로 솔이 머리 살살 말려주기 시작하는)
솔	...! (선재 가만 올려다보는)
선재	왜 날 봐. 딸기 먹으라니까.
솔	(씩 웃으며 선재 계속 보는) 그냥...
선재	(피식)
솔	(딸기 하나 집어 먹으며) 근데 너는 린스 안 써도 되겠다.
선재	린스 있지도 않던데?
솔	(O. L) 프린스니까.
선재	어째 잠잠하다 했다~
솔	어? 너 사슴이세요?
선재	뭔데~
솔	왜 자꾸 내 마음을 녹용?
선재	민망하니까 그만해라. (웃음 참는)
솔	어어? 안 웃네? 음~~ 너한테 좋은 향 난다~ (하는데)
선재	(솔이 머리통 잡고 눈 마주치며) 니 취향?
솔	오...! 정답.

선재	(웃음 터지고 만다. 다시 머리 말려주며) 이게 재밌어?
솔	너 재밌으라구. 이게 니 웃음버튼이었다니까 그러네. (웃으며 딸기 집어 먹는데)
선재	(피식) 너만 먹어?

솔, 딸기 집어 주려는데 (E) 음메~~~~ 소리에 돌아보면 염소가 가까이 와 있다. "으아!!!" 놀란 솔이 소쿠리를 엎으며 뒤로 넘어가면.
선재, 솔이 뒤통수를 받쳐주려다 같이 넘어진다. 평상에 쏟아져 흩어진 딸기들. 그 사이에 누운 솔이 머리를 한 손으로 받치고 다른 팔로 평상 짚고 버티고 있는 선재. (*예쁘고 설레는 구도) 두 사람 눈이 마주치자 두근.. 두근..
그때, (E) 음메에에에 하며 염소가 다시 울자 벌떡 일어나는 두 사람.

선재	순돌이 넌 왜 자꾸 나와!! 들어가! 워이. 워이. (염소 다시 우리 안으로 몰아넣는)
솔	(후다닥 딸기 주워 담고 일어나며) 크음...그럼 난 이제 자야겠다!
선재	어디서 자?
솔	아까 여기 손님방에서 자라고 하시던데? 잘 자~ (들어가려는데)
선재	그럼 난 어디서 자?
솔	너? 백인혁 방 있잖아.
선재	나도 손님인데?
솔	??? (무슨 말인지 생각하다 화르르) 야! 그래서 뭐. 뭐. 너도 여기서 자겠다고?
선재	(능청) 농담이야. 놀라긴. (어른스럽게) 들어가서 자. 근데 무서우면 나 부르고.
솔	(선재 속 빤히 알겠고) 무서울 게 뭐 있냐?
선재	(진지하게 겁주는) 솔아. 너 이런 시골집에서 안 자봤지. 밤에 되게 무서워. 조용해서 온갖 소리 다 들리고. 막 귀신도 나오고 그래.
솔	음~ 그렇구나~ 근데 난 귀신 안 무섭지롱! (후딱 문 열고 들어가버리는)
선재	(쿵 닫힌 문 보며 아쉬운 표정)

씬/43 인혁 고향집 인혁 방 (N)

선재, 요 펴고 누워 있다가 벌떡 일어나 방문 활짝 열면, 대청마루 너머 손님방 보인다. 베개 끌어안고 앉아서 손님방 빤히 보다가. 괜히 방문 덜 컹덜컹 흔들어본다. 반응 없는 손님방. "히이..히이.." 귀신 소리도 내보는 데 솔이 아무 반응 없는.

씬/44 인혁 고향집 손님방 (N)

솔, 잠이 오지 않는 밤이다. 천장 보며 가만히 생각에 잠겨 있는데.

선재(E) 으아아아!!!

솔, 선재 비명 소리에 놀라 벌떡 일어나 앉는데! 문 벌컥 열리고. 선재가 베개 끌어안고 뛰어 들어온다.

솔   왜?! 무슨 일이야?
선재   저 방에...! 귀신 나왔어! 귀신!
솔   ...뭐? 귀신?
선재   어. 소복 입은 처녀 귀신. 좀 전에 귀신 소리 못 들었어?
솔   (황당한 표정)
선재   (자연스럽게 일각에 접혀 있던 요 끌어다 솔이 자리 옆에 착착 피며 천연 덕스럽게) 와...너무 무섭더라. 꿈에 나오면 어떡하지?
솔   그으래? (눈 가늘게 뜨고 지켜보다 벌떡 일어나며) 그럼 내가 저 방 가서 잘까?
선재   (문 막으며) 귀신 나온 방에서 잔다고? (진지하게) 안 돼. 뭔 일 나는 수 가 있어.
솔   뭔 일은 여기서 날 것 같은데?
선재   (억울하다는 듯) 설마. 내가 뭐 어떻게 할까 봐 그래? 전에 우리 아부지

얘기 들었지. 나 산소 같은 남자라는 거. 정말 응큼한 생각 같은 건 요~
만큼도 안 했거든?

솔   정말 귀신이 무서워서 넘어왔다고~

선재   어. 그리고 저 방 너무 춥더라. 우풍이! 어후.

솔   (웃겨서 피식 웃으며) 그냥 같이 있고 싶다고 하지. 잘하지도 못하는 거
            짓말은~

선재   (슬쩍 눈치 살피며) 같이 있고 싶다고 하면 재워줄 거야?

솔   (O. L) 아니?

선재   (못 들은 척, 홱 돌아 베개 여러 개를 요 경계선에 줄 지어 놓으며) 자. 자.
            봐. 딱 갈라놨어. 여기 절대 안 넘어갈게. 됐지?

솔   넘어오면 어떻게 되는데?

선재   초딩 때 책상에 줄도 안 그어봤어?

솔   넘어오면 다 내 꺼. 뭐 그런 거?

선재   잘 아네. 그니까 너도 안 넘어오게 조심해. (베개 베고 홱 누워서) 안 피
            곤해? 자 어서. (눈 꾹 감는)

솔   (어이없어 웃으며) 그래. 잘 자~ (홱 누워서 눈 감는)

베개를 사이에 두고 멀찌감치 누워 있는 두 사람.
잠시 후, 솔, 눈 스르르 뜨고 힐끔 돌아보면, 선재 눈 감고 누워 있다. 솔,
옆으로 돌아누워 선재 얼굴 가만 바라본다. 생각이 많은 표정이다. 솔이
이불에서 나와 가운데 막아놓은 베개 쪽으로 가까이 간다. 조심스레 손
을 뻗어 선재 얼굴 애틋하게 어루만지는데.

선재   (눈 감은 채) ...왜 니가 넘고 그래.

솔   ! (멈칫)

선재   (솔이 손목 잡으며 돌아본다. 눈 마주치고)

솔   ...넘어가버렸네.

선재   (눈 가늘게 뜨며, 장난스런) 넘어오면 어떻게 된다고 했지?

솔   그럼 이제 이 팔 니 껀가...?

선재   내 꺼.

솔   자. 가져가. (손 팔랑팔랑 흔들며 장난) 근데 어떻게 가져가? 똑 자를 수

	도 없고?
선재	흠...안되겠네. (하며 둘 사이에 있던 베개를 뒤로 치운다)
솔	??
선재	그냥 다 내 꺼 하지 뭐. (옆으로 돌아누우며 잡고 있던 솔이 손목을 확 끌어당겨 허리에 두르고 품에 끌어안는다)
솔	!! (두근)
선재	(꼭 안고 솔이 등 토닥인다) 좋다...이러고 자자. (하며 눈 감고)
솔	응...
E	두 사람 심장 소리 낮게 콩닥콩닥 울린다.
솔	(귓가에 울리는 선재 심장 소리에) 이게 무슨 소리야아.
선재	(계속 토닥이며) 귀신 소리야.
솔	(피식...) 아 무서워. (하며 선재 품에 더 파고들면)
선재	(좋고. 눈 감은 채 씩 웃는)
솔	......
선재	(애틋하게 불러본다) 솔아.
솔	응. 선재야.
선재	얼마나 남았지?
솔	음...글쎄.
선재	안 갔으면 좋겠다.
솔	나두.
선재	그냥 이 시간에 갇혀서 못 돌아갔으면 좋겠어.
솔	난...내일이 안 왔으면 좋겠어.
선재	(살짝 팔 풀고 솔이 얼굴 보며) 시계 확 망가뜨려 볼까?
솔	그래볼까?
선재	(그럴 수 없다는 걸 안다) ...그래보자.
솔	(애틋하게 불러본다) 선재야...
선재	응. 솔아.
솔	만약에 내가...내일, 아니 오늘 갑자기 돌아가도 너무 슬퍼하지 마.
선재	...그래.
솔	(애써 장난스레) 막 울면 안 돼.
선재	(피식..) 안 울어.

솔	너도 약속해.
선재	...약속.
솔	(슬프게 본다)
선재	(애틋한 시선. 솔이 머리 쓸어 넘겨주며) 이제 자야지... (하는데)
솔	(선재 입술에 입을 맞추고 물러나며) ...좋아해.
선재	(눈 마주치는) !
솔	이 말...또 안 하고 가면 후회할까 봐. 좋아해 선재야.

가만 바라보던 선재, 솔의 머리를 감싸 안으며 다가가 살짝 입 맞추며 물러나서, 솔과 눈 마주친다.

선재	사랑해. 사랑해 솔아.

선재, 다시 입 맞추며 키스한다. 어쩌면 마지막일지 모를... 둘만의 밤이다.

씬/45 주택가 외경 (D)

씬/46 솔이 집 앞 + 선재 집 욕실 (교차) (D)

복순, 나오는데 선재 집 화장실 창문 밖으로 길게 뜯은 두루마리 휴지가 펄럭인다.

복순	뭐야 저게...? (가까이 다가가는)
근덕	(창문에 붙어 서서 꾸벅꾸벅 졸며 힘없이 휴지 흔들고 있는데)
복순(E)	저기요!! 선재 아버님이세요??
근덕	(복순 목소리에 눈 번쩍) 네! 접니다! 저예요!!
복순(E)	무슨 일 있어요?
근덕	(울먹이며 소리치는) 화장실에 갇혔어요! 살려주세요!!
복순	(놀라) 갇혔다구요? 웬일이야. 이를 어떡해. 제가 지금 들어가서 열어드

릴게요!

근덕(E) 대문 잠겨 있어서 못 들어와요! 119 불러줘요~~ (우당탕 넘어지는 소리) 으헉!!

복순 괜찮으세요?! 어머 이거 어떡해? (급한 마음에 냅다 담벼락을 넘는다!)

씬/47 선재 집 거실 + 욕실 (D)

복순, 급히 뛰어 들어오는데. 욕실 안에서 "아이고..." 하는 근덕 신음 소리 들린다.

복순 (달려가 욕실 문고리 잡고 흔들며) 선재 아버님!!

근덕 (바닥에 쓰러져서 허리 붙잡고) 빨리 119 불러요! 이거 못 열어!

복순 그냥 이거 문 뿌시면 안 돼요?

근덕 안 뿌서지니까 그러죠! 해병대 출신인 이 단단한 몸으로도 절대 안 부서지는 아주 강철문이에요! 돌주먹으로 쳐도 끄떡없다고! (하는데)

복순, 뒤로 한 발짝 물러서더니 "흐헙!" 어깨로 힘껏 꽝! 치자 문짝 쉽게 떨어진다. 근덕, 헉! 놀라는데... 순간 복순 뒤로 후광이 비친다. 구세주다!

복순 (쓰러진 근덕 보고 놀라 달려가) 괜찮으세요?

근덕 (울컥 울음 터지는) 흑흑흑....고마워요...고마워...

씬/48 바닷가 일각 (D)

태성, 흙으로 뒤덮인 차에 외투 벗어 덮어준다. "잘 가 써니..."
팬하면... 인혁, 선재, 솔 인사하고, 인혁 부모 배웅하고 있는.

인혁부 조심히들 올라가. 인혁이 너 이놈 전화 좀 자주 하고.

인혁 알았어어. (소리치는) 야! 김태성! 빨리 와 가자!

인혁모	(솔이 손잡고 아쉬워하며) 하루 더 있다 가라니까는~
솔	...오늘 꼭 가야 해서요. 또 올게요. (표정)

씬/49 기차역 플랫폼 (D)

기차 서 있고. 솔, 생각에 잠긴 표정인데. 옆에 선 선재, 그런 솔을 보며.

선재	무슨 생각해?
솔	어? 아니야. 아무것도.
선재	(살짝 미소) 근데 이것들은 매점 털러 갔나. 왜 안 와. (다른 쪽 보면)

인혁과 태성이 간식 잔뜩 사 들고 급히 뛰어오며 "미안미안!" "타자! 타!"

선재	(솔이 손잡으며) 가자.
솔	...응. (애써 미소)

씬/50 금 비디오&DVD 가게 (D)

복순, 말자 고구마 먹으면서 대화 중인.

복순	나만 보면 꼬장꼬장 성질부리던 양반이 엉엉 울면서 은인입니다~~~ 고마워요~~~
말자	사람이 다쳤는데 놀리기는! (문 열리고 김형사 들어온다) 어서 오세요~
김형사	안녕하세요. 저는... (경찰신분증 보여주며) 강북경찰서 김원철 형사입니다.
복순	아 네. 근데 형사님이...어쩐 일로... (왠지 불안한)

씬/51 기차 안 (D)

사람들 올라타고 있다. 태성, 인혁 자리에 앉아 있고.
몇 줄 떨어진 자리로 팬하면. 창가에 앉아 있는 선재, 가방에서 MP3 꺼내고 있는.

선재	(이어폰 한쪽 건네며) 우리 음악 들으면서 갈까? (하며 보는데 솔이 눈 감고 있다) 솔아. (대답 없자 어깨 살짝 흔들며) 솔아?
솔	(눈 감고 있다 뜨면서 멍한 표정으로 돌아본다)
선재	(살짝 이상한) ...잠들었었어?
솔	여기...어디야?
선재	(멈칫, 심장 철렁) ...왜 그래.
솔	내가 너랑 왜 여기있어? (놀라 벌떡 일어나 통로에 서는)
선재	(벌떡 일어나 솔이 손잡고) 솔아...갑자기 왜...! (하는데 심장 쿵) 설마...

〈선재 회상 인서트〉 *7화 30씬

선재	(불안, 걱정) 너 무슨 일 있었어? (하는데)
열아홉솔	...여긴 어디지? (혼란스러운 표정) 누구...세요?

#다시 현실

선재	(그때의 솔이 같다. 가슴 철렁) 너 혹시. 돌아...갔어?
솔	이거 놔. (선재 손 뿌리치고 뒷걸음질 치며)
선재	(눈물 차오르고) 솔아... (쫓아가려는데)
솔	따라오지 마!
선재	(쿵. 충격)
솔	내가 좀 혼란스러워서...혼자 갈게. 미안. (뒤돌아 통로 빠져나가는)
선재	...!!! (차마 붙잡지도 못하고 통로 끝으로 사라지는 솔을 보고 서 있는)

씬/52 금 비디오&DVD 가게 (D)

김형사에게 얘기 전해 들은 복순, "납치요...?!" 충격받은 표정.

씬/53 기차역 플랫폼 + 기차 안 (교차) (D)

#플랫폼
기차 문이 닫히기 직전, 다급히 내리는 솔.
솔이 뒤로 기차 문이 닫히면, 기차 출발하기 시작한다.

#기차 안
충격받은 얼굴로 앉아 있는 선재. 솔이 했던 말 떠오른다.

솔(E)   만약에 내가...내일, 아니 오늘 갑자기 돌아가도 너무 슬퍼하지 마.

선재, 세상을 잃은 것만 같다.

#플랫폼
돌아서서 떠나는 기차를 바라보는 솔. 슬픈 얼굴이 된다.

〈솔 회상 인서트〉 *35씬 솔이 시점
풀숲에 들어간 선재 보고 있던 솔. 멀리서 들려오는 파도 소리에 고개 돌린다. 파도 소리를 따라 걸어가는데... 잠시 후, 절벽에 다가가 펼쳐진 밤바다를 보는 순간, 파도 소리와 함께 (E) 타다다닥 달려오는 소리가 울리며 미래 장면 떠오르는.

〈인서트 3〉 *동틀 무렵 새벽
쫓기듯 숲길을 달려가고 있는 솔, 절벽이 나오며 새벽 바다가 보이자 멈춰 선다. 도망갈 곳 없고. 덜덜 떨며 돌아보면... 영수가 서 있다. 겁에 질려 뒷걸음질 치는데.
그때, "솔아!!!" 하는 소리에 시선 돌리면 멀리서 달려오고 있는 사람, 선재다.

#다시 절벽

솔   (심장 쿵! OFF) 미래가...바뀌었어! (충격에 힘이 빠져 털썩 주저앉아, 덜
           덜 떨며 절벽 너머 밤바다 보고 있는데)

선재(E)   솔아!!!!

솔   .... (계속 바다 보며 충격받은 표정)

선재   임솔!! (달려와 솔이 앞에 허리 굽히면)

솔   (그제야 선재 돌아본다 OFF) 선재야...우리 어떡하지..?

#플랫폼

솔, 울음 꾹 참고, 멀리 사라지는 기차 보고 있다.

솔OFF   내 운명은 내 꺼니까. 내가 바꿀게. 그러니까 선재야. 이번엔...제발 오지 마.

그때, 반대편에 멈춰 선 기차에서 사람들 우르르 내리는데. 기차에서 내
리는 누군가의 다리. 틸업하면... 영수다.
솔, 영수. 기찻길 양쪽 플랫폼에서 사람들 사이에 섞여 걸어가면.
기차 안의 선재와 솔, 영수 모습 교차되어 보여지는 데서 엔딩.

Lovely ♡
Runner
♡

13화

긴 시간을 거슬러 내 앞에 달려와줘서.

그래서 널 붙잡을 수 있게 해줘서 고마워.

씬/1　풀숲길 + 절벽 (N) *12화 35씬 솔이 시점

풀숲에 들어간 선재 보고 있던 솔. 멀리서 들려오는 파도 소리에 고개 돌린다. 파도 소리를 따라 걸어가는데... 잠시 후, 절벽에 다가가 펼쳐진 밤바다를 보는 순간, 파도 소리와 함께 (E) 타다다닥 달려오는 소리가 울리며 미래 장면 떠오르는.

〈인서트 3〉*동틀 무렵 새벽
쫓기듯 숲길을 달려가고 있는 솔, 절벽이 나오며 새벽 바다가 보이자 멈춰 선다. 도망갈 곳 없고. 덜덜 떨며 돌아보면... 영수가 서 있다. 겁에 질려 뒷걸음질 치는데.
그때, "솔아!!!" 하는 소리에 시선 돌리면 멀리서 달려오고 있는 사람, 선재다.

#다시 절벽

솔　　(심장 쿵! OFF) 미래가...바뀌었어! (충격에 힘이 빠져 털썩 주저앉아, 덜덜 떨며 절벽 너머 밤바다 보고 있는데)
선재(E)　솔아!!!!
솔　　.... (계속 바다 보며 충격받은 표정)

선재   임솔!! (달려와 솔이 앞에 허리 굽히면)
솔   (그제야 선재 돌아본다 OFF) 선재야...우리 어떡하지..?

씬/2   기차 안 (D) *12화 51씬 솔이 시점 추가

사람들 올라타고 있다. 창가에 앉아 있는 선재, 가방에서 MP3 꺼내고 있
는데. 솔, 그런 선재 맘 아프게 보다가 핸드폰 시계 확인한다. 때가 된 듯,
눈을 감는.

선재   (이어폰 한쪽 건네며) 우리 음악 들으면서 갈까? 솔아. (어깨 살짝 흔들
         며) 솔아?
솔   (눈 감고 있다 뜨면서 멍한 표정으로 돌아본다)
선재   (살짝 이상한) ...잠들었었어?
솔   여기...어디야?
선재   (멈칫, 심장 철렁) ...왜 그래.
솔   내가 너랑 왜 여기있어? (놀라 벌떡 일어나 통로에 서는)
선재   (벌떡 일어나 솔이 손잡고) 솔아...갑자기 왜...! (하는데 심장 쿵) 설마...
         (가슴 철렁) 너 혹시. 돌아...갔어?
솔   이거 놔. (선재 손 뿌리치고 뒷걸음질 치며)
선재   (눈물 차오르고) 솔아... (쫓아가려는데)
솔   따라오지 마!
선재   (쿵. 충격)
솔   내가 좀 혼란스러워서...혼자 갈게. 미안. (뒤돌아 통로 빠져나가는)
선재   ...!!! (차마 붙잡지도 못하고 통로 끝으로 사라지는 솔을 보고 서 있는)

씬/3   기차역 플랫폼 (D)

기차 문이 닫히기 직전, 다급히 내리는 솔. 솔이 뒤로 기차 문이 닫히면,
기차 출발하기 시작한다. 돌아서서 떠나는 기차를 바라보는 솔. 슬픈 얼

굴이 된다. 솔, 울음 꾹 참고, 멀리 사라지는 기차 보고 있다.

솔OFF 내 운명은 내 꺼니까. 내가 바꿀게. 그러니까 선재야. 이번엔...제발 오지 마.

그때, 반대편에 멈춰 선 기차에서 사람들 우르르 내리는데. 기차에서 내리는 누군가의 다리. 틸업하면... 영수다.
솔, 영수. 기찻길 양쪽 플랫폼에서 사람들 사이에 섞여 걸어가면. (F. O. F. I.)

씬/4 폐건물 앞 (D) *12화 8씬

(자막) 며칠 전

솔   네. 5월 10일이요. 그날 이 건물 주위에 잠복해주시면 안 돼요?
김형사 10일? 무슨 일 때문에...혹시 그놈이 다시 찾아올까 봐 그래? 이 주변에서 꼬리가 밟혀서 잡혔었는데 또 오겠니.
솔   아마...올 거예요.
김형사 불안해서 그런 거면 네 신변 보호 조치는 진작 해놨다. 그래도 걱정되면 가족들과 상의해서 당분간 주거지를 옮겨보는 건 어때?
솔   주위에 경찰들 있는 거 김영수가 눈치채면...못 잡아요. 불안해서가 아니라 꼭 잡아야 되니까 부탁드리는 거예요.
김형사 너 혹시 그놈을 여기로 유인이라도 할 생각인 거야? 안 돼. 그럼 니가 위험해져.
솔   (표정) ...

씬/5 솔이 집 현관 + 거실 (D)

솔, 들어오는데, 현관 우산통에 꽂혀 있는 노란 우산 보인다.

〈솔 회상 인서트〉 *2화 49씬

솔, 선재에게 노란 우산 씌워주는 첫 만남 장면.

물끄러미 보다, 지나쳐 거실로 들어가는데, TV에서 영수 뉴스 흘러나오고 있다.

앵커(E) .....주양저수지 사건의 용의자 김영수가 이송 도중 고의 사고를 내고 도주한 지 사흘이 됐지만 여전히 행방이 묘연한 상태입니다. 경찰은 전국 공조 수사를 요청해 행적을 쫓는데 총력을 기울이고 있다고...

솔, 뉴스에 잠시 시선 주곤, 방으로 가는.

씬/6 솔이 집 솔이 방 (D)

솔, 들어온다. 책상 의자에 앉아 핸드폰 화면 보면 '**2009년 5월 1일**'이다. 탁상달력 보면 5월 10일에 동그라미 쳐져 있다. 솔, 두렵지만... 담담한 표정이다.

씬/7 솔이 집 외경 (D)

씬/8 솔이 집 거실 (D)

말자, 솔, 금 둘러앉아 고스톱 치고 있고. 솔, 화려한 기술로 패 착착 섞는다.

말자   우리 솔이가 은제 고스톱을 다 배웠대?
솔   내가 나이가 몇인데~ (패 나눠주며 말자에게 눈빛 보내는)
금   할머니. 나 봐주고 그런 거 없어~ 잔돈 두둑이 준비하셔.

화투 치기 시작하는 세 사람. 말자, 탁탁 치는 족족 점수 나고, 화투판 위에 동전 쌓이고, 말자가 다 싹쓸이해서 가져가는 모습 몽타주로 빠르게 이어진다.

말자, "쪽이네! 쪽쪽!!" "났다 났어~~" "피박에 광박!" "아싸 고도리~"

(시간 경과)

말자　(잔돈 싹 쓸어가며) 영감탱이 올해 제삿밥이 맛있었나. 끗발로다가 감동을 주네이.

금　와...할머니 타짜야? 밥 먹고 고스톱만 쳤어?

말자　(앉아서 덩실덩실 춤추며) 나가 노인대학 나온 여자여~~~

금　(표정 싹 변해 솔, 말자 번갈아 보며) 수상한데...?

솔　뭐가 수상해 수상하긴. 한판 더? (화투 싹 모아 착착 섞기 시작하는데)

금, 예리하게 보는 눈빛. 그때, 화투 섞는 솔이 손 타이트. 밑장 빼기 손놀림 slow.

금　동작 그만. (솔이 손 탁 잡으며) 손모가지 잘리고 싶냐? 어디서 밑장 빼기야?

솔　(뜨끔) 아니거든? (말자 보며 얼른 일어나라는 듯 눈치 주면)

금　하하하!! 와...짰네! 짰어! 어쩐지! 여태 둘이 짜고 쳤어?!! (버럭 하면)

말자　(주섬주섬 돈 챙기며) 동네 친구들한테 막걸리 한잔 쏘고 와야 쓰겄다~

금　이거 무효야! 무효! 할머니! 내 돈 뱉어내고 가야지!! (쫓아가려는데)

솔　(금이 붙잡아 말리며) 뭘 뱉어내 뱉어내긴!

금　완전 사짜들 아니야? 와. 나 오늘 얼마를 뜯긴 거야? (억울해하면)

솔　할머닌데 좀 뜯기면 어때! 으휴...종종 할머니랑 고스톱 좀 쳐. 치매 예방에 좋대.

금　야. 말자 씨 점수 계산하는 거 못 봤냐? 인간 계산긴 줄 알았다! 치매는 무슨...

솔　그리고 제발 쓸데없는 데 투자해서 돈 날리지 말고 착실하게 살아 좀. 마누라 속 썩이지 말구.

금	누군지도 모를 미래의 내 마누라 걱정을 니가 왜 하냐?
솔	(한숨 쉬며 주머니에서 종이 한 장 꺼내 금이 손에 쥐어 준다) 자. 받아.
금	(종이 보면 숫자 7개 적혀 있는. '6, 18, 28, 30, 38, 40, 41') 뭐냐 이게?

〈솔 회상 인서트〉 *8화 53씬 본시네마 사무실 몽타주

야근하고 있던 솔. 커피 타 오는데, 정훈이 자리에서 노트북으로 로또 당첨 발표 보며 번호 맞춰보는 모습 본다. '6, 18, 28, 30, 38, 40, 41' 차례로 발표되는데.

| 정훈 | 에라이. 꽝이네. 아~~ 이번에 당첨금 100억이었는데!! (아쉬워하면) |
| 솔 | 100억이요?! (놀라는) |

#다시 현실

솔	(금이 얼굴 잡고 눈 마주치며 진지) 오빠 인생을 바꿔줄 숫자야. 내가 주는 선물.
금	(??) 뭔데 이게?
솔	아주 용한 데서 받은 숫자야.
금	(혼잣말처럼) 복권 번호라도 되나....얼마나 용한 데서 받은 건데?
솔	제~발 끈기 있게 해봐. 한두 번 하다가 안 된다고 포기하지 말구. 될 때까지! 응?
금	(끄덕이며 종이 보는)
솔OFF	현주야... 난 할 만큼 했다.

씬/9   솔이 집 주방 (N)

식탁에 미역국과 잡채 등 푸짐한 저녁상 차려져 있고. 말자, 복순, 금 어색한 표정으로 앉아 '쟤 왜 저래?' 하듯 눈빛 주고받는.

| 솔 | (식탁 가운데에 갈비찜 냄비 내려놓으며) 맛있게들 드세요! |

말자	오메. 뭔 일이대. 솔이가 웬일로 밥상을 다 차리고?
복순	내일 니 생일이라고 직접 생일상 차린 거야?
솔	내 생일상이 아니라 20년 전에 우리 엄마 나 낳느라 고생했잖어.
말자	(솔이 궁둥이 토닥이며) 효도 밥상이었구만? 기특한 거...어디서 요런 이쁜 게 나왔을까? (복순 보며) 내 딸년 배 속은 아닌 것 같은디.
복순	(삐죽이며) 뭔 집안 살림을 한다고 종종거리질 않나, 가게 대청소를 해대질 않나. 오늘 이상해 하여간? 생일 선물 뭐 필요해서 이래? 현주가 들고 다니는 넷북인지 뭐시긴지 그거 사 달라고 하려고 밑밥 까는 거지?
금	(먹으며) 아님 뭔 사고 쳤겠지~~
솔	내가 오빤 줄 아니? (금이 째려보곤) 엄만 딸내미 효심을 이렇게 몰라주시나?
복순	그런데 왜 칭일 안 하던 짓을 하고 앉았어?
솔	그냥... (표정) 식기 전에 어서들 드셔~
복순	(미역국 떠먹으며 피식) 간 잘 맞았네~
솔	(가족들 흐뭇하게 보다가, 다정하게) 있잖아 엄마. 해마다 잊지 말구 꼬박꼬박 건강검진받어. 할머니두 같이. 귀찮다고 넘기지 말구. 응?
말자	똥강아지가 아주 할미랑 지 엄마 생각을 끔찍이도 하네이.
복순	뭘 해마다 해. 누가 돈 대주냐?
솔	건강이 먼저지 돈이 먼저야? 그런 데 아끼지 마아.
복순	아유 알았어.
솔	엄마두 이거 먹어봐. (복순 밥그릇에 갈비찜 올려주며 챙기고)
복순	(농담처럼) 왜 이래? 그르지 마. 옛말에 사람이 갑자기 변하면 죽는댔어.
솔	...... (멈칫, 표정 OFF) 엄마....미안해... (마지막일지도 모른다)

씬/10 주택가 외경 (D)

씬/11 솔이 집 앞 (D)

화장도 하고 예쁘게 입은 솔, 계단 총총 내려오면 선재가 기다리고 있다.

선재, 자연스레 두 팔 벌리면 솔이 품 안에 폭 안긴다. 선재, 솔이 꼭 안아주며 "생일 축하해." 다정하게 말하고. 솔, 미소 짓는.

씬/12 놀이공원 입구 (D) *오래된 작은 유원지

손잡고 걸어오는 솔, 선재.

선재 더 좋은 놀이공원도 많은데 왜 하필 여기야?
솔   아빠 살아 계실 때 내 생일에 가족들이랑 왔던 곳이거든...꼭 다시 와보고 싶었어.
선재 ...진작 말하지.
솔   (둘러보며) 그대로네...? (미소)
선재 여기, 미래에도 있어?
솔   음...그럴걸?
선재 그럼 그때도 또 오자. (간절한 마음) 미래에 우리 다시 만나서...같이 오면 되잖아.
솔   ....그래. (OFF) 나도...부디 이번이 마지막이 아니었으면 좋겠어.
선재 (분위기 띄우려, 꼭 잡은 손 흔들며 씩 웃는) 가자.

씬/13 놀이공원 데이트 몽타주 (D → N)

#1. 회전목마 앞 (D)
손잡고 걷다가 회전목마 앞에서 솔이 사진 찍어주는 선재. 그러다 지나가는 사람에게 사진 부탁하며 디카 넘기곤 솔이 옆으로 뛰어가 다정하게 어깨 감싸 안으며 포즈 취하는 선재. 두 사람 투샷 찰칵.

(컷 튀면)
회전목마 타는 두 사람 예쁜 모습.

#2. 놀이공원 일각 (D)

구슬아이스크림 먹으며 걷고 있는 솔. 한 숟가락 떠서 선재 입에 넣어주고.

선재　　근데 놀이기구가 다 애들 타는 것만 있는데?
솔　　　그러게. 어릴 때 엄청 무서워하면서 탔었는데. 우리 저기라도 들어갈까?
선재　　응? (돌아보면 '귀신의 집' 보이고) 참 나...시시하게.
솔　　　왜, 무서워?
선재　　(허세) 무섭긴! 슬슬 둘러볼 겸 가보지 뭐.

#3. 귀신의 집 (D)

갑자기 좀비 확 나타나면 선재, "으아!!" 소리치며 주저앉고, 솔 빵 터져서 웃는. 솔, 웃으며 선재 손잡고 가는데 귀신 확 나타나자, 솔이 먼저 "와앙!" 하며 겁주고, 귀신이 되려 놀라 도망가는.

#4. 놀이공원 일각 (N)

귀신의 집에서 나오는 두 사람. 어느새 해가 져 있다.

솔　　　벌써 시간이 이렇게 됐네? 그만 갈까? (하는데)
선재　　잠깐 여기서 기다려. 뭐 좀 놓고 와서 찾아올게. (뛰어가고)

(시간 경과)

솔, 벤치에 앉아 기다리는데. 그때, 선재가 케이크에 촛불 켜서 천천히 다가온다.

솔　　　(활짝 웃으며) 뭐야아. 그거 사러 갔다 왔어?
선재　　어. 엄청 뛰었어. (웃고) 생일인데 촛불은 불어야지. 생일 축하합니다... (노래 부르기 시작하는 순간 소나기 내리기 시작해 촛불이 다 꺼져버린다) !!!
솔　　　비 온단 말 없었는데? 어떡해! (가방으로 머리 가리며 허둥대고)
선재　　(관람차 보이고) 일단 저기로 가자! (뛰어가는)

씬/14 관람차 안 (N)

비 피해서 관람차 안으로 뛰어 들어오는 솔, 선재. 문이 닫히면 관람차 움직이기 시작한다. 그제야 숨 돌리며 서로를 보는데. 보면, 케이크가 비에 젖어 다 녹아 내려 있고 촛불도 꺼져 있다. 그걸 본 두 사람, 순간 빵 터져서 웃는.

선재　이따 내리면 케이크 다시 사 줄게.

솔　아니야. 그냥 이걸로 하자. 이것도 다 추억이잖아. 비 맞은 케이크는 내 생에 다신 없지 않을까? (미소)

선재　(못 말린다는 듯) 초가 더 있었나? (상자 안 보면 남은 초 발견) 아, 하나 있다. (초 하나를 녹은 케이크 가운데 꽂고 성냥으로 불붙이는) 됐지?

솔　노래도 불러줘야지이. (기대, 장난스레) 와. 류선재 생라이브를 코앞에서 듣네요?

선재　(피식. 큼큼 목소리 가다듬고 담백하게) 생일 축하합니다. 생일 축하합니다. 사랑하는 우리 솔이...생일 축하합니다. 생일 축하해.

솔　(짝짝짝 박수 치며 후- 촛불 끄며 웃고) 고마워.

선재　자. 이제 왼쪽 주머니에 손 넣어봐.

솔　응? (주머니에서 작은 상자 꺼내 보며) 어? 언제 넣어놨어? 이거 뭐야?

선재　(머쓱해서 딴청, 크음...) 열어 보든가.

솔　(열어 보면 시계 모양 또는 S 이니셜 목걸이. *남자가 착용해도 될 만한 디자인) ...!!

선재　(슬쩍 솔이 눈치 살피는) 왜 말이 없어? 맘에 안 들어?

솔　아니. 예뻐서. 너무 예뻐서 할 말을 잃었어. (씩 웃는데 눈이 촉촉해지는)

선재　...다행이네.

솔　이거 지금 해봐도 돼?

선재　줘봐. 내가 해줄게. (솔이 옆자리로 옮겨 앉아 상자에서 목걸이 꺼내 솔이 목에 걸어주려는데. 잘 안 돼서 버벅거리는) 왜 이렇게 안 돼? (고개 숙이고 더 가까이 다가가 씨름하며) 드라마 보면 한 번에 잘만 걸어주더만.

솔　(피식) 내가 할까?

선재   아니야. 어, 거의 됐어... (하는데)

지상에 도착한 관람차 문이 철컹 열리고. 문 앞에 있던 직원 눈에 솔, 선재 포즈가 꼭 키스하는 것처럼 보인다. 선재, "됐다." 하며 돌아보면, 직원 씩 웃는다. "한 바퀴 더 써비스~~ 좋은 시간 보내세요!" 하며 문 탁 닫아준다. 다시 움직이는 관람차 창문 안으로 어리둥절한 표정인 솔, 선재 모습 보인다.

선재   아무래도...단단히 오해한 것 같지?
솔   (볼이 핑크빛으로 화르르 달아오르는) 아 몰라. 민망해서 이따 어떻게 내려?
선재   (피식... 웃으며 목걸이 찬 솔이 보는) 예쁘다.
솔   (얼굴에 손부채질 하다, 목걸이 보는. 미소) 진짜 예쁘다. 고마워...
선재   내가 더 고마워. 태어나줘서.
솔   (과거에 선재가 해준 말 떠오르는. 또는 짧은 회상 컷)
선재(E) 고마워요. 살아 있어줘서.
선재   긴 시간을 거슬러 내 앞에 달려와줘서. 그래서 널 붙잡을 수 있게 해줘서 고마워.
솔   (뭉클, 울컥) 선재야. 지금의 넌 모르겠지만. 날 살려준 사람도, 다시 살고 싶게 해준 사람도...다 너야.
선재   (눈물 맺힌 솔이 눈가 다정히 쓸어주며) 내가 그랬어?
솔   그러니까...내가 더 고마워할게.
선재   (애틋하게 보며 솔이 볼 쓸어주다가, 장난스레) 근데 말로만?
솔   응?
선재   좋은 시간 보내라잖아. 기왕 오해받은 거. (제 입술 손가락으로 톡톡 두드리면)
솔   (다정하게 장난스레) 태어나줘서 고맙다더니 바로 대가를 바라네? 와. 치사하게~
선재   (솔이 볼에 기습 뽀뽀 쪽 하고 물러나며 씩 웃는) 나 원래 치사해.

솔, 웃음 터지면 선재, 다시 다가가 입 맞춘다. 풋풋하게 키스하는 두 사람 모습에서 관람차 외경으로 연결. 깜깜한 밤, 반짝이는 관람차 모습 동화처럼 예쁘다. (F. O. F. I.)

씬/15 기차 안 (D) *12화 53씬

충격받은 얼굴로 앉아 있는 선재. 세상을 잃은 것만 같다.

솔(E) 만약에 내가...내일, 아니 오늘 갑자기 돌아가도 너무 슬퍼하지 마.

선재, 눈시울이 붉어져 있다. 울음 꾹 참고 있다가 벌떡 일어나 솔을 찾기 시작한다. 뒤편에 앉아 있던 태성, 인혁 그런 선재 보며 갸웃하는 표정.

(컷 튀면)
옆 칸, 다음 칸 쭉 살피며 가던 선재, 기차 끝까지 왔는데도 솔이 안 보인다. 왠지 모르게 불안한 표정.

씬/16 지방 파출소 + 솔이 집 거실 (교차) (해 질 녘)

솔, 파출소 안에서 나오며 순경이 한 말 떠올리며 착잡한 듯.

순경(E) 탈주범이 나타날지도 모른다는 말을 믿고 어떻게 청일 대기합니까. 무당이에요?
솔 누가 믿어주겠어..어떡하지? (복순에게 온 전화 망설이다 받는) 응...엄마.
복순 (다급) 너 당장 서울 올라와.
솔 (당황) 어? 아니, 내일 올라간다고 했었잖아...?
복순 (울컥. 울음 참으며 O. L) 너 작년에 납치당했었다며.
솔 (쿵...!) 어, 엄마가 그걸 어떻게 알았어?
복순 형사님이 찾아와서 말해주더라. 살인범한테 끌려갔다 와놓고 왜 말을 안 했어!
솔 엄마 그게...

복순	(O. L) 지금 당장 올라와. 그놈이 잡히지도 않고 버젓이 돌아다니고 있는데 위험하게 어딜 돌아다녀! 아니지. 데리러 갈 테니까 어디 사람 많은 데 들어가 있어.
솔	엄마. 일단 진정해. 응? 선재랑 같이 있다고 했잖아. 선재가 있는데 뭐가 위험해!
복순	(조금 안심되는 듯) 선재 옆에 있어?
솔	(달래려) 그러엄. 그리고 선재 친구 아버지가 내일 역까지 태워주신댔는데 큰일 난 것처럼 어떻게 갑자기 간다구 해. 놀라시게.
복순	혼자 있지 말고 무조건 선재 옆에 꼭 붙어 있어.
솔	응. 말 안 한 건 미안해. 집에 가면...다 설명할게.
복순	조심히 올라와 이것아.
솔	(전화 끊고, 심란한 표정)
복순	(전화 끊고 속상해 가슴을 친다) 으휴...
말자	넌 이것아 애를 달래야지 화를 내고 그르냐이.
복순	속상해서 그러지! 얼마나 무서웠으면 기억을 잃어...것도 모르고 정신 오락가락한다고 구박이나 하고... (훌쩍 눈물 흘리며) 쳐 죽일 놈...그놈이 빨리 잡혀야 되는데!

씬/17 서울역 플랫폼 (N)

선재, 기차에서 내리는 사람들 속에서 솔이 모습 찾고 있고.

인혁	벌써 몇 번째 기차야 이게...야. 얼마나 크게 싸웠길래 기차에서 뛰어내리냐? 어?
선재	(비슷한 사람 지나가자 쫓아가 붙잡는데, 솔이 아니다) 아, 죄송합니다.
태성	다른 기차 탄 게 맞긴 해? 우리 내릴 때 같이 내려서 진작에 간 거 아니야?
선재	(멈칫, 휙 돌아 뛰어가고)
인혁	야 류선재!

씬/18 솔이 집 건물 계단 (N)

선재, 뛰어올라 가는데, 집에서 막 나오던 복순과 마주친다.

선재   (다급히 인사하며 숨 고르는) 안녕하세요. 헉헉...
복순   선재야! (놀라는)
선재,복순 (동시에) 솔이 왔어요? / 솔이는?
복순   (쿵..!) 너 솔이랑 같이 있는 거 아니었어? 너랑 같이 있다고 걱정 말랬는데...
선재   (철렁) 저랑 같이 있다고...했다구요? 언제요?
복순   좀 전에 통화했지!
선재   네...?? (시간 보려 손목에 찬 전자시계 보는 순간 멈칫) !!!

〈선재 회상 인서트〉 *12화 51씬
솔이 선재 손 뿌리칠 때 솔이 손목에 전자시계 차고 있던 컷.

선재OFF 시계...차고 있었어...! 미래로 돌아갔는데 시계는 왜 남아 있던 거지? (생
       각에 잠긴)
복순   (불안한) 선재야. 우리 솔이...지금 어딨어?
선재OFF 돌아간 척...한 거였어?! (깨달은 표정)

씬/19 솔이 집 앞 (N)

선재 집에서 근덕, 나오는데 선재가 솔이 집 건물에서 뛰어내려 온다.

근덕   (놀라) 너 이눔 어제 왜 안 들어왔어! (선재가 휙 지나쳐가자) 선재야!
선재   (그냥 달려가는)
근덕   (선재 쫓아가 붙잡으며) 선재야! 정신없이 어딜 그렇게 가냐고!
선재   ...아부지. 나 솔이 찾으러 가야 돼. 나중에 얘기해요. (달려간다)
근덕   (달려가는 선재 뒷모습 보는데 이상하게 눈을 뗄 수 없는) ....

씬/20 주택가 폐건물 인근, 차 안 + 담포리 버스정류장 (교차) (N)

김형사, 최형사. 골목 일각에 주차된 차 안에 앉아 폐건물 보고 있다.

최형사 10일이요? 그날이 뭔 날인데요? 날은 그렇다 쳐도, 장소는 또 왜 하필 저 깁니까?

김형사 잔말 말고 그날 여기에 애들 잠복시켜.

최형사 태성이 친구라서 그러세요? 가족들한테도 직접 찾아가시고.

김형사 것도 그런데...이상하게 마음이 쓰이네. (표정) 꼭 오래 봐온 애 같어.

최형사 (김형사 보며 갸웃하다 전화받는) 어. 막내야. (놀란) 뭐?? 알았어. (끊고)

김형사 무슨 일인데?

최형사 김영수 그 새끼. 서울 떴나 본데요? 부산에서 그놈 봤다는 제보 전화가 여러 건 들어와서 부산청에서 인근 씨씨티브이 확인해봤는데...그놈 맞 는 것 같대요.

김형사 부산?! (갑자기 울리는 전화 벨소리. 받아보면 솔이다) 여보세요? 그래 솔아.

솔 형사님...죄송한데요. 지금 저한테 좀 와주실 수 있어요?

김형사 뭐라고? 너 어딘데?

솔 형사님밖에 없어요. 제가 매달릴 사람이. 형사님. 저 좀 구해주세요. (간 절한)

김형사 !!! (표정)

폐건물 앞, 김형사 차 떠나면 교차되어 지나쳐 달려오는 선재.

씬/21 폐건물 안 (N)

선재, 뛰어올라 오는데 아무도 없다. 불안한 표정이다. 핸드폰 꺼내 솔 에게 전화 거는데 안 받는다. 한숨 쉬며 핸드폰 액정화면에 날짜 보는데 **'5월 7일, 0시 30분'**

선재OFF　왜 속인 거지? 아직 며칠 남았는데 무슨 생각인 거야. 혹시...미래가 바뀐
　　　　　　건가? (하는데 핸드폰 벨소리에 혹시 솔인가 싶어 급히 보는데 인혁이
　　　　　　다. 받는) 여보세..

인혁(F)　(O. L) 야야. 임솔 기차 아예 안 탄 거 같은데?

선재　　(!!) 뭐?

인혁(F)　아빠가 전화 왔어! 배 타러 나가는데 임솔 본 것 같다고. 같이 안 올라갔
　　　　　　냐고.

〈선재 회상 인서트〉
*10화 58씬. 솔이 "너 왜 안 갔어..! 갔어야지! 안 가고 여깄으면 어떡
해...!" 울며 밀어내던.
*9화 55씬. 솔이 취해서 "그냥 나 좀 모른 척해. 무슨 일이 생기든 제발..."

#다시 현실

선재OFF　혼자 거기 남으려고 그런 거였어. (쿵! 미친 듯이 달려가는)

씬/22 담포리 바닷가 (N)

사람 많은 바닷가 일각, 바다 바라보며 앉아 있는 솔. 목걸이 펜던트 만지
며 회상.

〈솔 회상 인서트〉 *14씬

선재　　내가 더 고마워. 태어나줘서. 긴 시간을 거슬러 내 앞에 달려와줘서. 그래
　　　　　　서 널 붙잡을 수 있게 해줘서 고마워.

#다시 현실
솔, 울컥 울음 터지려 하는데 꾹꾹 눌러 참는 모습에서...

씬/23 담포리 선착장 인근 노포 앞 (해 질 녘)

솔, 긴장한 표정으로 걸어와 멈춰 서서 노포 안에 걸린 시계 본다. 새벽 2시다. 장면 떠올리는.

〈솔 회상 인서트〉 *12화 34씬 인서트 장면 풀어서 보여지는.
#1. 노포 앞 (N)
선재, 솔이 손잡고 노포 앞으로 걸어온다.

선재 날이 좋아야 일출 잘 보일 텐데... (갑자기 멈춰 서는) 맞다 핸드폰.
솔   여기 있을게 얼른 갔다 와.

선재, 솔이 옆에 불 켜진 노포 한 번 보곤, 왔던 방향으로 뛰어간다.
솔, 선재 기다리는데... 잠시 후, 가게 문 닫히는 소리에 돌아보면. 노포 안에 걸린 시계, 새벽 5시.
노포 주인이 가게 불을 끄며 안쪽으로 들어가면. 해가 뜨기 전이라 주위가 아직 깜깜하다. 살짝 무서워진 솔이 일어나서 선재가 달려간 방향으로 걷기 시작하는 모습.

#2. 담포리 마을길 (N)
마을길 따라 걸어가는 솔. 그러다 벽화가 그려진 담벼락, 또는 우체통이나 특이한 대문 등 특징 있는 곳을 지나는데. (E) 타다다닥. 누군가 다가오는 발소리. 순간, 누군가 솔의 입을 틀어막는 데서.

#다시 현실
솔, "5시...", 비장한 표정.
솔, 마음 다잡고 노포 앞 야외 빈자리에 앉는다. 다른 자리에 마을 사람 두세 명 회와 함께 소주 마시고 있고. 나이 지긋한 노포 주인이 솔이 자리에 물병과 메뉴판 주며 "혼자 왔수?" 묻는데.

솔	네...아무거나, 알아서 주세요... (하곤 긴장한 듯 주위 살핀다)

노포 주인 들어가면, 솔, 핸드폰 꺼내 전원 켜본다. 전원 켜지자 선재, 복순에게서 온 부재중 전화들 찍혀 있다. 복순이 보낸 문자 확인하는데. **'전화 좀 받아! 집 앞에서 선재 만났어. 선재랑 같이 있다더니 너 어디야?'**

솔OFF	미안해 엄마...조금만 기다려.

씬/24 담포리 바닷가 외경 (N) *시간 경과

씬/25 담포리 선착장 인근 노포 앞 (N)

노포 안에도 손님 다 빠지고, 노포 주인 솔이 옆자리 테이블 정리하고 있는. 솔이 테이블엔 따지도 않은 소주 한 병과 손도 안 댄 음식 그대로 놓여 있고. 솔, 긴장한 표정으로 주위 보며 앉아 있는데. 일각에서 누군가 솔을 지켜보는 듯한 시선 컷.

솔	(노포 안 시계 보면 4시 좀 지나 있다) 김형사님은 언제 오시는 거야..5시 전엔 오셔야 되는데? (하는데 핸드폰 벨소리에 깜짝 놀라서 보면 김형사다. 급히 받는) 여보세요? 김형사님!
김형사(F)	지금 도착했다.
솔	!!! (주위 둘러보는데 멀리 일각에 세워진 김형사 차 보이고)

씬/26 김형사 차 안 (N)

선착장 인근에 라이트 끄고 세워 놓은 차 안. 김형사, 최형사 앉아 있고. 김형사, 통화하며 앞 유리창 밖으로 멀리 슈퍼 앞에 앉아 있는 솔을 보고 있다.

김형사 우린 여기서 지켜보마.

솔(F) 네..와주셔서 감사해요.

김형사 그래. (끊으면)

최형사 정말 김영수가 오늘 여기 올 거라고 생각하세요? 부산 바닥을 뒤져야죠.

김형사 전국에 수배 때려져서 얼굴 다 팔린 상황에 사람 많은 서울역 부산역에 떡하니 나타나서 씨씨티브이에 찍힌다고?

최형사 그럼 이 새끼가 경찰들 이리저리 뺑이치려고 일부러 그랬다구요? 왜요?

김형사 두고 보면 알겠지. (하며 지켜보는)

씬/27 택시 안 + 담포리 마을 입구 (N)

택시에 탄 선재. 초조한 표정. 창밖으로 바닷가, 담포리 마을 보인다.
택시 멈추면, 택시에서 내린 선재, 달려간다.

씬/28 담포리 선착장 인근 노포 앞 (N)

노포 주인 계산한 듯, 솔에게 돈 받고 가게 안으로 들어가면 솔, 핸드폰 시간 확인한다. 새벽 5시다!! 돌아보면 가게 안 시계도 5시 가리키고 있고, 마침 노포 주인이 가게 불을 끄며 안쪽으로 들어간다. 미리 본 미래 장면과 똑같다!

솔OFF 지금이야...!

솔, 결심한 듯 자리에서 일어난다. 인서트 장면과 같은 방향으로 걸어가기 시작하는데, 일각에 서 있던 김형사 차가 천천히 솔을 따라가면, 한편, 엇갈려서 달려오는 선재. "솔아!!" 소리치며 주위 둘러본다.
인적 없는 선착장. 솔이 모습 안 보이고, 선재, 불안한 표정이다. 핸드폰 꺼내서 112에 전화하며 일각으로 달려가는 선재 모습.

씬/29 담포리 마을길 + 좁은 샛길 (N)

솔, 인적 없는 마을길을 걸어가고 있다.

#샛길

솔이 걷고 있는 길 옆으로 이어진 좁은 샛길에서, 누군가 지나가는 솔을 지켜보는 시선 컷... 가로등 하나 없는 어둠 속에 서 있는 사람... 영수다!

#마을길

다시 솔이 쪽. 걷고 있던 솔, 뒤에서 느껴지는 인기척에 흠칫 놀라 돌아보면 아무도 없다. 김형사 차도 보이지 않아 불안해지는데. 떨리는 맘 꾹 누르고 다시 걷기 시작하는 솔. 영수와 맞닥뜨릴 그 장소에 도착하자 멈춰 선다. 잔뜩 긴장한 표정. 눈 감고 숫자를 세기 시작하는.

솔OFF   여기야..! (긴장한 표정. 눈 감고 숫자 세기 시작한다) 하나...둘...셋...넷... 다섯...

E   타다다닥. 누군가 다가오는 발소리 들리자

솔   (눈 번쩍 뜨며 OFF) 김영수...! (때가 왔다 싶은)

그때, 누군가 어깨를 탁 잡는 순간, "김형사님!!!" 크게 소리치며 돌아보 는데...!

씬/30 담포리 마을길 입구 + 김형사 차 (N)

김형사 차 앞을 순찰차가 막고 있고, 순경2 운전석 쪽에 서 있다.

순경2   (수상하게 보며) 잠깐 신분증 좀 확인하겠습니다.. (하는데)

솔(E)	김형사님!!! (소리치는)
김형사	(그 소리에 놀라 다급히) 수사 중이라고! 차 빼요 빨리!

씬/31 담포리 마을길 + 좁은 샛길 (교차) (N)

#마을길

솔, 보면, 눈앞에 서 있는 사람... 순경이다! "괜찮으세요?" 묻는 순경.
솔, 왜 순경이 서 있는 건지, 혼란스러운 표정.

#샛길

한편, 영수. 에이씨... 낮게 욕하며 휙 돌아 도망치듯 달려간다.

#마을길

순경1	신고 받고 출동했습니다. 혹시 무슨 일 있으신가요?
솔	신고...요? 무슨... (혼란스러운데)
E	순찰차 사이렌 소리

솔, 돌아보면, 김형사 차가 급히 멈춰 서자 뒤쫓아 오던 순찰차도 멈춰 선다. 김형사, 최형사 차에서 내려 솔이 쪽으로 다급히 달려온다.

김형사	솔아, 괜찮니?
최형사	(순경에게) 무슨 일입니까?
순경1	하얀 옷(*솔이 의상에 맞춰 대사 수정) 입은 여학생이 위험하다고 보호해달라는 신고가 들어왔어요. 신고자가 아는 사람 같던데.
솔	네...? (철렁) !

씬/32 담포리 마을길 2 (N)

영수, 다른 골목길로 뛰어나오는데 누군가와 어깨를 부딪친다. 보면... 선재다! 영수, 모자 푹 눌러쓰고 지나가려는데. 순간 선재가 영수 알아본다. "김영수?!!" 영수, 갑자기 속도 높여 도망치기 시작하자, 선재, 영수 쫓아 달리기 시작하고.

씬/33 담포리 마을길 (N)

마을 주민들, 순찰차 소리에 대문 밖으로 나와 무슨 일인지 수군대고.

김형사	수배자 목격 신고가 아니었어요? (하는데)
솔	설마... (선재가 신고한 듯한) 선재야...아, 안 돼...! (달려가기 시작하고)
순경1	무슨 수배자요?
김형사	혹시 신고자가 다른 말은... (물으려는데 뛰어가는 솔이 보는) 솔아!! (쫓아 달려가고)
최형사	반장님!! (쫓아가는)

씬/34 담포리 마을길 + 숲길 앞 몽타주 (동틀 무렵 새벽)

솔, 마을길을 달려 숲길로 들어간다. 절벽으로 향하는 숲길을 달리는 솔이 모습.

솔OFF	아니지? 아니잖아...제발...이번엔 아니잖아...! (정신없이 달려가는)

씬/35 절벽 (동틀 무렵 새벽)

절벽 쪽으로 헉헉대며 달려가는 솔. 순간 무얼 봤는지 쿵...! 충격받아 표정이 일그러지며 뛰어가는 솔이 모습 slow. 다리에 힘이 풀려 넘어졌다가 곧바로 다시 일어나 달려가는데 이내 뚝 멈춰 선다.

솔이 시선 쫓아가 보면, 절벽 끝에서 영수를 붙잡고 있는 선재 모습 보인다. 뚝.. 뚝.. 발치에 떨어지는 핏방울. 그 핏방울을 보다 천천히 고개를 드는 선재. 솔과 눈이 마주친다.

선재(E) 아무리 바꾸려 해도 바뀌지 않는 운명이 있다면, 그건 선택이 바뀌지 않은 거야.

창백한 선재 시선에 충격받아 멈춰 선 솔이 모습 보이고. 선재, 그 뒤로 달려오는 김형사도 보이자 안심한 듯 영수를 붙든 손을 놓는다.

솔 (덜덜 떨리는 목소리로) 아, 안 돼... (하며 다시 달려가려는데)

순간, 선재 복부에 붉게 피가 번지고. 피 묻은 흉기를 든 영수 서늘한 표정으로 서 있다. (*너무 잔인해 보이지 않게 간접적으로 표현)

선재(E) 결과가 어떻게 될지...알면서도 하는 선택도 있잖아. 어쩔 수 없이. 좋아해서.

선재, 그대로 휘청... 중심을 잃고 쓰러지며 절벽 아래로 떨어지면.

선재(E) 사랑해 솔아.

솔, "선재야!!!" 울며 소리치며 달려가는 모습 slow...
김형사, 최형사 총을 꺼내 들고 영수를 제압해 체포하는 모습 교차되어 보여지고. 절벽 끝에 다다른 솔, 내려다보면 선재가 파도치는 바닷속으로 풍덩... 빠진다.

씬/36 바닷속 + 절벽 (교차) (동틀 무렵 새벽)

가라앉고 있는 선재. 짙은 바닷물에 핏물이 검게 번지고...

한편, 솔. 절벽 끝에서 가슴 붙잡고 오열하고...
선재, 차가운 바다 아래로 가라앉으며 스르르 눈을 감는 모습에서 화이트아웃.

씬/37 인혁 고향집 손님방 (D) *12화 44씬 이후 다음 날 아침

눈 감고 있는 선재 얼굴로 연결.
꼭 안고 잠들어 있는 솔, 선재. 창으로 들어오는 햇살에 솔이 먼저 눈을 뜬다.

솔   선재야...아침인가 봐.

선재   (눈 감고 있는) ...

솔   (나긋나긋 속삭이는) 일어나야 하지 않을까? 응? 일어나아. 날이 환하게 밝았다구. (하며 살짝 선재 볼을 콕 찌르는데)

선재   (눈 감은 채, 솔을 품에 끌어안으며) 눈 감아봐. 눈 감으면 깜깜해.

솔   깼어?

선재   아니. 안 깼어. 내 세상은 아직 밤이야.

솔   (피식...) 뭐야 그게...

선재   내일이 오지 않았으면 좋겠다며. 눈 뜨기 전까진 내일이 오지 않을 거야.

솔   (그런 선재 보다가 눈 감으며) 진짜 계속 눈 감고 있어볼까? 그럼 어떻게 돼?

선재   이 순간이 영원하겠지.

솔   (애틋한 마음인데) ......늦잠 자고 싶어서 수 쓰는 거네.

선재   (눈 감은 채, 낮게 웃으며) 어떻게 알았지?

솔   (미소) 그럼 조금만 더 이러고 있자.

선재   그러자.

눈 꼭 감고, 애틋하게 안고 있는 두 사람 모습에서 블랙아웃.

솔NA   선재야. 너의 세상은 아직도...밤이니?

씬/38 현재, 솔이네 아파트 솔이 방 (D)

방 안 어딘가에서 울리는 시끄러운 알람 소리. 침대에 널브러져 자고 있던 솔이 뒤척인다. 이불을 뒤집어쓰고 무시하려던 솔은 계속 울리는 알람 소리에 눈살을 찌푸리며 부스스 일어나 협탁에 손을 뻗는데 핸드폰 안 잡힌다. 그때, 방문이 벌컥 열리며 양쪽에 손목 보호대 찬 금이 뛰어들어 온다.

금　(허둥지둥 방 안 살피며) 어딨어! 어딨냐고오! (솔이 책상에 자료들 들춰보고 솔이 베개 들춰보고 하다가 알람 계속 울리자) 아악! (머리 쥐어뜯다가 침대 밑에서 핸드폰 찾아 들어 알람을 확 끄고 침대에 던지는)

솔　뭐야...

금　(이 악물고 속삭이는) 야! 알람 진동으로 하라고 했지! 애기 깬다아... (하는 순간)

E　응애~~~ 애기 울음소리

금　깼잖아! 깼잖아아!!! 못 산다 진짜! (후다닥 정신없이 뛰어나가는)

솔　(익숙하다는 고개 저으며) 으휴. 이놈의 집구석. 독립을 하든가 해야지. (일어나 앉는데 다시 알람 요란하게 울리자 헉!)

E　응애응애~ 애기 울음소리 더 커지고.

금(E)　야 임솔!!!

솔, 급히 핸드폰 주워 들어 알람 종료 버튼을 꾹꾹 눌러 끄고 휴. 숨 내쉬는데. 핸드폰 액정화면에 찍힌 날짜 본다. **'2023년 12월 *일'**

솔NA　내가 살던 시간으로 돌아와 몇 번의 계절이 지나고...다시 겨울이 되었다.

씬/39 솔이네 아파트 거실 (D)

솔, 머리 부스스 산발로 방에서 나오면. 거실에 보행기, 장난감 등 아기 용품들로 채워져 있는. 금, 범보 의자에 앉아 있는 재아(*돌 정도) 이유식 먹이고 있다.

금   오구 우리 재아 잘 먹네. 오구오구.

솔, 주방 쪽으로 가는데. 보면, 식탁에 보아랑 말자 나란히 앉아 있고, 그 앞에 똑같은 플라스틱 식판 놓인. 복순이 말자랑 보아 밥 먹이고 있다.

복순   아유 소세지만 먹지 말구 멸치도 먹어봐. (말자, 보아 입에 차례로 멸치 넣어주면)
솔   (유유히 지나쳐 물 따라 마시는)
보아,말자   (동시에 식판에 퉤 멸치 뱉는)
복순   옴마? 뭐 하는 거야아!
보아   할미 나 끄만 먹을래여!
말자   (보아 말 따라 하는) 언니 나두 끄만 먹을래여!
복순   얼마나 먹었다구! (분주하게 숟가락으로 밥 떠서) 한 입씩만 더 먹자 응? (달래면)
현주   (머리에 헤어롤 말고, 출근룩 입고 다급히 나오며) 늦었다! 늦었어! 보아야 가자!
솔   (자연스레 의자에 놓인 어린이집 가방 챙겨주며) 여기!
보아   가기 시러~~
현주   엄마도 회사 가기 싫그든? (어린이집 가방 메고 보아 손잡고 뛰어가면)
금   (재아 안고 배웅하는) 운전 조심해! 엄마 빠빠~~
현주   (재아 볼에 뽀뽀 쪽) 아빠랑 잘 놀구 이쪄 울 애기! (보아 신발 챙겨 들고 후다닥 뛰어나가는) 다녀올게요! 솔아! 나 먼저 간다~~~
솔   어. 이따 봐.
말자   (자연스레 따라 나가려 하며) 나두 언니야 따라갈래~
복순   (말자 붙잡아 말리며) 아우 어딜 따라가아!

말자, 계속 따라간다 떼쓰고. 그런 말자 말리는 복순. 그때 재아 울기 시작하자 금이 달래고. 난리난리 정신없는 아침 풍경... 솔, 혼이 나간 표정으로 서 있다.

씬/40 몽타주 (D)

#1. 솔이네 아파트 욕실 (D)
머리 감은 듯 수건으로 머리 감싼 솔. 영혼 없이 양치질하며 거울 본다.

#2. 솔이네 아파트 솔이 방 (D)
옷 갈아입은 솔. 가방에 시나리오, 기획서 등 자료들 챙겨 넣는 모습.

#3. 솔이네 아파트 입구 (D)
총총 뛰어나온 솔(*목도리), 지상에 주차된 차에 올라탄다.

솔NA 많은 것을 바꾼 대가로, 소중한 걸 잃었지만...

#4. 솔이 차 안 + 거리 일각 (D)
솔, 신호 대기 중인데. 맞은편 건물 큰 전광판에 '백인혁 단독 팬미팅' 홍보 광고 뜬다. 솔, 물끄러미 광고 보느라 신호가 파란불로 바뀐 줄도 모르는데. 뒤에서 빵! 하는 클랙슨 소리에 놀란 솔, 뒤늦게 출발하는 모습.

솔NA 마치 아무 일도 없었던 것처럼...그렇게 현재를 살아내고 있다.

씬/41 본시네마 외경 (D)

씬/42 본시네마 사무실 (D)

출근한 솔, 자리에 앉아 있는데. 정훈이 아이스커피 두 잔 들고 다가온다.

정훈	자. 커피 수혈해.
솔	잘 마실게요~ (커피 받으려는데 가로채는 손, 돌아보면 현주다) 왔어?
현주	(지친 듯 솔 옆자리에 털썩 앉아 커피 벌컥벌컥 커피 마시며) 아...살겠다.
솔	먼저 나가더니 왜 이제 와?
현주	보아 얼집 샘한테 붙잡혀서 상담하고 왔잖아. 동생 생긴 뒤로 고집이 늘었대서 걱정이야... (대표실 쪽 눈치보며) 근데 대표님 나 늦은 거 모르시지?
정훈	미팅 갔다 온다고 둘러대났다.
현주	하...센스 대박. 땡큐요~
정훈	(솔에게) 넌 어제 대표님한테 기획서 제대로 까였다며. 뭐라면서 까디?
솔	선배가 탄 커피 같다던데요?
현주	(커피 홀짝 마시며) 별로래?
솔	어. 니 맛도 내 맛도 없다고.
정훈	뭐? (삐죽이며 커피 한 모금 맛보곤 혼잣말) 물을 너무 많이 탔나?
솔	(턱 괴고 기획서 '기억을 걷는 시간(가제)' 휘리릭 넘기며 한숨) 장르물인지 로맨슨지 이도 저도 아니래요. 스케일도 작아서 상업영화로는 애매~~하다고. 톱배우 붙지 않으면 누가 비싼 돈 주고 극장에서 보겠냐면서요. 다 맞는 말씀이지 뭐.
현주	맞는 말씀은 무슨! 라떼랑 카푸치노도 구분 못 하면서 커피 맛 운운하긴. 솔직히 대표님 안목 꽝이야. 히어로! 그딴 시나리오 제작하는 것 봐. 감 떨어진 지 오래다?
솔	(입 다물라는 듯 고개 절레절레)
현주	뭔 인어랑 외계인이랑 좀비 때려 뿌시다가 우주로 가는 별 그지 같은 영화... (말하는데 고개 돌리면 옆에 이대표 서 있자 급돌변) 가! 개봉하면 천만은 그냥 찍지 않겠니? 아하하하. 제가 우리 대표님 이런 도전 정신! 진짜 존경하는 거 아시져?
이대표	(정색하고 보는데)
현주	(자리 피하려) 회의 준비해야겠다. 하하하. (분주하게 일어나 도망가면)
이대표	임피디. 내 방으로 좀 와.

씬/43 본시네마 대표실 (D)

이대표, 자리에 앉으면. 솔이 따라 들어온다.

이대표 빨리 촬영장에 좀 가봐.

솔 네? 또 일 터졌어요?

이대표 우리 박도준 배우님이 키스신을 빼달라네?

솔 아니, 멜로 영화에 키스신을 빼달라니 그게 무슨...

이대표 (O. L) 그러니까 가서 설득하라는 거지. 감독은 열받아서 배우 교체하라 난리고, 우리는 빡!도준 배우님이 없음 투자 무산돼서 판 엎어야 되는데 그럴 순 없잖아?

솔 대체 소속사는 뭐 하고 매번 제가 가서 설득을 해요~

이대표 소속사는 배우님의 의사를 굉장히 존중한다더라. 대표 조카래.

솔 하... (한숨 푹 쉬며 고개 떨구는)

씬/44 야외 촬영장 일각 1 (D)

솔, 작은 낚시 의자 들고 차에서 내려 주위 둘러보면.
촬영차 서 있고, 촬영 중단된 듯 곳곳에서 스태프들 쉬고 있는 모습 보인다. 솔, 두리번거리며 촬영장 안쪽으로 걸어가는.

씬/45 야외 촬영장 일각 2 (D)

솔, 걸어가는데 일각에 있는 도준 발견하는.
보면, 도준, 왕처럼 의자에 앉아서 텀블러에 담긴 위스키 마시고 있고. 옆에서 도준 스태프 세 명이 수발들고 있다. 한 명은 큰 우산으로 햇빛 가리고, 한 명은 벌서듯 난로 들고 서 있고, 다른 한 명은 도준 두피 마사지해주고 있는.

솔	아주 주상전하가 따로 없구만... (구시렁대다가 가짜 미소 장착하며 다가가는) 어머~ 도준 씨 고새 더 멋있어졌어요! 빛이 난다 빛이 나~ 왜 이렇게 눈이 부신가 했네?
도준	(살짝 취한 목소리) 어? 피디 누나 또 왔네요?
솔	우리 도준 씨 보고 싶어서 왔죠오. (하며 자연스레 들고 온 낚시 의자 펼쳐 도준 옆에 앉는데 술 냄새나서 코 막으며) 헉. 술 냄새...술 마셨어요? 혹시 이거 술??
도준	(텀블러 빙빙 돌리며 씩 웃는) 피디 누나 위스키 좋아해요?
솔	아니 촬영 중에 술을 마시면 어떡해요!
도준	어? 우리 피디 누나 이름도 술이었던가? 임..술...
솔	(O. L) 술 아니고 솔이고요. (화 참으며) 키스씬 안 찍는다고 했다면서요? 왜요오~
도준	아아아~ (도리도리) 나 키스씬 안 빼주면 촬령 안 해. 못 해.
솔	도준 씨. 우리 영화 제목이 뭐예요? (일각에 촬영 협조문, 또는 일각에 놓인 대본에 영화 제목 '키스할래요' 가리키며) 키.스.할.래.요!잖아요. 어떻게 키스신을 빼?!
도준	키스할.래.요.지. 키스했.어.요. 아니쟈나~
솔	멜로 영화에 키스씬이 없으면 어떡해요~ 크림빵이라고 해서 샀는데 크림이 없어봐. 얼마나 황당해?
도준	붕어빵에 붕어 들어가요? 곰국에 곰 들어가나?
솔	그 곰은 곰이 아니.. (라 욱하려다 꾹 참고 웃으며) 이 내용상 키스씬이 주인공들 감정선에 얼마나 중요한지 봐서 알잖아요. 콘티 봤는데 장난 아니더만! 한국 영화 역사상 아주 길이 남을 키스신 명장면이 될 것 같던데. 이걸 안 하겠다고?
도준	오...음... (혹하는 듯 끄덕이며 진지하게 듣는)
솔	찍을 거죠? 에이. 찍을 거면서~ 술 깰 시간 줄 테니까 얼른 양치부터 하고 와서...
도준	(정색. O. L) 안 찍을래요.
솔	왜요, 왜! 도대체 왜 안 찍겠다는 건데요? 이유라도 한번 들어봅시다.
도준	아~ 비밀인데. 피디 누나한테만 말해줄게요. (손 까딱까딱)
솔	(살짝 다가가 귀 기울이면)

도준	여자친구가 찍지 말래요.
솔	!! (어이없어 입 떡 벌어지는) 와....!
도준	질투가 많아~
솔	(뒷목 잡으며 욱하는) 무슨 이런 경우가! 여친이 죽으라면 죽을 거예요?
도준	시늉은 해야죠. 나 연기 잘하잖아.
솔	아니 연기를 촬영장에서 해야지 왜 여친 앞에서 하냐고요!
도준	암튼 키스씬 빼기 전까진 촬령 안 나올 거야아. 알았죠? (휙 일어나 걸어가면)
솔	잠깐! 도준 씨? 도준 씨!!! (황당해하며 쫓아가는)

씬/46 야외 촬영장 일각 1 + 솔이 차 안 (D)

솔, 뛰어나와 도준 붙잡는다.

솔	촬영 취소된 것도 아닌데 이런 식으로 막 나가면 어떡해요~~
도준	(귀 막고) 아 몰라몰라 안 들려~~
솔	감독님이 배우 교체 얘기까지 하셨다는데 이렇게 행동하면...
도준	(O. L) 이 영화, 내가 출연하는 조건으로 투자받은 거 다 아는데? (피식하며 옆에 세워진 외제차 운전석에 자연스레 올라타는데 조수석에 여자친구 타 있다)
솔	소름 끼치게 싸가지 없어... (하며 보다가 헉! 놀라 도준이 운전석 문 닫기 전 확 붙잡으며) 술 마셨잖아요! 미쳤어요? (도준이 솔이 확 뿌리치고 운전석 문 쾅 닫자 유리창 문 두드리며) 내려요! 내리라고! (하는데 차 시동 걸리자) 빡도준 이 정신 나간 쉐키가!! (급히 뒤에 세워둔 자기 차 쪽으로 달려가 올라타는)

솔, 급히 시동 걸고 출발해 막 움직이려는 도준 차 쫓아가 앞을 가로막는 순간, 도준 차, 솔이 차를 쿵 들이받으며 멈춰 선다. (*접촉 사고 정도)

| 도준 | (창문 내리며) 뭐야, 미쳤어?? |

도준여친	(조수석에서 소리치는) 저 여자 뭐야!
솔	(뒷목 잡고 내려 씩씩대며 다가가) 미친 건 너지! (운전석 문 열어 도준 귀 잡고 끌어내리며) 내려 인마!
도준	아아! 아파!
솔	아주 왕처럼 떠받들어주니까 막 나가네? 어디 술 먹고 운전대를 잡아! 여친까지 태우고! 이거 살인 미수야! 죽으려면 혼자 죽지 엄한 사람 치어 죽이려고! (버럭)

씬/47 경찰서 + 본시네마 대표실 (N)

〈CCTV 인서트〉

앞 씬 뒤의 상황이 고스란히 찍힌 CCTV 영상에서 빠지면...
솔과 도준 소속사 대표, 경찰 앞에 앉아서 모니터로 CCTV 영상 보고 있는.

태성(E) 완전 깡패네?!

일동 돌아보면, 경찰서 철장 안에서 껄렁해 보이는 태성이 철장에 딱 붙어 서 있다. 솔, 철장 안 태성 보고 헉!!! 놀란 표정. 솔이랑 눈 마주치자 태성, 씩 웃는다.

솔	너어! 너!!
태성	재밌는데 한 번만 더 돌려보면 안 되나~?
경찰	조용히 해! (빽 소리치곤 다시 고개 돌리는)
태성	아~ 아쉽네. (괜히 기지개 쭉 펴며 다시 철장 바닥에 드러눕는)
솔	(황당한 표정)
경찰	그니까, 배우가 촬영장을 이탈하려고 하자 못 가게 막으려고 한 거다, 이 거죠?
도준대표	네. 저흰 사과받기 전까진 합의 못 합니다.
솔	(고개 확 돌리며) 사, 사과?? 뭐가 이렇게 당당하고 뻔뻔하세요? (경찰에 게) 어떻게 된 거냐면요. 저 때 상황이... (억울해하며 설명하려는데 이대

표에게 전화 온다)

도준대표　전화부터 받으시죠.

솔　(받으며) 네 대표님...

이대표(F)　(O. L) 내가 설득하고 오랬지 싸우고 경찰서 끌려가랬어?!

솔　그게 아니라요...

이대표　(O. L) 무조건 사과해! 일 크게 키우지 말고 끝내. 알았어?

솔　네? 아니 박도준 이놈이 글쎄...!

이대표　(O. L) 여자랑 있었다며! 배우 스캔들까지 까발리려고 그래? 제작 무산
되는 꼴 보고 싶어? 사과하고 조용히 묻어! (하며 확 끊는)

솔　대표님! 하... (속 터져 한숨)

도준대표　뭐라시는데요?

솔　...... (욱하려다 꾹 참고 고개 숙이는) 죄송합니다. 사과할게요.

도준대표　저한테 사과해서 뭐 해요. 상처받은 건 우리 아티스튼데.

솔　네??

(컷 튀면)
솔, 일각에서 씩씩대며 반성문 쓰고 있다.

솔　(신세 한탄) 내 30대는 경찰서 들락거리면서 반성문이나 쓸 팔잔가 보
다. 하...

태성(E)　어이 거기 예쁜 누나~

솔　(획 돌아보면 철장 안에 서서 솔이 보며 씩 웃고 있는 태성 보인다)

태성　어? 낯이 익은데? 경찰서 자주 오시나 봐요?

솔　(이 악 물고) 조용히 좀 해주시죠. 집중이 잘 안 되네요? (다시 반성문 쓰
는데)

태성　반성문 잘 쓰는 팁 알려줄까요? 내가 그쪽으론 전문간데.

솔　후... (획 째려보며) 근데 넌 왜 철장에 들어가 있냐. 경찰?

태성　철장 안 온도랑 습도가 나랑 딱~ 맞아. 이상하게 철장 안이 숙직실보다
편하더라?

솔　니 누울 자리가 원래 거기였나 보네.

태성　대충 빨리 써~ 꿀꿀해 보이는데 오빠가 술 사줄게.

솔　　　(구시렁) 오빠는 무슨...됐거든?!

씬/48 술집 (N)

하얀 두부 김치 안주 접시에서 빠지면... 솔, 태성 술집에 마주 앉아 있다.

태성　　(두부 접시 밀어주며) 깡패 누님~ 이거 좀 드세요~
솔　　　야...내가 죄지은 것도 아닌데 왜 두부 먹고 새사람이 되래?
태성　　(편하게 오랜 친구처럼) 새사람 좀 돼라. 가만 보면 너 옛날부터 겁도 없이 되게 나대~ 양아치들 담배 뺏으면서 훈계할 때부터 알아봤다 내가.
솔　　　(두부 태성 쪽으로 확 밀며) 니나 잘하세요. (하며 소주병 까는)
태성　　그래서 경찰서엔 왜 잡혀 온 거냐고~

(컷 튀면)

태성　　음주운전이었다고? 야, 그럼 아까 말을 하지! 측정기 대면 바로 나왔을 텐데!
솔　　　그럴라고 했지. 했는데! 우리 대표님이 나보고 사과하고 묻으라잖아. (소주 들이켜며) 하...내가 이런 일이나 하려고 영화사에 들어온 건 아닌데 말이지이. 쓰다 써.
태성　　(가만 보다가) 이 내가 블랙박스 씨씨티브이 싹 다 뒤져줘? 그 자식 술 먹는 거, 여자 태우고 운전대 잡은 거 탈탈 털어서 확 잡아넣어줄까? 말만 해.
솔　　　그랬다간 나 짤려. 말이라도 고맙다~
태성　　(소주병 뺏어 들고 따라주며) 빈말 아니고 진심인데.
솔　　　됐거든? 그랬다간 박도준 연예인 생활 끝인데, 영화 제작 무산되면 회사 입장에선 누구 탓? 성질 못 죽인 내 탓.
태성　　(안타까운 듯 보다가, 괜히) 하긴. 성질 어디 가겠어? 자. 두부나 더 먹고 온순한 사람으로 다시 태어나봐. 순두부를 시켜줄까?
솔　　　됐어... (피식... 씁쓸하게 웃으며 술 마시면)

태성	근데 그 조수석에 있던 여자. 모델 채니였다며.
솔	어. 그건 왜.
태성	예뻐? 예쁘지.
솔	... (정색)
태성	아~ 왜 나 같은 남잘 두고 박도준 같은 놈을 만나지? (벽에 인혁이가 모델인 맥주 광고 포스터 보며) 우리 인혁이한테 소개 좀 시켜달라 할 걸 그랬나?
솔	소개해주면 뭐 만나준대? 으휴...지가 아직도 인터넷 얼짱 스탄 줄 아네.
태성	아직까진 괜찮지 않나? (턱 받치고 씩 웃으면)
솔	너너 그 눈웃음 이제 어디 가서 안 통한다?
태성	아~ 아쉽네. (하며 술 마시면)
솔	(다시 시선 벽으로 돌리고. 인혁 광고 보며 생각에 잠긴다 OFF) 저거 선재가 하던 광곤데... (울적해져 술 마시는)
태성	천천히 마셔. 또 취해서 뻗을라고. 오늘도 뻗으면 너 버리고 간다~
솔	(한숨) 야. 이 정도로 뭘 취해. 오늘 같은 날은 취하고 싶어도 취하지도 않어...
솔(E)	세상아 나한테 왜 그르냐아아~~~~

씬/49 한강 다리 위 (N)

인사불성인 솔이 얼굴에서 빠지면,
태성, 취한 솔이 업고 다리 걷고 있다. 힘든지 씩씩대는.

솔	내가 멀 잘모됐다고오~~~ (태성 머리채 잡고 흔들면)
태성	아! 놔아!! 얌전히 좀 가자아. 응?
솔	흐엉....빡도준 이 시키...가만 안 도... (눈 감고 잠드는 듯)
태성	하...술은 왜 마시자 해가지고. 어흐. 택시도 안 잡히고 일진 사납네... (번쩍 다시 고쳐 업고 씩씩대며 걷는데 솔이 목도리가 풀려 길게 늘어진다) 목도리 풀어졌잖아~ (하는데 반응 없자) 자? 하...그래. 차라리 자라. 자.

멈춰 선 태성, 솔을 조심스레 내려 앉힌다. 솔, 인도 턱에 걸터앉아 고개 폭 숙이고 있는데. 태성, "으휴..."하며 풀어진 목도리를 다정하게 다시 감아준다. 그러다 솔이 보며 피식.. 웃는데. 그때, 눈발 흩날리기 시작한다.

태성   어? 눈 오네... (잠시 하늘로 시선 돌리면)

솔이 손등에 떨어지는 눈송이. 찬 감촉에 스르르 눈을 뜬다. 고개 들어 하늘 보는 솔. 손바닥을 펼쳐 떨어지는 눈송이를 받아 보는데 순간, 눈앞에 선재 모습이 환영처럼 보였다 사라진다. (*7화 75씬 모습으로 서 있는 선재) 눈에 눈물 차오르고...

태성   (핸드폰 확인하면) 눈까지 와서 택시 잡긴 글렀네. (한숨) 가자... (하며 다시 솔이 업으려 솔이 손목 잡고 돌아 앉으려는데)
솔   흡... (훌쩍이며 우는)
태성   ! (놀라 솔이 보면)
솔   (고개 숙이고 울고 있는)
태성   너 울어?
솔   흑흑... (들썩이는 어깨)
태성   어? 진짜 우네? 다 큰 어른이 길바닥에서 우냐. 뚝!
솔   (안쓰럽게 우는)
태성   (맘 아픈 듯 한숨 쉬며) 그렇게 속상해? 그러니까 내가 박도준 그 자식 잡아 넣어준다니까...그만 울어. 응? (등 토닥이며 달래주는데)
솔   ...선재야...
태성   (멈칫) ...뭐?
솔   (울며) 선재야...보고 싶어...
태성   ...류선재를 갑자기 왜 찾아? (표정)

눈 내리는 다리 위. 안쓰럽게 우는 솔이 모습에서...

씬/50 본시네마 외경 (D)

씬/51 본시네마 복도 + 경찰서 (D)

#본시네마 복도
숙취로 초췌한 솔. 대표한테 보고할 예산안(*서류 파일) 들고 터덜터덜
걸어가며 태성이 보낸 톡 확인하는. **'출근 잘했냐?'**

솔   어떻게 들어갔는지 기억도 안 나네... (솔 답장하며 걷는)

#경찰서
태성, 자리에 앉아 솔에게 온 톡 보며 답장하는.
'어제 업어다줬다며 고마워.'
'고마우면 해장국이라도 사야지? 점심 같이 먹을까?'
'경찰 한가하네~ 다음에 살게. 오늘 사고 친 거 수습해야 돼.'
태성, 솔이 답장 보며 왠지 아쉬운 표정에서.

#본시네마 복도

솔   아 속 쓰려... (대표실 앞에서 한숨 쉬며 노크하는)

씬/52 본시네마 대표실 (D)

솔, 서류 들고 들어가면. 화려한 색감의 원피스 또는 정장 차려입은 이대
표, 앉아 있다.

이대표   (화 참으며) 박도준! 영화 하차시킬 거야.
솔   네에?! (놀란)
이대표   투자 무산으로 영화 엎어지면 박도준 사생활 문제로 이렇게 된 거니까

그쪽에 손해 배상 소송 진행할 거고...

솔　(어리둥절해 O. L) 네? 어제 그냥 묻기로 하고 끝난 거 아니었어...요?

이대표　(욱해서) 난 빡도준 그 새끼가 촬영장에서 음주운전 한 건 몰랐지! 젤 중 요한 걸 왜 말을 안 해!

솔　말하기도 전에 묻으라고 해서...

이대표　어휴! (열불 나는 듯 부채질하며) 암튼. 이건 내가 해결할 거니까 그렇게 알어. 내 직원 내가 챙겼어야 됐는데 괜히 반성문만 쓰게 했네. 미안해.

솔　(마음 풀려서) 아니에요...감사해요.

이대표　아, 그리고 얼마 전에 냈던 기획서. 그거 내일까지 다시 손봐서 가져와봐.

솔　그거 별로라고 하지 않으셨어요?

이대표　(뻔뻔) 내가 언제? 다시 읽어보니까 청춘 멜로 확 살리면 괜찮을 것 같아서.

솔　(!!!) 그, 그럼...

이대표　(O. L) 니가 쓴 시나리오로 영화, 만들어보자고.

솔　(꺅 소리치며) 정말요?! (감격, 흥분) 대표님~~~~ 감사합니다아!

이대표　내가 니 능력 높이 사는 거 알지? 나한테 잘해 이것아.

솔　(눈물 그렁그렁) 암요암요 잘해야죠~~~

이대표　그거 예산안이야? 줘. (받아 드는데 파일 사이에서 빨간 봉투 발견하고) 이건 뭐야... (피식) 니 기획 진행하기로 한 거 미리 들었구나? 고마워서 편지라도 썼나 봐?

솔　...네?? (갸웃)

이대표　자기 전에 읽어볼게~ (클러치백에 봉투 넣고) 뭐 해? 가서 빨리 기획서 수정해야지?

솔　아, 넵! 열심히 해볼게요! 감싸합니다~~ (꾸벅 인사하며 나가는)

씬/53 본시네마 탕비실 (D)

솔, "꺅!" 좋아서 방방 뛰고 난리 치면 현주, 같이 짝짜꿍해주고.

현주　웬일이야~~ 축하해~~

솔　나한테 이런 날도 온다 현주야~ 우리 대표님이 날 이렇게 생각해주시는

	줄도 모르고... 어제 술 먹고 욕을 얼마나 했는지... (하다 뭔가 쎄한 기분)
현주	왜 그래?
솔	빨간 봉투...! (쿵!) 어떡해!

〈솔 회상 인서트〉
#솔이네 아파트 솔이 방 (N)
전날 밤. 취한 솔이 침대에 널브러져 술주정하고 있다.

| 솔 | 뭐? 묻어? 뭘 묻어 묻기는! (머리 산발로 벌떡 앉으며) 그래. 이딴 회사! 때려치우자. 내가 영화하고 싶어서 왔지 이런 취급받으려고 왔냐고!! |

비틀비틀 책상 앞에 앉아 노트북 열고 타이핑하기 시작한다. 이대표에 대한 불만들 쭉 써 내려가는데 눈 부릅뜨고 미친 듯이 타이핑해대는 솔이 표정 교차로 보여진다. (솔이 얼굴에 모니터 화면 오버랩 되어 보여지 거나, 솔이 옆으로 사직서 내용 자막으로 타이핑되는 재밌는 효과)

'알잘딱깔센!!!!

그게 바로 저 임솔이라고 대표님이 전에 그러셨잖아요! 그런 직원이면 저한테 어떻게 그러실 수가 있습니까. 정뚝떨이네요 정말...저 본인! 첨으로 사직서를 씁니다~~ 영화 제작에 지대한 꿈을 품고 입사하게 되었으나 영화 제작은 개뿔 매일 연예인 뒤치다꺼리나 하고 비위 맞춰주는 생활에 현타 와서 회사 그만 다닐랍니다~~ 이경자 대표! 경자야!!!! 월급도 개미 오줌만큼 주면서 작작 좀 부려먹어라! 내가 이 나이 먹고 경찰서 가서 반성문이나 써야겠냐!! 나보다 더 알잘딱깔센 하는 사람 새로 뽑으시길 바랍니다. 만약 날 잡고 시프시다면 빡도준보다 더 빡!!!!쎈 바로 저, 임솔을 설득하셔야 한다. 경자야! 함께해서 더러웠고 다신 만나지 말자 꺼져줄게 잘 사라라 퉤퉤퉤퉤'

(컷 튀면)
빨간 봉투에 출력한 사직서를 접어 넣은 뒤 예산안 서류 파일 사이에 대충 끼워 넣고 뿌듯한 듯 다시 침대에 픽 쓰러지는 솔이 모습에서...

#다시 현실

솔	(울상) 나...어떡하지?
현주	(정색) 바이바이. 넌 이제 아웃이다. 기껏 기획서 통과해놓고 이런 사고를 치냐.
솔	(젠장!) 이따 밤에 보신댔으니까 아직 안 봤을 거야... (뛰쳐나가려는데)
현주	(붙잡으며) 야, 대표님 벌써 나가셨어.
솔	(철렁) 뭐?! 어디 가셨는데?
현주	오늘 밤에 청룡영화제 하잖아. 거기 가셨지!
솔	!!!!!

씬/54 청룡영화제 시상식장 외경 (N)

화려한 별들의 잔치 분위기. 차려입은 배우들 하나둘씩 레드카펫 입장하면 양옆으로 팬들 소리친다. 배우들 포토라인 앞에 서면 사진 찍는 기자들. 플래시 팡팡 터지고. 솔, 정신없이 뛰어가는데 레드카펫에서 경호원에 제지당하는.

씬/55 시상식장 입구 (N)

솔, 뛰어들어 가려는데 스태프가 막아선다.

솔	(숨 고르며 명함 꺼내 보여주며) 본 시네마 직원인데..헉헉..일 때문에 왔거든요?
스태프1	초대 명단에 없으시면 입장 안 됩니다.

솔, 젠장... 돌아서며 어떡하지? 머리 굴리며 걸어가는데. 레드카펫 밟고 걸어와 막 입구로 들어가려는 여배우 발견하고 눈 반짝인다. 총총 달려가는 솔. 여배우 뒤에 서서 긴 드레스 끝자락을 살포시 들어주며 여배우랑 같이 입구로 들어가는 데 성공한다. (드레스 헬퍼인 척 들어가는)

씬/56 시상식장 로비 (N)

로비 일각에 '제00회 청룡영화제 영화인의 밤' 현수막 걸려 있고. 한쪽에 케이터링 뷔페 차려져 있는. 시상식 시작 전 작은 파티장 분위기. 영화 관계자들, 배우들 삼삼오오 곳곳에 모여 샴페인 마시며 대화 중인데.
솔, 살금살금 들어가 기둥 뒤에 숨어 이대표 찾는데... 일각에서 이대표, 누군가와 대화하고 있는 모습 보인다. 이대표 손에 클러치백 보며 눈 반짝이는 솔.

〈솔 회상 인서트〉
이대표가 빨간 봉투를 클러치백 안에 넣는 컷 스치고.

솔   (뛰어가려다 멈칫 OFF) 아는 척해서 어쩔 건데? 여기까지 왜 왔냐고 하면 뭐라고 하지? 가방에서 봉투는 어떻게 꺼내고? (고민하는데)

그때, 이대표, 클러치백을 의자에 내려놓고 핑거푸드 집어먹으러 가는.

솔   (!!) 잘됐다...!

솔, 사람들 피해 살금살금 달려가 의자에 놓인 이대표 클러치백을 집어 드는데, 순간 이대표, 고개를 돌린다. 놀라 테이블 밑으로 몸을 숨기는 솔. 솔, 테이블 밑에서 네발로 기어서 테이블 반대쪽으로 몰래 빠져나간다. 테이블 밑에서 포복 자세로 기어 나온 솔, 이대표가 고개 돌리자 생화 장식에서 커다란 꽃 한 송이 뽑아 얼굴 가리거나, 서빙 직원 트레이 뒤에 숨는 등 현장 소품으로 귀엽게 살짝 위기 모면하는 솔. 허리 숙인 채 후다닥 일각으로 도망 나가는데.
한편, 이를 지켜보는 누군가의 시선 컷.

씬/57 시상식장 일각 (N)

솔, 후다닥 도망치듯 뛰어와서 밖으로 나가는 문 보자마자 열고 나가는.

씬/58 시상식장 야외 테라스 (N)

솔, 나오면, 건물 야외 테라스다. (인적 없고, 주위에 조명 반짝이는 예쁜 장소) 솔, 나오자마자 클러치백 열어 빨간 봉투 찾는.

솔 하...다행이다. 아직 안 읽으셨나 보네. (클러치백 닫으며) 이건 다시 놓고 와야지...

솔, 돌아서려는 순간, 누군가의 가슴팍에 부딪히며 뒤로 물러나는데 하필 뒤가 계단이다. 뒷굽이 계단 모서리에 걸리며 휘청... 뒤로 넘어질 뻔하는 모습 slow...
그때, 누군가 솔의 손을 잡아 끌어당기고, 허리를 감싸 안는다. 들고 있던 클러치백과 빨간 봉투를 놓쳐 떨어트리는 솔. (*빨간 봉투 바닥에 떨어질 때 같은 봉투 두 개가 같이 떨어져야 합니다)
솔, 놀라 올려다보면... 눈앞에 선 남자. 턱시도 입은 선재다! 솔, !!!!! 놀란 표정. 솔의 허리를 감싸 안은 선재와 솔, 마주 본 두 사람 모습.
선재를 보자마자 금세 눈물 차오른 솔의 슬픈 눈동자에서 과거로 연결.

씬/59 과거 몽타주 (동틀 무렵 새벽)

#1. 절벽 *35씬
절벽 아래로 떨어져 바다에 빠지는 선재. 솔, 절벽 끝으로 달려가 파도치는 바다를 보며 "선재야!!!!" 오열하는 모습.

#2. 바닷속 *36씬 바닷속 장면에서 연결

가라앉고 있는 선재. 짙은 바닷물에 핏물이 검게 번지고... 선재, 차가운 바다 아래로 가라앉으며 스르르 눈을 감으면. 그 순간, 선재 손목에 찬 전자시계에서 반짝 불이 들어온다!

#3. 절벽 근처 바닷가 (D)

솔, 하얗게 질린 얼굴로 믿기지 않는 듯 서 있는데. 그때, 바닷가 쪽에서 하얀 천 덮인 들것을 구급차 쪽으로 옮기는 구급대원들.
이를 본 솔, "아니야...아니야!" 소리치며 달려가려는데 김형사가 붙잡아 말린다. 솔, 울부짖는데 그때, 하얀 천 밖으로 툭 선재 손목이 떨어진다.
보면, 선재가 손목에 찬 전자시계 불빛이 깜빡이고 있다!

〈솔 회상 인서트〉 *10화 2씬

선재   (믿기지 않는) 내 시계가 왜, 갑자기 타임머신이 된 건데?

〈인서트〉

#1. 4화 62씬, 회상 인서트

15년 전 사고당해 물속에 빠진 솔을 구하는 선재. 전자시계 찬 손으로 솔이 손목 잡는 장면.

#2. 1화 45씬

응급실에서 의사가 "류선재 환자. 사망하셨습니다." 하는 순간 호숫가에 떨어진 전자시계에 반짝 불 들어오며 숫자 3:00:00으로 바뀌던 장면.

#다시 현실

솔   (시계 보며 OFF) 네가 죽고 나서 그런 힘이 생겼다고...옛날에 네가 날 살린 것처럼 이번엔 내가 널 살려야 한다는 신의 뜻인 것 같다고 어떻게 말할 수 있겠어. (차마 말 못하고 ON) 그러니까...참 신기한 일이지.

#다시 절벽 근처 바닷가

솔, 자기 손목에 찬 시계 내려다보고, 멀리 선재 손목에 시계를 다시 본다. "서, 설마...!" 혹시 기회가 생겼을지도 모른다. 김형사 팔 뿌리치고 구급차 쪽으로 막 달려가는 솔이 모습 slow... 그 모습 위로.

솔NA   선재야. 어쩌면 우린...처음부터 만나지 말았어야 했는지도 몰라.

선재 들것이 구급차에 옮겨 실리기 직전, 솔, 차가운 선재 손을 잡고 시계를 보는데... 숫자 3:00:00 떠 있다!

솔NA   아니...만나지 말았어야 돼.

솔, !!!!! 망설이지 않고 시계 버튼 누르는 데서 화이트아웃.

씬/60   다시 시상식장 야외 테라스 (N)

솔의 허리를 감싸 안은 선재. 마주 본 두 사람 모습.
선재를 보자마자 금방 눈물이 차오른 솔. 그런 솔을 내려다보던 선재, 솔을 확 일으켜 세우며 감싸 안고 있던 손을 뗀다.

솔OFF   선재야...
선재   (차갑게 노려보며) 당신 뭡니까?
솔   (눈물 꾹 참는)
선재   내가 다 봤는데. 이거 훔치는 거. (바닥에 떨어진 클러치 턱짓하고) 도둑이야?
솔   (눈물 그렁그렁 차오른 눈으로 선재 본다)
선재   ...?! (그런 솔을 보며 살짝 미간 찌푸리는)
솔   (정신 차리고) 아, 아니에요. 죄송해요.. (자리 피하려 돌아서려는데)
선재   (솔이 손목 탁 잡아 돌려세우며 차갑게) 어딜 도망가요? 신고할까? (하는 순간)
솔   (눈에서 눈물이 뚝. 떨어진다)

선재   (어이없다는 듯) 왜 울지? 내가 안 울렸는데?

눈물 맺힌 눈으로 선재를 보는 솔, 냉한 얼굴로 그런 솔을 보는 선재 모습
에서...

씬/61 과거, 솔이 집 앞 골목 (D) *2화 49씬 장면과 같은 구도

비 내리는 골목. 택배 기사가 선재 집 앞에 택배 상자 놓고 돌아가면.
파란 운동복 상의에 검은 캡모자 쓴 선재가 비 맞으며 뛰어온다. 택배 들
고 들어가려다 멈칫. 보면 받는 사람 '임솔'이다.

선재   잘못 왔나 보네. 34-1..? (솔이 집 앞으로 걸어가 건물 주소 보고 있는데)

한편, 노란 우산 쓴 솔이 걸어가다가 멈춰 선다. 솔이 시선에, 저 앞에 선
재가 자기 집 앞에 비 맞고 서 있는 모습을 본다. 솔, 우산 손잡이를 잡은
손에 힘을 꼭 준다. 이내 선재와 만나지 않기로 결심한 듯, 그대로 돌아서
서 옆 건물 뒤편 또는 옆 건물 안으로 들어가 몸을 숨기는 솔. 들고 있던
우산을 바닥에 툭 떨어트리며 울음을 터뜨린다.
비디오 가게 앞에 택배 상자를 내려놓은 선재, 다시 비 맞으며 돌아선다.
일각에서 서럽게 울고 있는 솔과 파란 대문 열고 마당으로 들어가는 선
재... 그렇게 안타깝게 엇갈리는 두 사람 모습에서...

Lovely ♡
Runner
♡

14화

그 순간 생각했다.

우리의 운명은,

계속 같은 자리를 돌고 도는 이 관람차 같다고…

씬/1   절벽 근처 바닷가 (D) *13화 59씬

솔, 김형사 팔 뿌리치고 구급차 쪽으로 막 달려가는 솔이 모습...

솔NA   선재야. 어쩌면 우린...처음부터 만나지 말았어야 했는지도 몰라.

선재 들것이 구급차에 옮겨 실리기 직전, 솔, 차가운 선재 손을 잡고 시계를 보는데... 숫자 3:00:00 떠 있다!

솔NA   아니...만나지 말았어야 돼.

솔, !!!!! 망설이지 않고 시계 버튼 누르는 데서 화이트아웃.

씬/2   타임슬립 공간 (N)

깊은 물속으로 가라앉는 솔, 목에 걸린 목걸이가 사라지는 CG.

현주(E)   야 임솔! 일어나!

씬/3   자감여고 솔이네 교실 (D)

솔, 눈 번쩍 뜬다. (*춘추복) 현주, "일어나라고!" 하며 솔을 흔들어 깨우는. 천천히 일어나는 솔, 눈물 맺힌 눈으로 둘러보는데 교실이다. 살짝 멍하다. 창밖 보면 자감남고 건물이 보인다.

현주 8교시 때도 내내 자더니. 오늘 야자 없는 날인 거 모르냐. 집에 안 갈 거야?

솔, 다시 시선 돌리는데 책상 옆에 노란 우산 걸려 있다.

씬/4   솔이 집 앞 골목 (D)

비 내리는 골목. 택배 기사가 선재 집 앞에 택배 상자 놓고 돌아가면.
파란 운동복 상의에 검은 캡모자 쓴 선재가 비 맞으며 뛰어온다. 택배 들고 들어가려다 멈칫. 보면 받는 사람 '임솔'이다.

선재 잘못 왔나 보네. 34-1..? (솔이 집 앞으로 걸어가 건물 주소 보고 있는데)

한편, 노란 우산 쓴 솔이 걸어가다가 멈춰 선다. 솔이 시선에, 저 앞에 선재가 자기 집 앞에 비 맞고 서 있는 모습을 본다. 솔, 우산 손잡이를 잡은 손에 힘을 꼭 쥔다. 이내 선재와 만나지 않기로 결심한 듯, 그대로 돌아서서 옆 건물 뒤편 또는 옆 건물 안으로 들어가 몸을 숨기는 솔. 들고 있던 우산을 바닥에 툭 떨어트리며 울음을 터뜨린다.
비디오 가게 앞에 택배 상자를 내려놓은 선재, 다시 비 맞으며 돌아선다.
일각에서 서럽게 울고 있는 솔과 파란 대문 열고 마당으로 들어가는 선재...

씬/5   주택가 외경 (D)

씬/6 솔이 집 앞 (D)

이삿짐 트럭 뒤에 복순 차 서 있다. 비디오 가게 짐 다 빠지고 텅 비어 있는. 가게 간판도 떼서 일각에 세워둔. 솔, 비디오 가게와 집을 한번 올려다보고, 고개 돌려 선재 집 본다. 그 집 앞에서 선재와 함께했던 장면들이 스쳐 지나가는데.
복순, 창문으로 얼굴 빼꼼 내밀며 "임솔! 빨리 타!" 소리친다. 솔, 선재와의 모든 시간들을 가슴속에 깊이 묻고, 차에 올라탄다.
이삿짐 트럭과 복순 차가 떠나고 나면... 대문이 열리며 어깨 수술한 듯, 보호대 찬 선재 나온다. 비디오 가게 간판 보고 솔이 집 본다. "이사 갔나 보네?" 무덤덤하게 말하곤 반대쪽으로 걸어간다.

씬/7 선재 집 선재 방 (N)

시간 멈춰 있다. 2009년 5월 달력에서(*또는 날짜 보여줄 수 있는 모니터 화면) 빠지면, 선재 방이다. 협탁에 놓인 타임캡슐, 태엽시계와 솔이 편지, 즉석사진 하나씩 사라지는 CG. 책상으로 팬하면 책상 위에 놓여 있는 '소나기' 악보도 사라진다. (F. O. F. I.)

씬/8 레드카펫 + 시상식장 입구 (N) *13화 55씬 선재 시점

턱시도 입은 선재. 레드카펫 밟으며 등장. 수많은 기자들의 플래시 세례를 한 몸에 받으며 멋지게 걸어간다. 손인사 해주며 여유롭게 포즈 취해주고... 잠시 후, 입구 쪽에 거의 다다르는데.
솔이 여배우 드레스 끝자락을 잡고 들어가는 모습 본다. "뭐야?" 어이없는 표정.

씬/9 시상식장 로비 (N) *13화 56씬 선재 시점

선재, 시상식 담당 작가에게 큐카드 받고 있다.

작가 수상작은 여기요. (빨간 봉투 주며 농담) 미리 열어보시면 안 돼요~ (가고)

선재, 돌아서는데 일각에서 솔이 사람들 피해 살금살금 달려가 의자에 놓인 이대표 클러치백을 집어 들더니 테이블 밑으로 몸을 숨기는 모습 보는.

선재OFF 아까 그 여자잖아? 뭐 하는 거야...? (관찰하듯 보면)

테이블 밑에서 포복 자세로 기어 나온 솔, 생화 장식에서 커다란 꽃 한 송이 뽑아 얼굴 가리거나, 서빙 직원 뒤에 숨는 등 엉뚱한 짓 하며 후다닥 도망 나간다.
이를 어이없어하며 지켜보던 선재, 쫓아나가는.

씬/10 시상식장 야외 테라스 (N) *13화 58씬 선재 시점

선재, 테라스 문 열고 나오는데, 마침 돌아서던 솔과 부딪힌다. 뒤로 휘청하며 넘어질 뻔하는 솔을 반사적으로 감싸 안으며 잡아주는 선재.
솔과 눈이 마주치는데. 눈물이 차오르는 솔을 보는 순간, 가슴이 찌르르... 이상한 기분이 들고. 솔을 일으켜 세우며 감싸 안고 있던 손을 뗀다.

선재 (차갑게 노려보며) 당신 뭡니까?
솔 (눈물 꾹 참는)
선재 내가 다 봤는데. 이거 훔치는 거. (바닥에 떨어진 클러치 턱짓하고) 도둑이야?
솔 (눈물 그렁그렁 차오른 눈으로 선재 본다)
선재 ...?! (그런 솔을 보며 살짝 미간 찌푸리는)

솔	(정신 차리고) 아, 아니에요. 죄송해요.. (자리 피하려 돌아서려는데)
선재	(솔이 손목 탁 잡아 돌려세우며 차갑게) 어딜 도망가요? 신고할까? (하는 순간)
솔	(눈에서 눈물이 뚝. 떨어진다)
선재	(어이없다는 듯) 왜 울지? 내가 안 울렸는데?
솔	!! (아차 싶어 얼른 눈물 훔치며 고개 숙이는데)
선재	울면, 봐줄 것 같아요? (핸드폰 꺼내 바로 112 버튼 누르려는데)
솔	! (바닥에 떨어져 있는 빨간 봉투 한 장만 황급히 주위 들고 후다닥 도망쳐나가는)
선재	어? 어딜 도망...! (가나 하며 쫓아가려는데 시상식 스태프와 마주친다)
스태프2	(O.L) 어? 류선재 씨 여기 계셨어요? 이제 대기실로 이동해주세요.
선재	(인상 쓰며 한숨. 클러치백과 빨간 봉투 주위 든다) 이거 본시네마 이대 표님 전해주세요. (클러치백 주며) 그리고 보안이 좀 허술한 거 아닌가. 좀도둑이 드나들던데요.
스태프2	좀도둑이요?
선재	(솔이 사라진 쪽 보는 표정)

씬/11 시상식장 일각 + 솔이 차 안 (N)

차에 타서 핸들에 머리 묻고 있는 솔.

솔	악착같이 피해 다녔는데 어떻게 이렇게 만나... (자책하다 벌떡 일어나며) 근데 선재 영화제 참석한다는 말 못 들었는데 왜 온 거지? 시상하러 왔나? (하는데 차 앞으로 하얀패딩이 획 스쳐 지나간다) 어?! 쟤는...!

놀란 솔, 차에서 내려 하얀패딩 달려간 쪽으로 쫓아가보는데 하얀패딩 이미 사라지고 없다. 선재의 운명이 혹시나 바뀌지 않은 건 아닌지... 순간 불안감이 커지는.

씬/12 솔이네 아파트 외경 (N)

씬/13 솔이네 아파트 거실 (N)

복순, 말자, 금, 현주, 보아 과일 먹으며 청룡영화제 보고 있고. 지친 솔이 들어온다. TV에선 최우수작품상 후보작들 영상 흘러나오고 있다.

복순 왔어? 저녁은?

솔 생각 없어요...

현주 (쪼르르 달려가 가족들 눈치 보며 작게 속삭이는) 사직서는 잘 수거해 왔어?

솔 어... (빨간 봉투 막 구겨버리며) 이런 건 왜 써가지고 진짜! (멈칫) 어...?

〈솔 회상 인서트〉 *13화 58씬
클러치백에서 빨간 봉투 꺼내던 컷. 봉투 디자인이 살짝 다르다.

솔 !! (봉투 열어 보는데... 쿵!!! 사색이 된다) 어...어떡해..!! (TV 보면, 마침 후보작 소개 끝나고, 빨간 봉투 들고 서 있는 선재 보인다)

선재(E) 올 한 해도 다양한 장르의 영화들이 여러분들의 큰 사랑을 받았었죠.

솔 (종이 꼭 쥐고 덜덜 떨며 경악) 어떡해애!!! (소리치며 TV 보면)

〈TV 화면〉

선재 쟁쟁한 후보작들 중에서 어떤 작품이 수상할지 저도 정말 궁금합니다. 지금 제 손에 있는데요. (빨간 봉투 열며) 아직 저도 확인하지 않았습니다. 제00회 청룡영화제 최우수작품상. 수상 작품은...

E 두구두구두구.. 드럼 효과음

선재 (종이 꺼내 열어 보며, 힘 있게 소리친다) 알잘딱깔센! 축하드립니다!

하는 순간 화려하게 꽃가루 팡! 터지는데, 시상식장엔 정적이 흐른다.

선재, ??? 뭔가 쎄한 기분. 다시 종이 보면 솔이 취해서 쓴 사직서다! 헉!!
선재, 동공 지진. 당황한 표정에서, 핸드폰 화면 인서트로 연결.

씬/14 선재네 아파트 거실 (N)

〈인혁 폰 인서트〉
선재, "알잘딱깔센! 축하드립니다!" 하면 정적 흐르는 시상식장.

인혁 폰 화면에서 빠지면, 인혁, 선재 방송 사고 영상 보며 낄낄대고 있다.
선재, 소파에 앉아 맥주 들이켜다 멈칫하고 인혁 노려보는.

선재 안 꺼?

인혁 딱 한 번만 더 보고. (다시 돌려서 보는)

동석 하...벌써 기사도 떴어요! (태블릿에 떠 있는 기사 제목 쭉 읊어주는) '영
      화제 빛낸 류선재, 오늘은 영화제 빚내.' '시상식 품위 떨어트렸다 vs 유
      쾌한 방송 실수였다' '네티즌 갑론을박, 최우수작품상이 알잘딱깔센? 류
      선재 정신이 알딸딸한가?'

선재 (O. L) 그만! 밤새 읽을래?

동석 (테이블에 솔이 사직서 들어 보며) 아니 딱 봐도 이상하구만 뭔 그런 실
      수를 해요?

인혁 줘봐. (사직서 가져가서 보는)

선재 생방 중에 이게 이상한지 아닌지 눈에 들어와?

동석 그니까 이대표 가방을 누가 훔쳐가든 말든 냅두지 왜 끼어들어서 이 사
      단을 내요!

선재 불의를 보고 그럼 가만있어?!

동석 (수상발표 톤) 가만 안 있으신 거 축하드립니다! 덕분에 개망신을 얻으
      셨네요!

선재 (입 다물라는 듯 지그시 노려보는)

인혁 이거 완전 취해서 쓴 거 같은데 내용 보니까 참 애잔하다...때려치고 싶을
      만하네.

선재   (사직서 뺏으며) 내놔. 둘 다 누구 편이야? 내가 이상한 여자 때문에 전
       국적으로 개망신을 당했는데!

동석   고소라도 하게요? 그르지 마요 형~ 불쌍한 K직장인이잖아요. 다들 이런
       사직서 하나쯤 가슴에 품고 일하거든요. (품에서 봉투 살짝 꺼내 보여주
       며 씩 웃으면)

선재   (정색하고) 응. 당장 내놔. 받아줄게. (손 뻗으면)

동석   (크음.. 못 들은 척) 그럼 이 사직서라도 언론에 공개하고 해명할까요?

선재   (한숨) 됐어. 어차피 하루 이틀 지나면 관심 다 떠나고 잠잠해져.

인혁   그래~ 너그럽게 넘어가 그냥.

선재   (정색) 누가 너그럽게 봐준대?

인혁,동석 ??? 그럼?

선재   이 여잔 나랑 평생, 다신 마주칠 일 없길 빌어야겠지. (살벌한 표정)

       그때, (E) 삐삐삐- 도어락 비밀번호 해제 시도하는 소리 들린다.
       선재, 미간 찌푸리며 걸어가 인터폰 모니터로 문 앞 확인하는데, 하얀패
       딩이다. 동석 "하얀패딩 재 또 왔네?" 하는데, 비번 틀리자, 삐삐삐- 다시
       시도하는. 선재. 열받은 듯 성큼성큼 현관 쪽으로 가 문을 확 열어버린다.
       하얀패딩, 갑자기 열린 문에 이마를 박고는 놀라서 비상계단 쪽으로 도
       망간다. 마침 엘리베이터에서 보안 직원이 "죄송합니다!" 하며 내리는데.

선재   죄송할 시간에 무단 침입자나 잡으시죠? (보안 직원 달려가면 문 꽝 닫는)

씬/15 본시네마 외경 (D)

씬/16 본시네마 회의실 (D)

       직원들 다 모여서 회의 중이다.

이대표 투자사 쪽에서는 박도준 대체 배우 보고 결정한다는 입장인데...이미 업

계엔 박도준 대타 자리인 거 소문 쫙 나버렸고. 이 상황에 더 괜찮은 배우 섭외 가능할까?

직원들   좀 힘들지 않을까요? / 누가 있겠어요. (한두 마디씩 하는데)

솔   (몰래 핸드폰으로 선재 시상식 방송 사고 기사 보고 있는, OFF) 미안해 선재야...왜 사니 나가 죽자 나가 죽어.... (자책하는데)

팬하면, 현주, 몰래 핸드폰으로 어린이집 선생님에게서 온 톡 보고 있다.
'보아 어머님~ 보아가 토를 했는데 아버님이랑 연락이 안 돼요ㅜㅜ'

현주OFF   임금 이 인간 어디서 뭐 하고 있는 거야!

이대표   (현주 옆으로 가 지그시 어깨 짚으며) 응? 누구 없을까?

현주   네? 하하하. 그게...류, 류선재는 어떠세요?

솔OFF   선재? 선재는 안 돼!

이대표   류선재? (콧방귀 뀌며) 박도준 대타 자리를 류선재가 하겠어?

정훈   그래도 시나리오는 한번 보내보는 거 어때요? 전에 저희 쪽에서 제안한 '히어로' 거절하면서 다음번에 꼭 같이 하자고 그랬다면서요.

솔   (슬쩍 만류해보려) 하하...그건 인사치레겠죠~

현주   근데 류선재가 해주기만 하면 투자자들 더 좋다고 하지 않을까요?

이대표   흠....그럼 바로 류선재 쪽에 '키스할래요' 시나리오 보내봐. 내가 따로 연락해놓을게. 임피디. 기획서는 수정했어? (대답 없자) 임피디!

솔   (한숨 쉬고 있다가) 네? 아, 네. 팀메일에 올려놨어요.

이대표   읽어볼게. 그럼 오케이. 정리합시다!

솔OFF   설마...한다고 하진 않겠지.

씬/17 본시네마 사무실 (D)

현주   (어린이집 선생님과 통화 중인) 죄송해요. 제가 지금 회사라...남편한테 바로 데리러 가라고 할게요~~ 죄송해요~~ (하며 메일 보내는데)

〈모니터 인서트〉

회사 팀메일 창. '키스할래요_시나리오' 바로 위에 '기억을 걷는 시간_수정 기획서(임솔)' 잘못 클릭하는 현주. 메일 그대로 전송되는.

씬/18 놀이터 (D)

금, 서준맘, 임산부, 윤호맘 유아차 세워 두고 둥그렇게 모여 있고. 모두 한쪽 발 유아차 바퀴에 걸치고 살살 밀어 앞뒤로 흔들며 대화하는.

금   (보온병에서 루이보스티 종이컵에 따라 임산부에게 주며) 내가 301호 주려고 루이보스티 타 왔잖아. 루이보스티 마시면 양수가 맑아진대요. 입덧에도 좋구.

임산부   어머~ 감사해요.

금   맞다. (기저귀 가방에서 콧물흡입기 꺼내며) 서준이 코 아직 못 푼다면서요. 콧물흡입기 이거 좋더라. 써봐요.

서준맘   뭐야뭐야~ 나 진짜 미쳐버려. 눈물 콧물이야~ 뭘 이런 걸 또 가져와써~

금   우리 보아 이제 코 잘 풀어서 필요 없어졌거든요.

서준맘   내가 자기 증말 항시적으로다가 응원하는 거 알지? 내가 담에 브런치 살게~

금   그럼 라떼는 제가~ (엄지 척) 윤호 엄만 단유 성공했어요?

윤호맘   슬슬 시작했는데 힘드네요~ 젖몸살 올 것처럼 아프구.

금   그거 애 낳는 것보다 더 아픈데? 양배추 냉장고에 넣어놨다가 가슴에 덮어주면 좀 풀리더라. 심하면 얘기해요. 통곡마사지사 잘하시는 분 아니까 소개해드릴게.

윤호맘   어머, 저 그분 번호 좀 주세요!

금   그래요. 바로 넘겨줄게. 우리 와이프도 이분 도움 많이 받았그든.

서준맘   어머~~ 우리 집 남자가 보아 아빠 반만 닮아도 좋겠네. 증말~ (하는데 유아차에서 핸드폰 불빛 반짝이는 것 보며) 자기 전화 오는 거 아니야?

금   (놀라 전화받는) 어 여보야! 뭐?! 지금 갈게! (벌떡 일어나며) 보아 얼집 픽업 가야 돼서 저 먼저 가볼게요! (유아차 끌고 서둘러 가는)

엄마들   어서 가봐~ / 담에 봐요~

서준맘   (뛰어가는 금이 보며 손 흔들다가 엄마들에게 수군대는, 속삭이는 척하는데 큰 소리로) 자기들 그거 알어? 우리 첫째가 보아랑 같은 얼집 다니 잖어...

한편, 뛰어가던 금이 "맞다 보온병!" 다시 되돌아가는데 엄마들 뒷담화 듣는.

서준맘 보아 아빠가 빚져서 돈 날리구 엄마네 집에 식구들 다 데리고 들어앉은 거래~보아 엄마 졸지에 시집살이하는 거지 모야 그게. 애만 잘 봐주면 뭐 해~ 무능력한데.
엄마들 어머 정말? / 웬일이니. 보아 엄마 불쌍하다~
금 (민망해 못 다가고 쓸쓸한 표정에서)

씬/19 선재네 아파트 외경 (N)

씬/20 선재네 아파트 멀티룸 (N)

소파에 앉으며 커피 잔 내려놓고 기획서 들어보는 선재. 첫 페이지 보면.
'기억을 걷는 시간(가제)' *'기억을 걷는 시간' 시나리오 426쪽 수록
비극적으로 생을 마감한 한 남자와, 그를 살리기 위해 15년 전 과거로 간 여자의 이야기. 운명의 시간 속에서 다시 만나 과거와 현재를 오가며 사랑하게 되는 애틋한 판타지 멜로.

선재 제목이 이게 아니었던 것 같은데... (갸웃. 페이지 넘겨 시놉시스 읽기 시작하는)

다시는 걷지 못할 거라는 걸 알았을 때... 잠이 들 때마다 이대로 아침이 오지 않았으면 하고 매일 밤 빌었다. 그날도, 재활병원 창문을 통해 들 어오는 아침 햇살이 미치도록 서글펐다. 그런데 우연히 연결된 라디오 에서 한 남자가 말했다.

"오늘은 살아봐요. 날이 너무 좋으니까. 내일은 비가 온대요. 그럼 그 비가 그치길 기다리면서 또 살아봐요. 그러다 보면 언젠간 사는 게 괜찮아질 날이 올지도 모르잖아."

선재 ('오늘은 살아봐요...' 부분에서 멈칫. 잠시 페이지를 넘기지 못하고 생각에 잠긴)

〈인서트 1〉 * 1화 8씬
라디오 부스. 한 남자가 전화 거는 모습이 어렴풋한 장면으로 보여지는.

한강 다리 한가운데에서 펑펑 내리는 함박눈을 맞으며 떨고 있을 때 성큼성큼 다가와 머리 위로 우산을 씌워주던 그 남자.

〈인서트 2〉 * 1화 30씬
한강 다리에서 휠체어 탄 여자에게 우산을 씌워주는 남자.

이후, 선재가 시놉시스 읽는 모습과 솔, 선재 과거 장면이 교차되어 보여진다. 1화 47씬 타임슬립 씬, 2화 48씬, 4화 62씬, 4화 63씬 등 인상적인 씬들.

(시간 경과)
"결과가 어떻게 될지...알면서도 하는 선택도 있잖아. 어쩔 수 없이, 좋아해서." "사랑해..."
그대로 절벽 아래로 떨어진 남자는 또 한 번 여자를 구하려다 죽게 된다. 2009년 과거에서!

선재 ...! (떨리는 손으로 페이지 넘기는)

'어쩌면 우린 처음부터 만나지 말았어야 했는지도 몰라. 아니... 만나지 말았어야 돼.'
남자의 죽음이 자신에게서 비롯된 것이라는 사실을 알게 된 여자는 그와의 인연을 끊어낼 결심을 한다. 남자의 생에서 자신을 지우기로. (페이지 넘어가면) 여자에 대한 모든 기억을 잃은 남자도 일상을 살고 있다. 멀리서 반짝이는 남자를 바라보며 여자는 생각한다. 이게 맞다고, 우리는 애초에 만나서는 안 될 운명이었다고.

(마지막 페이지) 여자의 기억 속에만 존재하는 노래 '소나기'가 잔잔하게 흘러나온다.

- 소나기 -

그치지 않기를 바랐죠. 처음 그대 내게로 오던 그날에

잠시 동안 적시는 그런 비가 아니길 간절히 난 바래왔죠.

시놉시스 마지막 장을 읽고 있는 선재. 종이에 눈물 한 방울이 뚝, 떨어진다. 보면, 저도 모르게 눈물을 흘리고 있다. 가슴이 울렁거리고 뭔가 이상한 기분.

선재 뭐야...이거...? (기획서 보며 혼란스러운 표정)

씬/21 선재네 아파트 거실 + 선재네 아파트 멀티룸 (N)

동석, '키스할래요' 시나리오 들고 멀티룸 문 벌컥 열고 들어가며...

동석 형, 그거 실수로 잘못 보낸 거라고 이걸로 다시 보내췄... (다 하려는데 돌아보는 선재 얼굴 보고 멈칫) ...형?

선재 (진지하게 돌아보는) ...동석아.

동석 ...네?

선재 나......지금 울고 있냐?

동석 (선재 눈가에 맺힌 눈물 보며) ...그런 것 같은데요.

선재 이거 눈물 맞지? (자기 눈가 가리키면)

동석 눈에서 나온 물이니...콧물은 아니겠죠?

선재 허억!! (말도 안 돼! 놀라 제 입을 확 틀어막는 모습에서)

씬/22 솔이네 아파트 금이현주 방 (N)

애들 잠들어 있고. 금이 살금살금 방에 들어오자마자 현주, 쏘아붙인다.

현주   죽을래?!! (금이 핸드폰을 코앞에 확 들이댄다)

금   (헉! 당황) 아니, 이걸 어떻게... (핸드폰 확 뺏어서 끄면)

현주   (이 악물고 작게 쏘아붙이는) 오디션? 아직도 정신 못 차렸냐?

금   (냅다 무릎 꿇고) 일단 꿇고 시작할게. 여보야. 이게 법정 드라만데 아는
       형이 거기 조감독이거든? 오디션은 형식상이고 백 퍼 출연시켜준대서~

현주   (O. L) 아는 형이 영화 꽂아준다고 제작비 투자했다가 돈 날린 게 몇 달
       전 아니니?

금   (눈치 보며) 이번엔 다른 형이지...그리고 자기 혼자 일하기 힘들잖아. 재
       아두 곧 얼집 가면 시간 날 텐데 너무 놀고먹는 것보단 아르바이트 겸 해
       볼까 했지....

현주   (O. L) 오빠 오디션 다니라고 육아휴직 내라고 한 줄 알아? 아깐 얼집 쌤
       전화도 안 받고 뭐 했어?! 이럴 거면 그냥 복직해! 그냥 내가 회사 때려치
       우고 애 볼 테니까!

금   알았어. 미안...안 할게. 응? (현주가 버럭 하려 하자 입 막으며) 쉿! 애기
       깬다아.

현주   한 번만 더 연기 소리 해봐. 법정 드라마고 뭐고 진짜 이혼 법정 서게 해
       줄 테니까!

금   연기에 빠진 게 죄는 아니잖아!

현주   죄야!! (버럭)

E   응애~~~ 둘째 깨서 울기 시작하는.

씬/23 솔이네 아파트 거실 (N)

솔, 복순 오징어랑 맥주 간단히 마시고 있던 분위기. 말자 소파에서 졸고
있고. 복순, 금이 방문 쪽으로 귀 쫑긋 세우고 눈치 살피고 있다.

복순	싸우나?
솔	뭘 싸워. 오빠가 혼나고 있겠지. (하다가) 엄마, 오빠네 집 구해줘서 내보내자. 응? 현주 쟤가 말을 안 해서 그렇지 시집살이 불편하지 않겠어?
복순	불편하겠지. 안 그래도 집 구하게 돈 좀 해줄까 생각하고 있었어.
솔	내가 적금 깨서 줄 테니까 엄마가 주는 척하고 현주한테 주는 거 어때?
복순	(솔이 등 찰싹) 니 적금을 왜 깨? 잘 모아 놨다가 시집갈 때 결혼 자금이나 해.
솔	시집은 무슨. 엄마. 나 워커홀릭이 체질이더라구 아주. 평~생 일만 하고 살 거야.
복순	워커홀릭은 염병... (오징어다리 질겅질겅 뜯는데)
솔	진짜아아. 이번에 내 기획서 통과됐다니까? (들뜬) 영화 대박 나면 호강 시켜줄게.
복순	개봉이나 하고 말해. 애인 없는 걸 일 핑계 대고 앉았네. 너 엄마 친구가 맞선..
솔	(O. L) 크흠! 기획서나 한 번 더 봐야겠다. 일해야지. 일! (일어나 가면)
복순	으휴. 저거저거 남자 얘기만 나오면 하여간.
말자(E)	언니야 애인 있잖어~
복순	?? (돌아보면 말자 어느새 말똥말똥 깨 있다) 무슨 소리야?
말자	나가 봤는디? 언니야 애인.
복순	(화색) 진짜? 언제? 어디서? 어떻게 생겼어?!
말자	저깄다. (손가락으로 선재 CF 나오고 있는 TV 가리키는)
복순	(정색하고 보다가 헛소리 했다 여기고 빵 터져 웃는) 아유. 그럼 그렇지.

씬/24 예쁜 꽃집 (D)

화려한 꽃들 사이에 놓인 테이블. 그 옆에 멋지게 차려입고, 선글라스 끼고 앉아 있는 선재, 진지한 표정으로 턱을 쓸며 태블릿 보고 있다.
유리창 밖으로 지나가던 여자들, 수군대고 있다. "류선재 실물 대박." "사람이 아니야 신이야 남신." "대본 보고 있나?" "사복 패션 센스 있다. 알잘 딱깔센 류선재야~"

그 소리 귀에 꽂힌 선재. 태블릿 쥔 손에 불끈 힘 들어가고, 표정 굳는.
보면, 선재. 태블릿으로 '알잘딱깔센 선재'로 만든 웃긴 짤 사진(광고나
영화 패러디 조롱짤) 보고 있었던. 동석이 두 손으로 선재 귀 막아준다.

선재	(동석 손 치우며) 다 들었거든? (태블릿 확 덮으며) 아니 며칠이나 지났는데 왜 아직도 난리인 거지? 왜 잠잠해지지 않는 거냐고!
동석	좋게 생각해요. 그동안 신비주의로 멋진 모습만 보여주던 스타가 삐끗하니까 신이 난 거지. 이참에 살짝 웃긴 이미지로다가 노선 틀어볼까요? 친근하게.
선재	장난해? 하...그 여자가 회사 짤리든 말든 확 사직서 공개하고 해명해버릴까 보다.
동석	(놀리는) 알아서 잘 딱 깔끔하고 센스 있는 류선재가 쪼잔하게 왜 그러실까~~ (하는데 살벌한 선재 표정에 시선 피하며 플로리스트에게) 저기 오래 기다려야 하나요?
직원	죄송해요. 앞에 예약이 있었어서...꽃 직접 고르시겠어요? (하면)

선재, 일어나서 둘러보는데, 펼쳐진 우산처럼 풍성하게 모아놓은 샛노란
꽃 본다.

선재	(왠지 마음이 끌리는) 이 노란 꽃들로 할게요. 크고. 풍성하게. (미소)
직원	네. 알아서! 잘! 딱! 깔끔하게! 해드릴게요~ (웃음 참으며 가면)
선재	(미소 짓고 있다가 표정 다시 확 굳고) 미치겠네 진짜...
동석	근데 맘속으론 벌써 그 영화 하기로 땅땅 정했나 보네요?
선재	왜. 그럼 안 돼?
동석	차기작을 뭐 이리 급하게 정하나 싶어서요. 솔직히 천만 영화 재질은 아니잖아요.
선재	동석아... (노란 꽃 한 송이 뽑아 들고 꽃향기 맡으며)
동석	네?
선재	난 이제 흥행에 연연하고 싶지 않아. '내 마음을 끄는 작품'을 하고 싶지.

씬/25 프라이빗 룸 (D)

고급스런 식당, 룸 안에 솔, 이대표 앉아 있다.

솔 이렇게 비싼 데서 점심 사주시는 거예요? 오늘 뭔 날이에요?

이대표 실은 류선재한테 '키스할래요' 시나리오 대신 니 기획서가 잘못 간 거 있지?

솔 네?! (철렁. 불안) 근...데요?

이대표 류선재가 니 기획서 보고 관심 있대.

솔 네에??? (경악)

선재(E) 저 여자였어?!!

씬/26 프라이빗 룸 앞 복도 (D)

선재, 유리창 안 또는 열린 문틈으로 앉아 있는 솔이 보고 경악하고 있는.

동석 (꽃바구니 들고 서서) 아는 사람이에요?

선재 알잘딱깔센! 그 사직서 주인이잖아!

동석 (헉!) 진짜요? 와우...

선재 하, (정색) 이 영화 안 한다고 전해. (홱 돌아서는데)

동석 (당황, 붙잡으며) 네? 아니, 갑자기요?

선재 어. 갑자기 하기 싫어졌어. (손 뿌리치고 가는데)

동석 (선재 앞 막아서며) 형! 아무리 열받아도 사적 감정으로 이러면 안 되죠!

선재 (차분, 싸늘) 사적 감정이라니? 전혀. 이 기획, 흥행성이 떨어져서 별로야.

동석 (선재 말투 흉내) 난 이제 흥행에 연연하고 싶지 않아. 내 마음을 끄는 작품을 하고 싶지... (돌변) 라면서요!!!

선재 그래. 내 마음이! 거절하라는 쪽으로 끌리네? (하며 홱 가는데)

동석 (황당해서 보고 서 있는데)

선재 (가다 멈칫, 돌아서며) 아니지. 내 입으로 직접 거절해야겠어. 나 개망신 준 값은 치러야 할 거 아니야. 그치? (꽃바구니 홱 뺏어 들고 성큼성큼 걸어가는)

씬/27 프라이빗 룸 (D)

문 확 열리며 선재, 노란 꽃바구니 들고 들어온다. 동석 쫓아 들어오고.
솔, 경악하며 돌아보는데 순간 심장이 쿵 떨어진다.

이대표 어머~~ 선재 씨 왔어요? (반기고) 오랜만에 보니까 반갑네. 어서 앉아요.

선재 (선글라스 벗고, 미소 지으며 솔에게) 처음 뵙겠습니다. 아니다, 우리 구
면이죠?

솔 (말문이 막힌)

이대표 응? 둘이 본 적 있다고? 어디서?

솔 (선재와 눈 마주친다 OFF) 안 돼...우리 이렇게 만나면 안 돼...

선재 (씩 웃으며, 의미심장하게) 아닌가~? 제가 잘못 봤나 보네요.

이대표 근데 우리 류배우 기획서가 엄청 맘에 들었나 보네. 이렇게 꽃바구니까
지 사 오구?

선재 (본격적으로 거절하려) 실은 전달이 잘못된 것 같네요. 사실 이 자리 제
가 거절...

솔 (O. L) 죄송합니다. 전 류선재 씨가 이 작품, 출연 안 하셨으면 좋겠어요.

선재 (띵- 한 방 먹은 표정) ...네?

서빙직원 (선재 컵에 물 따르다 놀라 물 넘치는) 어머. 죄송합니다.

이대표 (헉! 당황) 애, 애가, 뭐 이런 농담을! 하하하. 선재 씨 놀랐죠?

솔 (차분히) 농담 아닙니다. 제가 생각한 주인공 이미지랑 좀 거리가 있으셔
서요. 애초에 잘못 전달된 기획서니까 그냥 이 작품은 잊어주세요.

선재 (띵- 또 한 방 먹은 표정) 지, 지금 나 까는 겁니까?

서빙직원 (냅킨으로 흘린 물 닦다가 저도 모르게 쿡, 웃는데 선재랑 눈 마주치는)

솔 네. 기분 상하셨으면 죄송해요.

이대표 (솔이 쿡 찌르며) 너 미쳤어?!

선재 (화 누르며. 애써 여유로운 척) 기분이 상하긴요. 어차피 이 자리! 저도
거절하려고 나온 자리거든요. 이 꽃도! 나한테 거절당하고 맘 상할까 봐
준비한 거고.

솔	(차분하고 덤덤하게) 서로 뜻이 같았다니 정말 다행이네요. (진심으로) 그리고...앞으로도 제 이름 적힌 기획서 보시면 믿고 걸러주셨으면 좋겠습니다.
동석	(헉! 선재 눈치 살피는데)
선재	(어이없어 피식) 나랑은. 앞으로도 쭉- 일하기 싫다. 이겁니까?
솔	그렇게 받아들이시고 저에게 또 기분이 상하셨다면... (마음 아프지만) 더 잘됐네요. 류선재 씨가 앞으로 저란 사람이랑은 다신 엮이기 싫으실 테니까요.
선재	하, (황당한 표정으로 보는데, 솔이 떨리는 손을 힘주어 꾹 쥐는 게 눈에 들어온다. 의아한 듯 다시 시선 올려 솔과 눈 마주치면) ...
솔	그, 그럼 전 이만 가보겠습니다. 회사에 일이 있어서. (인사하고 후다닥 나가면)
이대표	어머어머 쟤가! (선재랑 눈 마주치자) 죄송해요. 잠시만요. 임솔!! (쫓아 나가면)
선재	(열받아) 하하하! 뭐야???

씬/28 본시네마 사무실 (D)

솔, 텅 빈 표정으로 앉아 있다가 기획서 표지에 시선 둔다.

솔OFF	자존심 상했겠지. 기분 많이 나빴을 거야...근데. 잘한 거야. 이게 맞아. 어차피 다시 볼 일도 없잖아. (마음 아픈. 기운 빠져 책상에 볼을 대고 엎드려 생각에 잠긴다)

씬/29 선재 밴 안 (D)

동석, 운전하고 있고. 선재, 심각한 표정으로 생각에 잠겨 있다.

동석	(염장 지르는) 형 신인 때 이후로 이렇게 대놓고 까인 적 없죠? 아니다.

신인 때도 이 정도로 막 마구 짓밟히면서 까인 적은 없지 않나? 형. 이참에 초심으로 돌아가서 진지하게 다시 생각해봐요. 알게 모르게 매너리즘에 빠져 있었을 수도 있잖아요.

선재 (듣는데 다시 슬슬 열받는) 뭐, 매너리즘?

동석 (얄밉게) 그리고 사실 까일 만도 했어~ 그 기획서 멜로라면서요. 몇 년 형을 쭉 지켜보니까 생긴 거랑 달리 은근 연애 고자라 그쪽으론 쫌 약하잖...

선재 (뜨끔. O. L) 뭐가 약해! 니가 내 연애를 알아?

동석 (풉... 저도 모르게 비웃으면)

선재 전방 주시 안 해?

동석 (크음...) 근데 이대로 까이실 거예요?

선재 누가 까여? 마음으론 내.가. 먼저 깠어.

동석 그쪽은 백만 년 전부터 깔 마음이었던 것 같던데요.

선재 뭐? (동석 확 째려봤다가, 말씨름하기도 귀찮다. 한숨 쉬며 창밖 보는데)

동석 그 기획 간만에 확 꽂힌 거 같길래요. 아쉬우면 찾아가서 어필이라도 해봐요~

선재 어필은 무슨 어필이야. 내가 그거 아니면 들어갈 작품이 없어? 나 싫다는 사람한테 내가 왜 숙이고 들어가?!

씬/30 본시네마 외경 (N)

씬/31 본시네마 앞 (N)

솔, 심란한 표정으로 터덜터덜 걸어 나오는데... 선재 차가 떡하니 막고 서 있다. 솔, !! 놀라는데, 선재가 차에서 내린다.

선재 (여유로운 말투) 잠깐 얘기 좀 하죠.

솔 ...저는 할 얘기 없는데요.

선재 있을 텐데요?

솔 영화 얘기라면 아까 다 말씀드렸습니다. 저희 대표님이랑 말씀하세요.

(가려는데)

선재 (사직서 펴서 무미건조하게 줄줄 읽는) 알잘딱깔센. 그게 바로 저 임솔이라고 대표님이 전에 그러셨자나요...

솔 (헉!!! 놀라 돌아보면 선재가 사직서 읽고 있다)

선재 그런 직원이었던 저한테 어떻게 그러실 수가 있습니까. 정뚝떨이네요 정말... (계속 읽다 멈추고 솔이 보며) 정.뚝.떨은 또 무슨 말입니까?

솔 아, 아니 내 사직서...!

선재 정말 이대표님이랑 말해도 될까요? (사직서 팔랑팔랑 흔드는)

솔 (젠장... 사색이 된다)

씬/32 호텔 바 조용한 자리 (N) *8화 13씬 동일 장소

솔, 차 마시며 앉아 있는 눈앞의 선재 보며 회상한다.

〈솔 회상 인서트〉 *8화 15씬
선재, 솔이에게 "연락...할게. 다시 만나서 얘기하자." 하던 장면

솔OFF 왜 하필 여기야...

선재 퇴근이 늦던데. 알아서 잘 딱 깔끔하고 센스 있게 일하는 직원 맞아요?

솔 ...할 얘기 빨리하세요. 제가 좀 바빠서요.

선재 나를 결사반대하는 이유가 듣고 싶습니다.

솔 그거 듣자고 제 퇴근 시간까지 기다린 거예요?

선재 그럼 임솔 씨랑 바에서 차나 마시자고 기다렸을까 봐요? 우리가 무슨 사이라고.

솔 (가슴을 콕콕 찌르는 것 같은)

선재 혹시 시상식장에서 내가 도둑으로 오해해서 그래요? 그럼 좀 억울한데. 나는 그쪽 때문에 방송 사고까지 냈잖아요.

솔 봉투가...바뀐 건 실수였어요. 죄송합니다.

선재 받아들이죠. 나도 도둑으로 오해한 거 미안해요. (사직서 건네면)

솔 (사직서 가방에 쑤셔 넣으며) 네. 뭐.

선재	잘됐네요. 그럼 이제 반대할 이유 없는 거 아닌가? (한결 마음 놓인. 차 마시는)
솔	아니요. 그 일은 그 일이고 반대할 이유 많은데요.
선재	! (사레들 뻔하는데 꾹 참고 여유로운 척) 그 많은 이유, 들어나 봅시다.
솔	말씀드린 대로 류선재 씨는 정말 제가 생각한 주인공 이미지와 맞지 않습니다.
선재	내가 아니면, 대체 누굴 생각했습니까?
솔	네? (살짝 당황) 그게... (눈 굴리다가 대충 떠오르는 배우 말하는) 서, 성재경 씨요.
선재	(표정 구겨지고) 뭐, 성재경?? 너무 아무나 말한 거 아닌가? 그 선배 나이가 곧 쉰인데 무슨 청춘 멜로를 합니까?
솔	(당황) 쉬, 쉬면! 청춘 멜로 하지 말란 법 있어요?
선재	15년 전 과거로 가서 학생 연기까지 해야 되는데? 그쪽 기획 아니에요?
솔	(우기는) 요, 요즘 CG 기술이 좋아요. 그리고 성재경 배우님 아직 얼굴 팽팽하시던데요? 주름 살짝 지우면 중딩까지 가능하시겠던데?
선재	그렇다 칩시다. 그리고 또 다른 이유는?
솔	솔직하게 말씀드리면 류선재 씨보다 멜로를 더 잘하는 배우가 낫겠다 싶고요.
선재	(충격. 애써 표정 관리하며) 또 있어요?
솔	신선한 배우를 찾을 생각입니다.
선재	난 식상하고?
솔	아무래도 신선함은 좀 떨어지죠.
선재	(2차 충격) 장 봐요? 생선 고릅니까? 신선함은 무슨...
솔	(O. L) 그리고 결정적으로! 하늘이 반대해요. 절대 안 된대요 류선재 씨는.
선재	누가요?
솔	천신할매님이요. 좀 용하시거든요. 제 사주가! 말띠 남자랑 엮이면 삼대가 망할 운명이래요. 같이 엮인 그 말띠 남자 집안까지 싹~ 다. 류선재 씨 말띠잖아요.
선재	말띠...하하하. (어처구니 없다는 듯) 무슨 띠 궁합까지. 우리 결혼해요?
솔	이, 일 궁합이 얼마나 중요한데요!
선재	(어이없는) 임솔 씨는 운명, 그런 걸 믿어요?

솔	네. 전 믿어요. (확신에 찬 표정) 운명이 뜯어말리는 일은 절대 안 할 거예요. 이제 충분히 이해하셨으리라 믿고 전 이만 가볼게요. (꾸벅 인사하고 일어나 가면)
선재	어이가 없어서 돌겠네... (황당한데 테이블에 솔이 두고 간 핸드폰 보인다) ...!

씬/33 호텔 앞 + 거리 일각 (N)

솔, 한숨 푹 쉬며 가라앉은 표정으로 터덜터덜 걸어 나와 도로변으로 나간다. 잠시 후, 선재, 솔이 핸드폰 들고 쫓아 나오는데 솔이 안 보이고, 주위 둘러보는데, 저 멀리 솔이 횡단보도 앞에서 신호 기다리고 서 있는 모습 발견한다.

선재	핸드폰 놓고 간 줄도 모르나. 은근 허술하네. (솔이 쪽으로 걸어가는)

한편, 횡단보도 앞에 쓸쓸한 표정으로 서 있는 솔, 마침 파란불로 신호 바뀌는데 바뀐 줄도 모르고 넋을 놓고 있다. 솔이 쪽으로 걸어가던 선재, "왜 저러고 있어?" 하는데.
뒤늦게 정신 차린 솔이 파란불 깜빡이는 것 보고 서둘러 건너려는데 차한 대가 빠르게 솔이 쪽으로 빵- 하고 클랙슨을 울리며 달려온다.
그때, 어느새 달려온 선재가 솔을 확 인도 위로 끌어당기는 모습 slow.

〈솔 회상 인서트〉* 2화 48씬
횡단보도 가운데 비 맞고 안고 있던 솔, 선재.

선재	(쌩 가버리는 차 보며 성질) 운전을 뭐 저 따위로 해?
솔	!! (눈물 그렁그렁 차오르고)
선재	(솔이 보며) 괜찮아요? (묻는데)
솔	(눈물 뚝 떨어지는)
선재	(솔이 눈물에 이상하게 가슴이 울렁) ...왜 자꾸 나만 보면 웁니까?

솔	!! (얼른 고개 숙이고 눈물 닦으며) 노, 놀라서요.
선재	(살짝 타박하듯) 그러게 왜 횡단보도에서 정신을 빼놓고 있어요?!
솔	(대답 못 하고 고개 숙이고 서 있는)
선재	(핸드폰 건네준다) 받아요. 이거 놓고 가서.
솔	아... (핸드폰 받아 들며) 고맙습니다.
선재	(솔이 얼굴 잠시 보다가) 근데 혹시, 우리 어디서 만난 적 있어요? 시상식장 말고.
솔	(철렁) 아, 아니요!
선재	(가만 보다가) ....하긴. (고개 젓는)
솔	(다시 파란불로 바뀌자마자) 그럼 저 가볼게요. (도망치듯 달려가면)
선재	(가는 솔이 모습 보며 서 있는. 이상하게 끌린다) 뭐야... (왠지 낯설지 않은 느낌)

씬/34 버스 안 (N)

버스에 탄 솔, 자리에 털썩 앉는다. 선재 말 떠올리며 생각에 잠긴.

선재(E) 혹시, 우리 어디서 만난 적 있어요?

순간, 솔. 흡... 참았던 울음이 왈칵 터진다. 두 손에 얼굴을 묻고 서럽게 우는데. 주위에 앉은 버스 승객들 그런 솔을 힐끔 쳐다본다. 솔, 그런 줄도 모르고 어깨 들썩이며 우는 모습에서...

씬/35 선재 꿈, 저수지 물속 (N)

물속에 풍덩 뛰어든 선재. 어두운 물속을 헤엄치며 누군가를 찾고 있다. 그때, 가라앉고 있는 여자(*솔인데 얼굴 화면에 보이지 않게)를 발견하고 헤엄쳐 가는데 아무리 빠르게 헤엄쳐도 여자는 점점 깊이 가라앉기만 할 뿐 손에 닿지 않는다. 그러다 깊은 어둠 속으로 사라져버리는 여자. 눈

앞에서 여자를 잃고 혼란스러워하던 선재, 숨이 모자란 듯 괴로운 표정에서...

씬/36 선재네 아파트 침실 (D)

눈 번쩍 뜨며 일어나는 선재. 방금 전까지 물에 있다 나온 듯 헉헉... 거칠게 숨을 토해 내는데... 눈에 눈물이 맺혀 있다. "무슨 꿈이야 이건..." 다시 떠올리려는데 머리가 아픈 듯 인상 쓰며 생각에 잠긴 표정...

씬/37 피트니스 센터 (D)

선재, 운동하고 있고. 옆에 선 인혁, 운동은 무슨 거울 셀카만 찍고 있다.

인혁   (팔뚝 사진 찍으며) 근데 그 여잔 니가 막 끔찍하게 싫은가 보다.

선재   (운동 멈추며) 뭐?

인혁   류선재라는 인간 자체를 싫어하지 않고서야 그렇게 거절하는 게 말이 되나?

선재   (수건으로 땀 닦으며) 날 왜 싫어해? 언제 봤다고.

인혁   그럼 널 왜 좋아해야 되는데? 언제 봤다고.

선재   ... (말문 막혀 물 벌컥벌컥 마시면)

인혁   (선재 수건 들어 목에 걸고 다시 포즈 바꿔 사진 찍으며) 친구야. 이 세상 사람 모두가 널 좋아할 거란 편견을 버려. 누구든 우릴 싫어할 수 있어.

선재   (애랑은 말을 말자, 싶은. 일어나는데)

인혁   근데 말띠 남자 평계 댄 건 좀 어이가 없긴 하다. 성재경 그 배우도 말띤데.

선재   (한 대 때려 맞은 표정) 뭐? 말띠라고?

인혁   어. 78년 말띠.

선재   하하하... (어이없어 웃다 정색) 별 이상한 이유를 들먹인다 했더니, 이런 식으로 나온다 이거지? (열받아서 휙 가면)

인혁   야! 벌써 가? (여자들이 다가와 사인 요청하자, 웃으며 사인해주는)

씬/38 몽타주 (D)

#1. 본시네마 사무실
솔, 일하고 있는데 핸드폰 전화 걸려온다. 모르는 번호라 갸웃하며 받는.

솔	네. 여보세요?
선재(F)	류선잽니다. 잠깐 통화...
솔	(헉! 놀라 확 끊어버리는) 전활 왜 해?

#2. 선재 밴 안

선재	(황당한 표정으로 핸드폰 귀에 댄 채 얼음 상태) 뭐지 이거?
동석	뭐긴요. 들씹이죠. 와, 어떻게 이름까지 듣고 씹지? 완전 개무시네요.
선재	(화 꾹 참고 억지로 씩 웃으며) 동석아? 니가 전화해.

#3. 본시네마 복도 + 메이크업숍 (교차 또는 2분할)
솔, 동석과 통화 중이고. 선재, 숍 의자에 앉아 말 전달하고 있는.

솔	제작 투자요? 하, 돈이 남아도나 보네.
동석	하하...그런가 보네요. (옆에 앉은 선재 힐끔)
솔	사양합니다. 저예산으로도 충분히 찍을 수 있을 것 같네요. 블록버스터도 아니고.
동석	(선재 보며) 사양하겠다는데요.
선재	출연료 반값으로 깎는다고 해.
동석	(말 전하려는데) 출연료를...
선재	(O. L) 아니아니. 노개런티.
동석	(헉!) 노개런티로 하신다는데요? (하고선 선재 눈치 보며 스피커폰 버튼 누르는)
솔	그것 또한 사양합니다. 그렇게까지 하는 건 저희 쪽도 부담스럽다고 전해주세요.

동석   (스피커폰으로 흘러나오는 솔이 목소리 들려주며) 이렇다는데요?

선재   (화 누르며) 휴가 반납하고 모든 스케줄 올 스톱. 오직 영화에만 매진한
       다고 전해.

동석   (핸드폰을 선재 입 앞에 마이크처럼 대고 있고)

솔   (바로 대답) 그냥 휴가 잘 떠나시고 다른 스케줄에 매진하시라고 전해주
       세요.

선재   (안달 나서) 만나서 얘기 좀 합시... (다, 하는데)

솔   (O. L) 제가 회의가 있어서 이만. (끊는)

동석   끊었는데요?

선재   (약 오르고) 왜? 아니 도대체 왜 이렇게까지 싫어하는 건데?

동석   형이 말띠라서 그런 거라면서요.

선재   그거 아니거든? 내 앞에서 말띠 소리 하기만 해. (웃음소리에 돌아보면)

숍직원들 (풉... 웃다가 선재랑 눈 마주친다. 안 웃은 척 정색하고 다시 일하는)

동석   (위로하듯) 형. 여기서 더 꼴사나워지기 전에 그냥 포기해요. 까이는 날
       도 있는 거지 왜 오기를 부려서 개망신을 사서 당해요?

선재   하... (열받은 표정에서)

씬/39 선재네 아파트 주차장 (N)

경비, 순찰 돌고 있는데, 기둥 뒤에서 나는 인기척에 다가가 보면... 하얀
패딩, 기둥 뒤에 숨어 있다가 딱 들키자 후다닥 도망간다. 경비, 쫓아가려
다 놓치자 "언제 또 숨어 들어왔어?!" 씩씩대는.

씬/40 선재네 아파트 인근 골목 (N)

아파트 주차장에서 뛰어나온 하얀패딩. 인적 없는 골목길로 뛰어들어 가
는데. 그때, 한 남자랑 부딪히며 뒤로 넘어진다. 순간, (E) 열쇠 짤랑이는
소리!!

씬/41 솔이네 아파트 일각 (N)

복순, 쓰레기봉투 들고 말자랑 걸어온다. 쓰레기장 앞에 멈춰 선 복순. "잠깐만 있어요~ 어디 가지 말구!" 말자, 끄덕이면. 복순, 쓰레기장 안으로 들어가는데... 말자, 교복 입은 남고생 지나가는 모습 보더니 멍하니 뒤를 쫓아간다.

잠시 후, 복순, 쓰레기 버리고 나오는데 말자 사라지고 없다. "엄마?!" 당황한 표정.

씬/42 본시네마 사무실 (N)

솔, 퇴근 준비하는데 복순 전화 와서 받는. "어 엄마..." 듣다가 쿵!! 표정 굳는.

복순(F) 눈 깜짝할 사이에 없어졌어! 단지 다 찾아다녔는데도 없어~ 어떡하니!

솔, !!!! 놀란 표정에서

씬/43 몽타주 (N)

#1. 경찰서 앞
솔, 다급히 택시에서 내리면 태성이 경찰서에서 뛰어나온다.

#2. 동네 일각
금, 현주 "할머니!!" 소리치며 동네 곳곳 뛰어다니며 말자 찾는 모습.

씬/44 류근덕 갈비 외경 (N) *2008년과 다른 고급 갈빗집

씬/45 류근덕 갈비 (N)

근덕, 카운터에 있는데 직원이 다가온다.

직원   사장님. 5번 테이블 혼자 오신 할머님이요. 지금 5인분째 시켜서 드시고 계신데 좀 이상해요. 정신이 오락가락하신 것 같기도 하고.

근덕   뭐? 내가 가볼게. (카운터에서 나와 테이블 쪽으로 다가가는) 저기 할머님... (부르면 쌈 싸 먹고 있다 돌아보는 할머니, 말자다!) 식사는 입맛에 맞으세요?

말자   (예전 말투) 한 입 먹고 어찌 맛을 논혀. 나가 좀 더 먹어보고 판단을 내려봐야제.

근덕   (혼잣말) 5인분을 드셔놓고... (웃으며) 하하. 더 필요한 건 없으시고요?

말자   (근덕 빤히 보다 놀란 표정) 오메!! 파란 대문?! (반가워 붙잡고 늘어지며) 맞네! 앞집 냥반 맞어! 금비디오가게 기억 안 난당가?

근덕   네? (갸웃하다 기억난 듯 급 반가워하며) 그 앞집 할머님? 아이고! 이런 우연이!

(시간 경과)
끝날 시간 다 된 한가한 가게 안. 근덕, 말자 막걸리 마시며 대화 중이다.

말자   오메. 아들이 그렇게 잘됐어?

근덕   제가 자식 자랑하는 거 딱 질색하는데. 그냥 대한민국 사람 열에 아홉 정도만 알 정도로 쬐금~ 적당히 잘됐어요~

말자   힉! 인기가 갸냥 왕년의 나훈아 저리 가라고만?

근덕   나훈아는~ 아직 멀었죠. 근데 지난번 콘서트엔 한 5만 명이 모였다는데 고 정도는 읍내 재롱잔치 수준이죠 뭐... (입구 보며) 아이고 마침 왔네요. 아들! (손 흔드는)

보면, 편안한 옷으로 갈아입은 선재가 가게로 들어오다 근덕 발견하고 다가간다.

선재	반찬 전에 준 것도 남았는데 뭘 또 가져가라고...
근덕	(O. L) 야야. 인사드려. 옛날에 앞집 비디오 가게 기억나지? 그 집 할머님이셔.
선재	뭐? (그제야 근덕 맞은편의 말자 보며 인사하려는데) 아, 안녕하세...
말자	(벌떡 일어나며 큰 소리로 O. L) 서방!!! (하며 선재 멱살 확 잡는)
선재,근덕	??!! (당황)
말자	이 양반아! 밤새 또 어디 갔었대?! 또 노름판에 있다 온 겨?!
선재	뭐, 뭐야 아버지.
근덕	할머니! 이거 좀 놓고... (말리려다 말자 옷에 치매 노인 인식표 보고) 치매신가...?
말자	(선재 옷 냄새 맡으며) 꽃내 풀풀 풍기는 게 노름판이 아니라 다방에 있다 왔구만! 어느 다방 년이여? 꽃분이여 초희 년이여?! 아 언 년이냐고!! (멱살 흔들어대면)
선재	저, 할머니?
말자	(선재 가슴 콩콩 치며 한탄해대는) 이 미끈한 얼굴 하나 보고 열여덟에 홀랑 시집온 나가 바보 천치제~~ 아이고~~~
근덕	아이고 할머님! (말리는데 말자 옷에서 솔이랑 찍은 사진, 비상연락처 떨어진다)
선재	(말자랑 솔이 찍은 사진 보고 표정) !

씬/46 경찰서 교통과 (N)

태성, 도로 CCTV 보고 있다. 솔, 걱정스런 표정으로 같이 보고 있는데.
버스정류장 비추는 CCTV 영상 보던 태성이 "잠깐..버스 탔나?"
교통과 경찰이 영상 정지하는데, 보면 말자가 버스에 올라타는 장면이다.

경찰	(확대해서 보는) 어. 맞네. 72번 버스.
태성	노선 따라 씨씨티브이 확인해서 어디서 내렸는지 좀 봐줘.

솔	(복순에게 전화 와서 받는) 응 엄마. 태성이한테 부탁해서 씨씨티브이 보고 있는데...
복순(F)	(O.L) 할머니 찾았어!
솔	뭐?! 찾았다고? 어디서?
복순(F)	인식표 보고 연락 왔어. 어느 식당에서 무전취식을 했나 보더라고. 식당 사장님이 집으로 데려다주신댔으니까 어서 들어와!
솔	하...다행이다. (다리에 힘 풀려 털썩 주저앉는)

씬/47 솔이네 아파트 입구 (N)

태성 차가 멈춰 서고. 솔이 내리자 따라 내리는 태성.

솔	오늘 고마웠어. 바쁠 텐데...
태성	너 데려다줄 시간은 돼. 그리고 웬만하면 차 끌고 다녀. 세상이 흉흉하다~
솔	뭔 일 났어?
태성	여성 납치 미수 건 하나가 터졌는데 증거가 없어서 용의자도 못 추리고 있어. 그니까 해 떨어지면 재깍재깍 집에 들어가. 알았어?
솔	(영수 사건 생각나 멈칫 표정 굳는데)
태성	야근하면 나한테 연락해~ 시간 되면 데려다줄게.
솔	됐네요. 여자친구한테나 다정하게 굴어.
태성	너 내 여자친구 아니었어?
솔	내가 왜 니 여자친구냐?
태성	(장난인 척) 그럼 니가 남자냐? 여자지.
솔	...?! (멈칫, 태성과 눈 마주치자 장난처럼) 친구가 무슨 여자냐?
태성	(솔 가만 보는데, 전화 와서 받는) 아, 네 반장님. 지금요?
솔	(작게) 어서 가봐.
태성	바로 갈게요. (끊고) 들어가. 할머니 괜찮으신지 연락 주고. (씩 웃으며 차에 타면)
솔	조심히 가. (떠나는 태성 차 보며 마음 살짝 복잡한 표정인데)
선재(E)	남자친군가 봐요?

솔, 놀라 돌아보면, 선재가 차에 기대서 있다.

솔   여긴 어떻게 알고...! (심장 철렁 내려앉는데)

선재   다정한 남친이네.

솔   아니거든요? 그리고 이렇게 집까지 알아내서 찾아오시면 제가 좀 당황스럽네요!

선재   아~ 그래요? (하며 조수석 문을 살짝 여는)

솔   (싸늘) 뭐 하시는 거예요? 저 그 차! 안 탈 거예요! 이제 더 이상 할 얘기도 없구요. 그러니까 그만 돌아가세요.

선재   (살짝 입꼬리 올리며, 다정한 말투) 나 정말 보낼 거예요? 후회 안 하겠어요?

솔   (정색) 당연하죠. 전 이미 거절했고 우리 다시 볼일 없는 사이잖아요?!

선재   (여전히 입꼬리 올리고 듣다가 살짝 열린 조수석 향해 정중한 손짓 하는)

솔   (어이없단 듯) 안 탄다니까요? 왜요. 또 사직서 가지고 협박이라도 하시려구요?

선재   (귀엽다. 저도 모르게 피식)

솔   하, 웃겨요?

선재   네. 웃겨요.

솔   (울컥) 남의 밥줄 가지고 장난치니까 재밌어요? 차라리 저희 대표님한테다 말하세요. 이런 식으로 자꾸 찾아오시니까 저도 더 이상은 안 되겠네요! 그냥 확 짤리고 말죠 뭐! (확 돌아서며 울상 OFF) 완전 성격까지 변했어...! (하는데 뒤에서 누가 가방을 붙잡자 멈춰 선다 ON) 하, 놔요! 저 그렇게 호락호락한 사람 아니거든요?! 이렇게 막무가내로 붙잡고 매달리셔도 소용없다구요!! (버럭 하며 확 돌아서는데)

보면, 솔이 가방 붙잡고 있는 사람, 말자다. "언니야~ 어디 가?"
솔. 동공 지진. 선재 쪽 보면, 선재, 더 활짝 열린 조수석 문 탁 닫으며 씩 웃는.

솔   식당 사장님이 데려다주신다고...

선재	(O. L) 아버지가 식당을 합니다.
솔	!! (상황 파악한. 민망해 얼굴 화르르 붉어지는데)
선재	놀랐나 봐요? (말자, 솔이 같이 찍은 사진 들어 보여주며) 나도 오랜만에 본가에 갔다가 이거 보고 상당히 놀랐는데. (뒤집어 보면 '손녀' 핸드폰 번호 적힌)
솔	! (헉!)
복순	(헐레벌떡 나오며) 아이고! 기다리셨죠? (솔이 보고) 왔네? (다시 선재에게) 아유. 제가 가야 되는데 이렇게 데려다주시고 감사해요~ 이거 뭐라두 대접해야 되는데?
선재	아닙니다. 어서 올라가보세요.
말자	언니야. 나 쉬 매려...
복순	그래도 대접도 안 하고 그냥 보내는 건 경우가 아닌데?
말자	오줌보 터지겠어어~~ (발 동동 구르며 재촉)
복순	좀만 참어 엄마. 솔아 니가 사장님 차라도 대접해드리고 올라와! 그럼 저는 들어가 볼게요! 고마워요! (다급히 말자 챙겨서 가면)
선재	(성큼 다가가 연락처 적힌 사진 솔에게 건네면) 받아요.
솔	(민망해 눈 내리깔고 받으며) 제가 오해했네요. 할머니 데려다주셔서 고맙습니다.
선재	차, 대접해야죠? (씩 웃는)

씬/48 동네 편의점 앞 (N)

파라솔 아래 마주 앉아 있는 선재, 솔.

솔	자요. 차. (인스턴트커피 선재 앞으로 쭉 밀어 준다)
선재	임솔 씨는 고마운 사람한테 이렇게 대접을 하나 보네요?
솔	저희 동네엔 이 시간에 문 연 카페가 없어서요.
선재	이런 오픈된 장소에서 이러고 있다가 열애설이라도 나면 책임질 겁니까?
솔	(주위 휙휙 보면 한적하다) 아무도 없는데요?
선재	조심해야죠. 스캔들 나면 곤란하거든요. 내가 멜로. 전문 배우라.

솔	하, 언제부터요?
선재	(여유로운 표정으로 편의점 쪽 턱짓하며 미소)
솔	(돌아보면, 선재 커피 광고 붙어 있다. '멜로 한 스푼. 달달커피' 적힌) 저게 뭐요.
선재	(불쑥 얼굴 들이밀며) 자. 내 눈 봐요. 나 멜로눈깔 소리 꽤나 듣는데?
솔	네?
선재	아, 또 마침 지나가네? (길가 쪽 가리키고)
솔	(돌아보면 선재 광고가 커다랗게 박힌 탑차 지나간다. '신선한 슝슝배송' 적힌) ??
선재	봤죠? 광고주가 인정한 신.선.한. 이미지.
솔	지금 혹시...제 작품 하고 싶어서 어필하시는 건가요?
선재	전혀요. 단지 팩트를 말해주는 것뿐입니다. 아직도 신선하고, 멜로까지 되는 사람이라구요 내가. 나 놓치면 그쪽만 손해라고.
솔	(어이없어 피식) 아, 그래요?

그때, 여고생들 몇 명이 걸어오다 선재 보고 자기들끼리 수군대는.

선재	아...바로 알아봤나 보네. 괜한 스캔들 날 수 있으니까 스타일리스트인 척 해줘요.
솔	(황당) 네?
선재	(솔 옷차림 훑으며) 뭐, 스타일은 별로지만. (하더니 여고생들 쪽 보며 여유롭게 손짓한다) 학생? 부끄러워하지 말고 와요.
여고생들	아싸! (웃으며 총총 다가오면)
선재	뭐. 사진? 싸인? (팬서비스 미소 지으며 손 내밀면)
여고생1	(만 원짜리 선재 손바닥에 탁 내려놓으며) 아저씨! 담배 좀 사다 주세요!
솔	푸하!! (웃음 터지고)
선재	(충격. 테이블 끝에서 팔꿈치 뚝 떨구고) 나, 모르나?
여고생들	뭐래~ (껌 짝짝 씹는)
솔	(얼씨구? 피식 웃으며 선재 보고 있고)
선재	크흠! (괜히 헛기침하며 슬쩍 달달커피 광고 포스터 가리키면)
여고생1	(힐끔 커피 광고 보곤) 아! 알겠다!

선재	(이제 알아봤지? 하는 표정)
여고생1	남은 돈은 아저씨 커피 사 드세요~ 수고비!
선재	(미간 확 찌푸리며, 만 원짜리 다시 휙 돌려주며) 학생이 담배는 무슨 담배야! 어? 집에 가 어서! 가! (워이워이 손짓)
여고생들	뭐야 개꼰대... / 아, 개짜증 나. (툴툴대며 가면)
선재	아 진짜... (민망해 손으로 미간 쓸며 돌아보면 솔이 배 잡고 웃고 있다) 웃겨요?
솔	네. 웃겨요. (웃는)
선재	(웃는 솔을 보고 멈칫, 혼잣말) 웃는 건 처음 보네. (잠시 웃는 솔을 가만 보는)
솔	(눈가 닦으며 애써 진정하면)
선재	(왠지 조금 아쉬워) 다, 웃었어요?
솔	네. (아차, 선재랑 웃고 있을 때가 아니지. 정색하면)
선재	(아쉬운 표정)

씬/49 솔이네 아파트 입구 + 선재 차 안 (N)

선재, 주차된 차 앞에 서면 솔이 "그럼 가세요." 인사하고 가려는데.

선재	근데 아버지한테 듣자 하니 우리 한때 이웃이었다던데...비디오 가겟집 딸이었다면서요. 나 앞집 살았는데...옛날에 나 본 적 없어요?
솔	(철렁) 네. 어, 없어요.
선재	그럼 나는 그쪽 본 적 있나? 그래서 낯이 익었던 건가 해서요.
솔	(심장 쿵! 둘러대는) 내가 본 적이 없는데 류선재 씨가 날 어떻게 봐요.
선재	그런가...근데 그 무당 돌팔이 아니에요? 본 적이 있든 없든 이 정도 인연 이면 운명 아닌가?
솔	그냥...우연이죠.
선재	우연.
솔	한때 이웃이었다고 해서 제 마음 달라질 거 없습니다. 영화, 혹시나 저희 대표님이 제안해도 거절해주세요. 부탁드릴게요.

선재	만약 임솔 씨가 반대하든 말든 내가 무조건 한다고 하면 어떻게 되는 겁니까?
솔	......안 그러셨으면 좋겠어요. 그럼 가볼게요. (돌아서서 가면)

선재, 차에 올라탄다. 시동 걸려다가 말고 멈칫. 회상.

〈선재 회상 인서트〉*47씬 선재 시점
솔이 홱 돌아서 가는데, 조수석에서 튀어나온 말자가 달려가 솔이 가방 붙잡는다.

솔	하, 놔요! 저 그렇게 호락호락한 사람 아니거든요?! 이렇게 막무가내로 붙잡고 매달리셔도 소용없다구요!! (하며 돌아서는데 선재랑 눈 마주치자 사색이 되는)

#다시 현실
생각해보니 귀여워 피식 웃는 선재. 문득 아파트 올려다본다.
엘리베이터에서 내린 솔이 아파트 복도를 걸어가는데 복도 센서등이 하나둘씩 켜진다. 저도 모르게 그 모습을 쭉 보고 있는 선재. (*4화 4씬 선재 시점 장면 스치는) 잠시 후, 복도 끝 현관문을 열고 들어가자 현관문 닫히는 소리가 쿵... 멀리서 들려오는데 동시에 심장이 쿵 내려앉는다.
가슴에 손을 올리는 선재. 이상하게 일렁이는 마음.

씬/50 솔이네 아파트 거실 (N)

솔, 힘없이 들어오는데. 욕실에서 복순이 말자 씻기고 데리고 나오는.

복순	왜 벌써 들어와? 그냥 보냈어?
솔	어. 괜찮다면서 그냥 갔어. 오빠랑 현주도 들어왔지?
복순	애들 재우고 있어. 근데 그 사람 식당 사장 아니지? 통화 목소리랑 다르던데?

솔	직원인가 보지... (둘러대며 식탁 쪽으로 가 물 따라 마시려는)
복순	아니야. 포스가 예사롭지가 않았어. 얼굴도 어디서 많이 봤는데? (얼굴 기억났는지 박수 치며) 그래! 그 어디 드라마 나온! 류...류 머시기 류선재! 아닌가?
솔	당연히 아니지. 말이 돼? (방에 들어가려다 말자에게) 할머니. 혼자 막 어디 가고 그러면 안 돼. 거기 고깃집은 또 어떻게 간 거야...거기 다신 가지 마. 알았지?
말자	(끄덕이다가 작게) 근디...할미 잘했제?
솔	...어?
말자	(솔에게만 들리게 속삭이듯) 보고 싶었잖어... (씩 웃으며 돌아서서 가면)
솔	(가만 서서 방으로 들어가는 말자 보는 표정)

씬/51 솔이네 아파트 솔이 방 (N)

솔	(힘없이 방에 들어오며 OFF) 응. 맞아 할머니. 보고 싶었어...
선재(E)	이 정도 인연이면 운명 아닌가?
솔OFF	이러면 안 되는데...자꾸 보니까...계속 보고 싶어... (서글픈 표정)

씬/52 경찰서 조서실 (N)

하얀패딩, 잔뜩 긴장한 모습으로 앉아 핫초코를 양손에 쥐고 있다.
그 맞은편에 앉아 있는 태성, 하얀패딩 보며 반장 말 떠올린다.

반장(E)	가출 여중생인데 지난번 납치 미수 건이랑 수법이 똑같은 게 동일범인 것 같아. 다행히 끌려가기 전에 마침 지나가던 행인한테 도움 청하고 도망쳤나 봐.
태성	진정 좀 됐어? 부모님 오시면 얘기할까?
하얀패딩	아니요...지금 말할게요.
태성	그래. (조심스레) 혹시 그 남자 얼굴 봤니?

하얀패딩	네... (끄덕이면)
태성	(!!) 떠올리기 힘들겠지만 자세히 설명해줄 수 있을까?

씬/53 솔이네 아파트 금이현주 방 (D)

현주, 출근 준비하는데, 금이 선녀머리 한 보아 데리고 들어온다.

금	자기야. 보아 등원 준비 벌써 다 시켜쏭. 머리 오늘 잘 땋았지! (손하트 날리는데)
현주	(쌩 무시하고) 보아야 오늘은 엄마가 바빠서 어린이집은 아빠랑 가~ 알았지?
보아	웅! 근데 아빠. 엄마 눈엔 아빠가 안 보이나 봐!
금	아빠가 투명망토를 입어서 그래. 예쁜 사람 눈에만 보이는. 하하하... (웃는데 현주 살벌한 눈빛에 크음. 피하며) 엄마 빠빠! (보아 손잡고 나가는)
현주	으휴. 속 터져. (한숨 쉬며) 목도리가 어딨지... (장롱 뒤지는데 뭔가 손에 잡혀 꺼내 보면 꾸깃꾸깃한 종이다) 뭐지? (펴 보면 로또 용지다) 이 인간 또 쓸데없는 데다 돈 썼구만.
솔(E)	현주야! 출근 안 해?
현주	어! 나가! (로또 용지를 주머니에 넣고 서둘러 나가는)

씬/54 본시네마 대표실 (D)

솔, 놀란 표정에서 빠지면... 이대표랑 대화 중이던 분위기.

솔	네?! 왜요???
이대표	왜냐니? 류선재가 한다는데 이유가 필요해? 니 기획서가 맘에 들었나 보지.
솔	...그래도 안 돼요.
이대표	(어이없어 콧방귀 뀌며) 안 되면 뭐 어쩔 건데? 멜로 영화에 톱스타 붙는 게 어디 쉬운 일인 줄 알아? 그동안 임피디가 계속 싫다고 거절했었다

며? 회사랑 상의도 없이 무슨 짓이야? 일이 장난이야?

솔   ...... (표정)

이대표   박도준 일도 있고, 류선재 무조건 잡아야 돼. 결사반대해도 소용없다고.

솔   (결심한 듯) 네. 그럼 영화 진행하세요. 제가 회사 나갈게요.

이대표   뭐? 지금 내 앞에서 시위하는 거야?

솔   그런 거 아니에요. 저 정말 류선재랑 일 못 해요. 하면 안 돼요. 그러니까
          제가 이 기획 포기하고, 다 놓고 나갈게요.

이대표   (열받은) 뭐? 그거 진심이야?

솔   그동안 감사했습니다. (고개 숙여 인사하고 돌아 나가는)

씬/55 본시네마 입구 (D)

솔, 가방 챙겨 나오는데 현주가 쫓아 나와 붙잡는다.

현주   너 왜 그래 진짜! 제정신이야?

솔   응. 제정신이야. 너야말로 왜 그랬어! (답답한 마음에 버럭) 니가 내 기획
          서만 잘못 보내지 않았어도 이럴 일 없었을 거 아니야!

현주   뭐? (할 말 없는데) 야, 근데 그건 너한테 더 잘된 거 아니야?

솔   아니! 아니야...! (울컥 치미는. 감정 격해진다) 내가 어떤 마음으로 잘라냈
          는데...! 어떻게 끊어냈는데! 이렇게 또 만나면 안 된다고...! (눈물 흐르는)

현주   (당황) 솔아...너 혹시 무슨 일 있어? (걱정스런 표정으로 보면)

솔   (손등으로 눈물 훔쳐내며 홱 돌아 나가는)

씬/56 선재 밴 안 + 한강 다리 위 (D)

동석, 운전 중이고. 차려입은 선재 (*13화 관람차 씬과 대비되게) 기획서
읽고 있다.

동석   이 겨울에 광고를 왜 야외에서 찍을까요? 그래도 오늘은 날이 좀 풀렸나?

선재   (마지막 장 소나기 가사 보며) ...너 소나기라는 노래 알아?

동석   흔한 제목이잖아요. 한두 곡이겠어요? 무슨 곡인데요?

선재   ...아니야.

동석   아, 아까 본시네마 이대표님이 미팅 날짜 잡자고 연락 왔어요. 근데...담
       당 피디 임솔 씨 말고 다른 분이 나오실 거래요.

선재   (멈칫, 고개 들고) 왜?

동석   임솔씬 이 영화에 참여 안 한다던데요?

선재   자기 기획인데 자기가 빠져? (어이없는)

동석   근데 그 영화 대체 무슨 내용이길래 이렇게까지 하는 거예요?

선재   (생각에 잠긴) 한 여자가 사랑하는 남자를 살리려고 15년 전 과거로 가
       는 얘기.

동석   뭐, 내용은 아주 특별한 건 없네요.

선재   그러게...특별할 것도 없는데. 이상하네. (창밖 보면 한강 다리 위를 달리
       고 있고, 잠시 보다가 커튼 탁 닫는)

씬/57 한강 다리 위 (D)

솔, 한강 다리 위를 걷고 있는데, 옆으로 선재 밴이 스쳐 지나간다. 그렇
게 엇갈리고...

솔OFF 괜히 기획서는 써가지고...결국 다 나 때문이지. (쓰레기통 보이자 멈춰
       서고 기획서 꺼내 미련 없이 넣는다. ON) 으...춥다. 뭔 청승이니. (옷 여
       미고 다시 걷는)

씬/58 본시네마 사무실 (D)

정훈, 현주 자리 옆에 서서 말하고 있는.

정훈   전화도 꺼져 있더라. 진짜 때려치우고 나간 건 아니지?

현주	(걱정스런) 설마요. 대표님도 진심으로 생각 안 하시던데요? 이따 집에서 만나면 얘기해봐야죠... (하는데 책상에 로또 용지 보이자 들어서 핸드폰으로 QR 찍어보는)
정훈	영화감독이 꿈이라던 애가 이 기회를 발로 뻥 차버리는 게 말이 돼? 아무래도 이상한데..류선재랑 뭐 있는 거 아니야? 이유 없이 사람 싫어하고 그런 애가 아니잖아.. (하는데)
현주	꺅!!! (소리치며 벌떡 일어난다)
정훈	(깜짝 놀라 커피 쏟으며) 왜!!!
현주	(숨도 안 쉬고 눈 꾹 감았다 뜨고 다시 핸드폰 보면 '1등 당첨' 떠 있다)
정훈	왜 그러냐고?!
현주	(헉!) 개시!@@ (삐 처리. 낮게 욕하더니 뒤로 넘어가는 모습에서)

씬/59 오래된 놀이공원 (D → N) *13화 같은 장소

솔, 따뜻한 커피 마시며 놀이공원 일각 벤치에 앉아 있다.

솔	옛날이나 지금이나 똑같네 여긴... (놀이공원 곳곳에 시선 두는데)

회전목마 앞에서 선재와 사진 찍던 장면, 아이스크림 같이 나눠 먹으며 걷던 장면들이 오버랩, 교차되어 보여진다. 행복했던 순간들이 눈에 선하다. 그러다 케이크에 촛불 켜서 다가오던 선재가 환영처럼 눈앞에 보인다. 솔이 내쉰 하얀 입김이 번졌다가 사라지자 선재 환영도 사라진다. 그립다.

솔	(눈가 촉촉해지고) 사진 한 장 안 남은 건 아쉽긴 하네. 하긴, 남을 수가 없지...

(시간 경과)
커피 다 마신 솔. 정신 차리고 보니 해가 져 있다. "어머. 몇 시간을 있었던 거야?" 일어나서 가려는데 투두둑.. 빗방울이 떨어진다.

솔   여긴 올 때마다 비야... (하며 뛰어가려다 멈칫, 돌아보면 관람차 보인다)

씬/60 선재 밴 안 (N)

커튼 쳐진 밴 안. 선재, 기다리고 있는데 동석이 차에 올라탄다.

동석   갑자기 비가 와서 오늘 못 찍을 것 같데요! 촬영 일정 다시 잡는다고.
선재   뭐? (살짝 커튼 젖혀 보는데 창문에 빗방울이 탁탁 내리친다) 그러네...
        (다시 커튼 닫으려다가 멈칫, 창밖에 무언가 보는 표정)

씬/61 관람차 안 (N)

솔, 티켓 내고 비 피하듯 서둘러 올라타는데.
문이 닫히기 직전, "일행입니다." 하며 누군가 불쑥 올라탄다. 솔, 돌아보
면 옷깃에 빗물 툭툭 털어내며 맞은편에 털썩 앉는 남자, 틸업. 선재다!
솔 !!! 놀라서 보는데, 뭐라 할 새도 없이 관람차 문이 닫히며 움직이기
시작한다.

솔   (당황, 놀라서) 아니, 여긴 또 어떻게...!
선재   (O.L) 설마 내가 뒤라도 밟았을까 봐요?
솔   ...!!
선재   여기서 광고 촬영 예정이었는데 취소가 됐어요. 기획서에 나온 관람차
        장면이 생각나서 와봤는데, 또 이렇게 만나네요?
솔   하...
선재   내가 그 무당 돌팔이랬잖아요. 이 정도 우연이면 하늘에서 엮어주는 수
        준 아닌가.
솔   우연히 봤다 쳐요. 봤으면 그냥 갈 길 가면 되지 왜 쫓아 탄 건데요? 우리
        가 사이좋게 같이 관람차 탈 사이는...아니잖아요. (굳은 표정으로 창밖

본다)

선재   도망치고 싶은데 확 뛰어내릴 수도 없고.

솔   (다시 선재 보면)

선재   그런 생각했죠?

솔   ...... (들켰다)

선재   어차피 한 바퀴 다 돌 때까진 못 도망쳐요. (씩 입꼬리 올리는)

솔   (깊은 한숨)

선재   내가 그렇게 싫습니까? 영화, 그쪽이 제작에서 빠진다고 했다면서요.

솔   (힘없이) 네. 근데 저 회사 관뒀으니까 그렇게 그 작품이 하고 싶으시면 하세요.

선재   왜요? 안 그랬으면 좋겠는데.

솔   무슨 상관이세요. (외면하듯 다시 창밖으로 시선 돌리면)

선재   (솔, 보는데 머리카락 끝이 젖어 있고 볼이 빨갛다) 어디 아파요?

솔   ...아니요. 그냥 조용히 있다 내리죠.

선재   (잠시 말없이 생각에 잠겨 있다가) 근데, 정말 그렇게 끝나요?

솔   (안 돌아보고 무심히 대답) 뭐가요.

선재   결말이요. 그 남잔 정말 사랑했던 여자에 대한 모든 걸 잊고...그렇게 사는 건가요?

솔   ....네.

선재   새드엔딩이네... (하며 창밖 풍경 본다)

〈관람차 외경 인서트〉
어느새 비가 하얀 눈으로 바뀌어 내리고 있는.

솔   (눈 내리는 모습 보며 덤덤히) ...해피엔딩이죠. 여자 입장에선, 남자를 살렸잖아요.

선재   대신 사랑을 잃었죠. (하며 다시 솔을 본다)

솔   ... (다시 고개 돌리면, 선재랑 눈이 마주친다)

선재   사랑을 잃은 여자는 행복합니까?

솔   (대답 못 한다. 가슴 아픈)

선재   거봐. 새드엔딩이라니까. (쓸쓸하게 피식) 결말은 마음에 안 드네요~

솔	(울컥. 쏘아붙인다) 맘에 안 들면 그냥 안 하면 되잖아요. 왜 오기를 부려요?!
선재	처음엔 오기였는데...지금은 진심. (솔이 보며) 진심으로 하고 싶어요 이 영화.
솔	(참다 터진다) 왜 이렇게까지 이 영화가 하고 싶은 건데요? 더 좋은 기획서, 더 좋은 감독, 작가 작품 많이 들어올 텐데?!
선재	...... (솔과 눈 마주친다)
솔	...... (씩씩대며, 눈 피하지 않고 보는)
선재	(확 누그러진 말투로) 내가...요즘 좀 이상합니다.
솔	...네?
선재	그쪽이 쓴 기획서 읽고 나서 이상한 증상이 생겼어요.
솔	(불안한) 무슨...
선재	(O.L) 갑자기 눈물이 나질 않나...꿈도 꿔요. 내가 겪은 일같이 생생한 꿈.
솔	(철렁) !!!
선재	그리고 여기도... (관람차 안 보며)

〈선재 회상 인서트〉

#놀이공원 일각 (N) *60씬 이후 상황

동석, 옆에서 선재 머리 위에 우산 씌워주고 서 있고.

선재, 빈 벤치 보고 있는데. 그때, 눈앞으로 케이크 손에 든 스무 살 선재와 솔이 비를 맞으며 스쳐 지나가더니 관람차 쪽으로 막 뛰어간다. (2009년 장면과 현재가 한 장면으로 합쳐져 보여지는. *솔이 얼굴 잘 안 보이는 구도로) 그 모습 눈으로 쫓아가는데... 시선 끝에, 솔이 막 관람차를 타려 하는 모습 보인다.

솔을 보고 놀란 선재, 우산 밖으로 나가 솔이 쪽으로 확 달려간다.

#다시 현실

선재	분명 처음인데 낯설지가 않아요. 마치 언젠가 와본 것처럼.
솔OFF	아니야. 아니야 선재야... (울컥. 눈물 날 것 같은)
선재	그래서 그런가. 다른 작품보다 유난히 더...끌리네요. 그럼 안 됩니까?
솔	(꾹꾹 눌러왔던 말이 저도 모르게 나온다) 죽을 수도 있으면...

선재	네? 뭐라구요?
솔	나랑 엮이면 죽을 수도 있다고 해도 할 생각이에요?
선재	당신이랑 엮이려면 죽을 각오 정돈 해야 합니까?
솔	(눈물 꾹 참으며) 그렇다면요?

그때, 덜컹! 하며 두 사람이 탄 관람차가 맨 꼭대기에서 멈춘다. 관람차가 흔들리며 솔이 앞으로 휘청하면.. 선재가 반사적으로 솔의 손을 붙잡아주는데. 그 순간, 선재 셔츠 사이로 목걸이가 톡 튀어나온다. 과거에 솔에게 걸어줬던 그 목걸이다!

〈솔 회상 인서트〉 *13화 14씬
목걸이 걸어주던 선재 모습.

놀란 솔. 선재랑 눈이 마주치고.

씬/62 경찰서 (N)

태성, 반장과 함께 확보한 블랙박스 영상 보고 있다.

〈블랙박스 영상〉
건장해 보이는 행인 두 명이 도망쳐온 하얀패딩 도와주는 듯 보이고. 골목에서 모자 푹 눌러쓴 중년 남자가 쫓아 나왔다가, 블랙박스 쪽으로 돌아서서 도망가는데 영상 정지된다. 정지된 화면에 포착된 중년 남자. 영수다.

태성	이 새끼네. (하는데)
막내	(종이 들고 다급히 다가와) 여기 몽타주 나왔어요! (몽타주 건네는데 몽타주 속 얼굴... 흉터 없는 영수 얼굴이다!)

씬/63 관람차 안 (N)

솔, 눈물 그렁그렁 맺힌 눈으로 선재 보는데.
그때, 다시 한번 덜컹. 흔들리는 관람차. 순간 휘청하는 솔을 품에 끌어안는 선재.

선재   이러다 우리 여기서 같이 죽는 거 아닌가?

눈 내리는 하늘에서 멈춘 반짝이는 관람차 안.
꼭 끌어안은 채, 가까이 마주보는 두 사람. 위태롭고 아름다운 모습 위로..

솔NA   그 순간 생각했다. 우리의 운명은, 계속 같은 자리를 돌고 도는 이 관람차 같다고...

2009 / 2024

Lovely ♡
Runner
♡

15화

우리가 과거…현재…아니 그 어떤 시간 속에서 만났더라도.

널 사랑하게 될 운명이 아니었을까.

씬/1   관람차 안 (N) *14화 엔딩 연결

흔들리는 관람차 안. 순간 휘청하는 솔을 품에 끌어안는 선재.

선재   이러다 우리 여기서 같이 죽는 거 아닌가? (하는데)

안내방송(E) 관람차 승객 여러분 죄송합니다. 전력 공급 문제로 잠시 운행이 중단
되었습니다. 신속하게 다시 운행이 재개될 예정이니 잠시만 기다려주시
길 바랍니다.

선재   하... (한숨 쉬는데 솔과 눈 마주치자 살짝 어색해져 자리로 돌아가 앉는)

솔   ..... (선재 보는 표정에서)

(시간 경과)

선재   (시간 확인하며) 언제까지 이러고 있어야 되는 거야... (하며 맞은편 보면
솔이 고개 푹 숙이고 눈 감고 있다) 태평하네. 잠이 오는 것 보면.

그때, 다시 움직이기 시작하는 관람차.

선재   다행히 오늘 죽진 않겠네. 임솔 씨. 일어나요 이제. (하는데 대답 없자) 임
솔 씨? (부르며 자세히 보는데 솔이 이마에 식은땀 맺혀 있다) 이봐요.

어디 아파요? (솔이 이마에 손등 살짝 대보는데 뜨겁다!) 불덩이네...! 임솔 씨. 정신 좀 차려봐요. (하는데 솔이 끙... 앓으며 덜덜 떨자) !!! (놀란 표정에서)

씬/2   관람차 입구 (N)

선재, 자신의 코트로 둘둘 감싼 솔을 양팔로 번쩍 안고 관람차에서 내린다. 놀이공원 관계자들 모여 서 있는데, 직원들 눈에 안 들어오고. 모여 있던 직원들 양쪽으로 갈라지면 그 사이를 지나쳐 가는 선재. 솔이 혹시나 추울까 싶어 품에 더 세게 꼭 끌어안고, 눈보라를 뚫고 성큼성큼... 걸어가는 모습 slow.

씬/3   선재네 아파트 침실 (N)

솔, 수액 맞으며 잠들어 있고. 선재, 멀찌감치 앉아 잠든 솔을 지켜보고 있다.

〈선재 회상 인서트〉 *14화 61씬
솔 "나랑 엮이면 죽을 수도 있다고 해도 할 생각이에요?"

선재   하여간...이상한 여자라니까. (하는데)

솔, 끙끙 앓으며 웅크리고 덜덜 떨자, 선재, 일어나 붙박이장 안에서 얇은 이불 하나 더 꺼내 덮어준다. 이불 밖으로 나온 솔의 손목을 잡아 이불 속에 넣어주려는데... 솔이 잠결에 선재 손가락 끝을 잡는다. 두근, 멈칫하는 선재.

솔   (잠결에) 선재야... (앓으며 힘없이 잠꼬대하는) 선재야...

선재, 솔의 손을 차마 떨치지 못하는. 결국, 손이 잡힌 채로 의자를 끌어
당겨 앉는다. 잠든 솔을 가까이에서 보는데 식은땀에 젖은 이마, 눈가에
맺힌 눈물이 안쓰러운. 눈물이 볼을 타고 흐르자 저도 모르게 다른 손을
뻗어 눈물을 쓸어준다.

선재   (작게) 곧 나을 거예요. 푹 자요.

(시간 경과)
동석이 들어오며 "약 받아 왔어요..." 하는데 선재 모습 보고 헉! 소리치
려 하면. 선재, "쉿..." 하며 솔이 손 조심히 내려놓고 일어나 굳어 있는 동
석 밀고 나가는.

씬/4   선재네 아파트 거실 (N)

선재 문소리 안 나게 조심히 닫는데, 이를 경악스럽게 보는 동석.

동석   뭐예요 그거?! 내 여자한테나 한다는 그 행동!
선재   뭔 소리야. 깰까 봐 그런 거지. (약봉지 뺏어 들면)
동석   그니까요! 깨워서 보내야지 왜 더 푹 재우냐구요! 설마 여기서 재울 생각
         이에요?
선재   그럼 이 새벽에 아픈 사람을 억지로 깨워?
동석   그럼 이 새벽에! 여자랑 단둘이 있겠다구요?
선재   (그제서야 아차 싶은) 야, 넌 무슨 상상을! 그리고 왜 둘이야 너도 있고!

"뭔 소리야? 여자라니!" "여자??" 하는 소리에
돌아보면 인혁, 현수, 제이 술 사 들고 우르르 들어온다.

선재   하, (피곤하다는 듯) 니들은 왜 왔어 또.
인혁   술 먹다 여기서 2차 하려고 왔지. 우리 공연 얘기도 할 겸.
선재   초인종은 장식이냐? 내 집이 뭔 합숙소도 아니고.

제이	근데 형한테 여자가 있어?
인혁	언제 여자 생겼어? 너 나 좋아한 거 아니었어? (호들갑. 시끄럽게 떠들면)
선재	뭔 헛소리야. 가 빨리.
현수	오~ 누군데? 여기 금녀의 공간 아니었나?
선재	그래. 여자 생겼으니까 방해하지 말고 가. 가! (어떻게 좀 해보란 듯 동석 보면)
동석	(이 악물고) 내일 얘기해요...! (하고 수습) 자~~ 우리 형님들 술 드셨으니 제가 집까지 데려다 드릴게~ (소파에 앉은 제이, 현수 잡아 일으키고 우르르 몰고 나가며)
일동	소개시켜줘야지! / 누군데에~ / 이쁘냐?
동석	방해 말고 갑시다! 그룹 친목은 다음에 쌓으시고~ 가자! 고고고! (마구 밀고 나가면)
선재	(피곤한 듯 한숨 푹 쉬는 데서)

씬/5 선재네 아파트 침실 (D)

눈 뜨는 솔. 낯선 천장이 보인다. 놀라 일어나서 보면 손등에 반창고 붙어 있고, 옆엔 다 들어간 수액팩 걸려 있는. 주위 둘러보면 선재 방이다! "선재...집?!" 헉!!! 벌떡 일어나는데 우당탕 침대에서 굴러떨어지고. 허둥대며 일어나 의자에 걸린 외투 챙겨 뛰쳐나가는.

씬/6 선재네 아파트 거실 + 현관 (D)

솔, 뛰어나오는데 선재 가슴팍에 부딪혀 멈춰 선다. 헉! 놀라 뒤로 물러나서 보면, 선재, 막 샤워하고 나온 듯 젖은 머리 수건으로 털고 있는.

선재	몸은 좀 어때요?
솔	(혼란) 내, 내가 왜 여기...
선재	(O. L) 기억 안 납니까? 아파서 쓰러졌잖아요.

솔	아니, 아파서 쓰러졌는데...왜 여기 있는 거냐구요?
선재	응급실은 대기만 몇 시간이래고, 그쪽은 열이 펄펄 끓고, 그냥 두면 죽겠던데요?
솔OFF	차라리 그냥 죽게 두지! (ON) 그럼 집으로 데려가야죠. 주소도 알면서!
선재	내 집이 더 가까워서? (뭐 문제 있냐는 듯 보면)
솔	아무리 그래도 그렇지... (하는데)
선재	(O. L) 나도 할 수 없이 데려왔어요. 오밤중에 의사 친구한테 와달라고 어려운 부탁까지 해가면서 돌봐준 사람한테, 지금 따지는 겁니까?
솔	(아차 싶고, 미안한) ...아니요. 어젠 제가 신세를 많이 졌네요. 고마웠습니다.
선재	말로만요?
솔	...보답해야죠. 할게요.
선재	흠...일단 밥 먹으면서 얘기하죠. 그쪽 챙기느라 어제 저녁부터 계속 굶었거든요.
솔	(당황) 아, 저는 일단 집에 가야 할 거 같아서. 사례는 잊지 않고 하겠습니다. 식사 맛있게 하세요! (후다닥 현관으로 가는데 솔이 신발이 없는) 어? 신발이...어딨지?
선재	이런...급하게 오느라 신발을 밴에 두고 왔네요? 매니저한테 갖고 오라고 할게요.
솔	네에?!!
선재	한 30분 걸리겠네요. 아침 같이 먹죠? 맨발로 나갈 거 아니면.
솔	하... (미치겠는)

씬/7   선재네 아파트 주방 (D)

선재, 대접에 담긴 삼계탕을 반 쩍 갈라서 솔에게 밀어준다.

선재	아직 뜨거우니까 후후 불어 먹어요. (하는 순간 짧게 떠오르는 장면)

〈선재 회상 인서트〉＊3화 9씬

선재, "후후 불어 먹어라." 하던 장면. (*솔이 얼굴 흐릿하게)

선재OFF	뭐지?.....데자뷴가. (살짝 갸웃하는데)
솔	(삼계탕 그릇 가만 보며, 왠지 울컥할 것 같은)
선재	왜 안 먹고 보고만 있어요? 잘 안 먹으니까 다 큰 어른이 밖에서 픽픽 쓰러지지.
솔	...저 잘 먹어요. (코가 시큰거려 고개 숙이고 국물 떠먹는데)
선재	(솔이 살피며) 이제 안 아파요? (불쑥 손 뻗어서 솔이 이마 짚어본다)
솔	! (두근. 고개 들어 보면)
선재	열은 내렸네. (솔과 눈 마주치자 아차 싶고, 손 내리며) 왜 그렇게 봐요?
솔	(둘러대는) 아, 아뇨. 설마 이거 직접 끓인 건 아니죠?
선재	(선재 사진 박힌 슝슝배송 박스 가리키며) 신.선.하게 배송해주던데요. 내 이미지처럼.
솔	뒤끝이 좀 심하시네요. (고개 숙이고 먹는)
선재	(먹는 솔이 모습 보며 피식) 그쪽은 잠버릇이 좀 심하던데.
솔	네? 내가요??
선재	(정색하고 장난) 잠결에 나한테 한 짓 기억 안 나요?
솔	한...짓이요? (철렁) 제가 무슨 짓을...했을까요?
선재	그게... (솔이 빤히 보다가) 아니에요. 그냥 모르고 지나가는 게 나을 수도 있겠네요.
솔	(불안) 왜요. 왜!
선재	그쪽 죽을까 봐요. 창피해서? (솔이 표정 보고 피식)
솔	(어이없어하는데 선재 셔츠 사이로 목걸이 보인다) 근데 저기 그 목... (목걸이 물으려다가 마는) 아니에요. (다시 고개 숙이고 먹는데)
선재	근데 어떻게 보답할 겁니까? 이번에도 편의점 커피로 때울 생각인 건 아니죠?
솔	그럼 뭘 원하시는데요?
선재	(빤히 보다가) 회사, 관두지 말아요. 알아서 잘하는 딱 깔끔하고 센스 있는 직원인 임솔 씨를 잃으면. 회사도 손실이 크지 않겠어요?
솔	하, (무시하려 다시 고개 숙이고 떠먹으면)
선재	(진심으로) 자기 영화 만드는 게 꿈이라면서요. 이대표님이 그러던데.

솔	...! (멈칫, 표정)
선재	세상의 빛도 못 본 훌륭한 시나리오들이 얼마나 많은지 임솔 씨가 더 잘 알면서 이런 기회를 포기해요? 임솔 씨 꿈이 고작 그 정도였습니까?
솔	...다른 꿈도 있거든요.
선재	뭔데요?
솔	제가 사랑하는 사람이 오래오래 행복하게 사는 거요.
선재	(멈칫) 그게 누군데요?
솔	비밀이에요.
선재	(질투가 나서 까칠하게) 하, 그거랑 회사 관두는 거랑 무슨 상관이지?
솔	(표정) 상관있으니까, 상관하지 마시죠.

씬/8 선재네 아파트 거실 + 현관 (D)

솔, 외투 입고 현관만 보고 있다. 빨리 나가야 될 것 같은데 왜 안 오나 싶고. 그때, 선재가 방에서 차 키, 외투 들고 나오는.

솔	잘 먹었어요. 근데 매니저분은 언제쯤...
선재	(외투 걸쳐 입으며 O. L) 데려다줄게요. 가죠.

선재, 솔을 휙 지나쳐 현관 쪽으로 간다. 솔, 갸웃하며 쫓아가보면.
선재, 신발장 문 열고 솔이 신발 꺼내더니 현관에 가지런히 내려놓는다.

솔	아니, 신발 밴에 있다면서요?
선재	(장난스레 씩 웃으며) 또 홀랑 도망갈까 봐 숨겼어요. 왜요?
솔	(황당해 말문 막혀 서 있는)
선재	안 갈 거예요? 내 집에 눌러앉으려고?
솔	(정신 차리고 후다닥 신발 신으며) 갈 거예요!

씬/9 선재네 아파트 주차장 (D)

태성, 경비(*14화 하얀패딩 쫓아가던), 아파트 관리 직원과 대화 중이다.

경비   또 숨어들어 왔길래 쫓아갔는데 줄행랑을 치더라고. 다람쥐같이 빨러 하여간.

태성   (영수 몽타주 보여주며) 혹시 근래에 이런 사람 주위에서 보신 적 있으세요?

경비   (갸웃하며) 못 봤는데요...?

관리직원   아파트 인근 씨씨티브이는 넘겨드릴 건데요...그, 수사는 최대한 조용~히 해주실 수 있죠? 납치 뭐 그런 소문 돌면 입주민분들 민감해서.

태성   하, (어이없어하며 고개 젓는데)

솔(E)   괜찮다니까요?!

태성, 경비, 관리 직원 돌아보면 솔, 선재 엘리베이터에서 내려 걸어오고 있는.
선재 "데려다준다니까요." 하며 솔을 쫓아가고. 솔, "혼자 갈 수 있다구요." 하며 빠르게 걸어가다 태성 보고 멈칫, 놀라서 멈춰 선다.

태성   (살짝 놀란) 왜 여기서 나와?

선재   ? (솔, 태성 번갈아 보는)

태성   (선재 쪽으로 시선 돌리고, 알아보는) 류...선재? 둘이 같이 있었어?

솔   (당황) 그게...! (놀라 주위 둘러보면)

경비, 관리 직원 선재랑 솔 번갈아 보며 알 만하다는 듯 씩 웃고. 주위에 입주민들 몇 명 지나가다 선재 알아보고 "류선재다..." 수군대고 있자 솔, 헉! 놀라는.

선재   어젯ㅂ... (뭐라 말하려는데)

솔   (옆구리 찌르며, 다 들으라는 듯 큰 소리로) 일! 때문에 왔지. 비지니스로 딥토킹을 좀 하느라고 아침에 잠깐 들렀어! 내가 기획한 영화에 출연하거든 류선재 씨가.

태성	영화?
솔	(명함 꺼내 관리실 직원, 경비한테 주며 큰 소리로) 제가 영화사 직원이거든요~ 비.지.니.스 파트너랄까? 아하하하. 한집에서 나왔다고 괜히 또 오해하시구 소문내구 그러시면 안 됩니다~ 저 그럼 회사 못 다녀요~ 아하하하!
선재	(피식, 고개 숙여 솔에게 작게) 퇴사는 물 건너갔네요?
태성	(귓속말하는 선재 보며 미간 구기는)
솔	(젠장..!) 그럼 너는! 왜 여깄어?
관리직원	크험!! (태성에게 눈치 주고)
태성	나도 일 때문에 왔지 뭐. 볼일 다 끝난 거지? 가자. 회사까지 태워줄게.
솔	그래! (선재에게) 그럼 기획서 보시고 연락 주세요! 가자. (획 돌아 태성과 가면)
선재	하, (어이없어하는데) ...어?! (다시 태성 뒷모습 보며 뭔가 떠오른 듯)

〈선재 회상 인서트〉 *14화 47씬 선재 시점

말자 태우고 온 선재, 차에서 내리는데. 일각에 솔, 태성 보인다.

태성	너 내 여자친구 아니었어?
솔	내가 왜 니 여자친구냐?
태성	그럼 니가 남자냐? 여자지.
선재	(일각에서 보다가 심기 불편. 어이없어하며) 웃기고 자빠졌네.
솔	친구가 무슨 여자냐?
선재	(솔, 태성 보며 표정)

#다시 현실

선재	그때, 그 남자? (굳은 표정)

씬/10 선재네 아파트 침실 (D)

선재	(문 확 열고 씩씩대며 들어오며) 참 나. 사귀는 사이 아니라더니?
솔(E)	제가 사랑하는 사람이 오래오래 행복하게 사는 거요.
선재	하! (성질나 솔이 덮었던 이불 성내며 팍팍 정리하는데)

〈선재 회상 인서트〉＊3씬

솔이 "선재야." 잠꼬대하던 장면.

선재	(괜히 서운하고) 그렇게 애타게 불러놓고선. 손까지 꽉 잡고 아주 애절하게! (이불 아무렇게나 마구 흐트러뜨리는데 협탁에 놓인 약봉지 본다. 표정) ...!

씬/11 태성 차 안 (D)

솔	무슨 사건이 났는데?
태성	(운전하며) 전에 말한 사건 있잖아. 동일범 소행으로 보이는 두 번째 납치 미수 사건이 났는데 장소가 거기야.
솔	(불길한 표정 OFF) 왜 하필 선재 집 앞이야...불안하게.
태성	(생각에 잠겨 있다가) 좋겠다? 류선재랑 같이 일해서?

〈태성 회상 인서트〉＊13화 49씬

솔이 "선재야...보고 싶어.." 하며 울던 장면

태성	(살짝 떠보듯) 너 류선재 팬이잖아. 술 먹고 보고 싶다고 울고불고할 정도로.
솔	내가 그랬어?... (표정) 이젠 아니야. 팬 그런 거.
태성	(왠지 다행인데) 근데 뭔 일 얘기를 아침부터 배우 집에서 하냐. 것도 둘이서?
솔	워낙 바빠서...시간이 안 되니까.
태성	아무리 그래도 남자 혼자 사는 집에 겁도 없이 가? 무슨 짓을 할 줄 알고.
선재(E)	잠결에 나한테 한 짓 기억 안 나요?

솔OFF 무슨 짓은 내가 한 것 같단 말이다. 무슨 짓을 했길래... (생각에 잠긴)

씬/12 솔이네 아파트 거실 (D)

금, 현주 피자 배달 받고 있는데 복순이 방에서 나온다.

복순 임솔 앤 어제 안 들어온 거야 일찍 나간 거야? 아침부터 웬 피자?

현주 이태리에서는 피자가 주식인데 먹는 시간이 따로 있나요~ 먹고 싶을 때 먹는 거지.

금 (피자 받고 쿠폰 돌려주며) 쿠폰은 됐습니다. 이제 그런 거 사사롭게 안 모아서.

현주 (배달원 나가면) 어쩜 좋아~ 우리 여보 넘 부티 난다~

금 부티 나? (흐흐흐 웃으면)

복순 저것들 왜 저래? 니들 뭐 잘못 먹었어?!

금,현주 (눈빛 주고받으며 또 흐흐흐 웃는)

〈금&현주 회상 인서트〉
#호텔 복도 + 스위트룸 (N)
금, 눈 휘둥그레 둘러보며 스위트룸 문 앞에 선다. 어색해하며 똑똑 노크 하면 문 벌컥 열리고, 먼저 와 있던 현주가 와인 잔 들고 씩 웃는다.

현주 (찐득하게 속삭이는) 들어와...

금 (긴장, 어색) 여, 여보야. 여긴 왜 오라고 한 거야? 무지 비싼 데 아니야?

현주 (와인 잔 탁 내려놓더니 얼굴 붙잡고 뽀뽀 찐하게 쪽! 하고 물러서는)

금 왜, 왜 그래...? (하는데)

현주 여보야...나 씻고 나올게. (핸드폰 쥐여 주고 재킷 벗으며 욕실로 가면)

금 (옷 여미며) 자기야. 씻다니? 왜애? (안에서 쏴- 물소리 들려오자 뭔가 두려운) 뭘 잘못 먹었나 왜 저러는 거야? 셋째는 안 되는데? (하며 현주 폰 보는데 1등 당첨 화면이다. 쿵!) 뭐야... (손 덜덜 떨며 눈 끔쩍이고 다시 확인한다. 헉! 폰 툭 떨어트린다. 잠시 멍해 있다가) 자기야!!! 같이 씻

어!! (옷 벗어던지며 뛰어가는 데서)

#다시 현실
금, 현주 ㅎㅎㅎ 웃으며 피자 먹고 있는 얼굴에서 화면 빠지면,
복순, 보아 피자 먹고 있고. 재아, 뒤에서 보행기 타고 있는.

복순	(접시에 빵 꽁다리만 쌓여 있자) 빵 꼬다리는 왜 안 먹어?! 아깝게쓰리!
금	나 이제 아깝다고 꾸역꾸역 먹고 그런 거 안 할 거야. 그동안 나는 내 자신을 너무 천대한 거 같아. 이제부터 귀빈 대접해주려고.
현주	(그렁그렁) 그래. 우리 앞으로 피자는 맛있는 가운데만 먹구 부침개는 바삭한 테두리만 먹구, 딸기 수박은 새콤달콤한 빨간 부분만 먹으면서! 그렇게 살자 우리!
금	(현주 손 맞잡고) 치킨도 연한 다리 살만 먹을 거구! 식빵도 연한 속만 파먹을 거야!
복순	염병을 떠네 아침부터. (하며 요구르트 까서 뚜껑에 묻은 거 핥아먹으려는데)
금	엄마. 없어 보이게 이런 거 막 핥아먹는 거 아니야. (하며 휙 버리면)
복순	(참다 버럭) 니들이 재벌이냐? 일론인지 멜론 머스켕이도 안 그러겠다! (하며 일어나 주방 쪽으로 가면)
현주	(금에게 속삭이는) 근데 오빠. 당첨금은 언제 찾아? 복권 1년 전 껀데 곧 수령 기간 끝나지 않아?
금	(피자 먹으면서 듣다가 갑자기 표정 굳고 헉! 피자 툭 떨어뜨리며) 맞다 당첨금! 빨리 찾아야 되는데?! (어벙한 표정에서)

씬/13 본시네마 대표실 (D)

이대표, 솔이 앞에 앉혀 두고 찔찔 울고 있다.

이대표	내가 롤모델이라더니! 너 신입 때부터 얼마나 이뻐했는데 어떻게 나한테 이래!

솔	(휴지 뽑아 주며) 어젠 죄송했어요. 감정적으로 말씀드릴 게 아니었는데.
이대표	(코 팽- 풀며, 아쉬움에) 죄송하면 회사 나간다고 한 거 취소해!
솔	(미안한) ...후임자 들어올 때까지는 나올게요.
이대표	후임자 내가 안 뽑으면 너 못 나가는 거야 알아? (훌쩍이는)
솔	왜 우시구 그래요... (달래며, 한숨. 마음 무거운 표정)

씬/14 경찰서 (D)

태성과 막내 형사, CCTV 영상 보고 있는.

막내	아파트 씨씨티브이 보고 있는데 여기, 주차장 입구 쪽에 찍힌 거 보세요.

〈CCTV 영상〉
선재 아파트 주차장 앞 거리. 영수가 뛰어와 주차한 택시에 타는 장면.

태성	(영상 정지하며) 몽타주 그놈 맞네. 근데 택시? 택시 기산가?
막내	번호판 식별이 안 돼서 다른 각도에서 찍힌 거 있나 봤는데 없더라구요.
태성	(영상 다시 재생시켜서 보는데)

〈CCTV 영상〉
영수가 탄 택시 출발하는데 주차장에서 나오는 선재 차랑 스치는 장면.

태성	(영상 멈추고) 여기. 이 차 블랙박스에 번호판 찍혔을 거 같은데?
막내	네. 안 그래도 알아봤는데요. 이 차주 완전 유명한 사람이에요.
태성	누구?
막내	류선재요.

〈선재 아파트 주차장 입구 인서트〉 *14화 40씬 이후 상황, 선재가 '류근덕 갈비'로 가는 동선
아파트 주차장에서 선재 차 나오는데... 선재 차 옆으로 영수가 탄 택시

스쳐 지나가는 모습 slow. 운전석에 앉아 있는 선재와 영수 얼굴 교차되어 보여지는.

#다시 현실

태성   류선재? (표정)

씬/15 솔이네 아파트 거실 (N)

금, 거실 테이블에 둘둘 말린 도화지 쫙 펴는데 보면, 어설프게 그린 도면이다.

현주   뭐야?

금   (진지) 1등 당첨금 찾을 은행 도면이야. 우린 내일 이 건물 청소부로 위장해서 잠입할 거야. 그니까 눈 감고도 찾아갈 수 있을 정도로 이 도면, 달달 외워.

현주   에? 무슨 위장까지 해야 돼?

금   당연하지! 그냥 막 찾아가서 우리 1등 당첨잡니다! 하고 동네방네 떠벌리려고? 그러다 강도가 우리 당첨금 노리고 쫓아오면 어쩔래!

현주   근데 청소부 옷은 어떻게 구해?

금   (씩 웃으며) 아는 형이 영화 촬영 소품 빌려준대. (시간 보며) 어? 지금 가야겠다!

현주   나도 같이 갈까? (하며 벌떡 일어나면)

솔   (들어오며) 나 왔어~ 엄마랑 할머니는?

현주   보아 데리고 찜질방 갔어.

금   (재아 번쩍 들어 솔이 품에 안겨주며) 동생아! 재아 좀 잠깐 봐주라! 금방 갔다 올게! 가자 여보야. (현주 손잡고 다급히 뛰어나가면)

솔   어? 어디 가는데!! (이미 나가버린) 으휴... (애기 보며 웃는) 오늘은 꼬모랑 잘까?

씬/16 찜질방 (N)

복순, 말자, 보아 양머리 똑같이 하고 식혜랑 계란 먹고 있다.

복순 할머니랑 찜질방 오니까 좋아?

말자,보아 쪼아쪼아~ / 쪼아쪼아~ (동시에 똑같이 히죽 웃으며 대답하는)

E 드르릉드르릉 코 고는 소리

복순 아휴. 시끄러 죽겠네. (하며 돌아보면)

근덕 (얼굴에 수건 덮고 크게 코 골며 자고 있는) 크헝...컹...

복순 (흔들어 깨우며) 아저씨! 이봐요 아저씨!! (마구 흔드는데도 안 깬다)

말자 (가만 앉아 있다가 맥반석 계란을 근덕 머리에 퍽 쳐서 깨는)

근덕 커억! (놀라 벌떡 일어나면 얼굴에 올려둔 수건 떨어진다) 뭐여!!! 뭔 일이여!

복순 아니 코골이 땜에 시끄럽잖아요! 사람들 다 귀 막고 있는 거 안 보여요? (하는데)

근덕 죄송합니다... (하는데) 할머님? (복순 알아보는) 아이고! 금비디오 사장님이시네?!

씬/17 선재네 아파트 거실 (N)

편한 홈웨어 차림 선재, 팔짱 끼고 앉아 테이블 위에 놓인 약봉지 뚫어져라 보고 있다.

동석 뭘 그렇게 봐요?

선재 ! (흠칫) 보긴. 아무것도 안 봐.

동석 (손가락으로 선재 미간 쿡 찌르더니 선재 시선 방향 따라 쭉 공중에 선 그으며 이동하는데 약봉지에 손가락이 쿡 닿는) 이거 봤네.

선재 (뜨끔) 아니거든? (하다 지금 본 척 어색한 톤으로) 아니 이런! 약을 두고 가다니! 아픈 사람이 약을 두고 가면 어쩌나? 이거 상당히 큰일인데?

동석	(왜 저래?? 하듯 보며) 큰일까진 아닌 것 같은데요?
선재	(흥분) 이게 큰일이 아니야? 너 항생제 복용법 몰라? 처방받은 항생제는 중단하지 말고 끝까지! 다 나았다 하더라도 빼먹지 말고 꼬박! 꼬박! 먹어야 된다고.
동석	아 그래요?
선재	맘대로 약 중단하면 내성 생겨! 그래서 다음에 아플 때 약빨 안 들어서! 어? 임솔 씨한테 위독한 상황이라도 생기면 내가 영 찜찜해지지 않을까?
동석	무슨 약 몇 번 빼먹었다고 위독한 상황이 생겨요. 설마...
선재	(O.L) 설마가 사람 잡는다? 안 되겠네. 내가 지금 굉~장히 피곤해서 아무 데도 나가고 싶지 않지만! 할 수 없이 갖다 줘야겠어. (벌떡 일어나는데)
동석	(선재 어깨 눌러 앉히며) 그럼 쉬세요. 제가 가는 길에 전해줄게요.
선재	니가 왜 가!
동석	형 굉장히 피곤하다면서요. 제가 갈게요~ (약봉지 들고 나가려는데)
선재	(후다닥 달려가 동석 막아서서 다정하게) 동석아? 형이 너한테 이런 잔 심부름 따위 시키고 싶지 않아. 퇴근해. (하며 약봉지 뺏으려 하면)
동석	(약봉지 꽉 쥐고 안 놓으며 눈치 없이 해맑게) 아니에요~ 가는 길에 가면 되는데?
선재	(이 악물고) 동석아. 나인 투 식스 지켜주려고 하잖아 형이... (약봉지 힘으로 뺏으면)
동석	이미 여덟 신데 뭐... (살벌한 선재 눈빛에) 퇴근할게요! (쌩 나가는)

씬/18 찜질방 불가마 안 (N)

근덕, 복순 불가마 안에서 찜질하며 대화 중인.

복순	그때 딱! 류선재 같드라니~ 엄마 데려다줬을 때 싸인이라도 받아놓을걸.
근덕	담에 갈빗집 오시면 싸인 한 장 드릴게요.
복순	정말요? 꼭 갈게요~ 사장님 유명한 아들 둬서 좋으시겠다. 전에 연예뉴스 보니까는 류선재 청담동 어디에 10층 빌딩도 샀다고 막 나오던데?
근덕	청담동에 빌딩은 무슨. 아유 아니에요~ 아니야.

복순	아니에요? 헛소문이었나 보네?
근덕	청담동은 아니고요 서초동에 쬐깐한 6층짜리. (은근 자랑) 지하가 4층까지 있으니 합하면 10층이죠 뭐~ 허허허! 1층에 별다방도 들어섰더라고.
복순	어머어머! 부럽다아! 근데 아드님 짝은 있으신가?
근덕	아뇨~ 제 짝 찾아서 결혼했으면 좋겠구만, 일이 바쁘니까 여자 만날 기회가 없나...
복순	(O. L) 마침 주변에 참하고 똑 부러지는 처자가 한 명 있는데 다리 좀 놓아드릴까요? 참하구, 영화 쪽 일하니까 대화도 잘 통할 거구, 얼굴도 눈 돌아가게 이뻐요~
근덕	(혹한다) 그래요? 누구예요?
복순	(씩 웃으며) 제 딸이요.
근덕	엥? (웃으며 택도 없다는 듯) 괜찮습니다. 선재가 절 닮아서 눈이 높아요.
복순	(기분 확 상해) 어머. 우리 솔이 언제 보셨다고?
근덕	앞집 살 때 오다가다 봤죠~ 칠렐레 팔렐레 맨날 뛰댕기던 애. 근데 기억에 막 그렇게 눈 돌아갈 정도는 아니었는데?
복순	참 나. 보는 눈이 다 다른 거지! 그 집 아드님은 눈이 돌아갈 수도 있잖아요!
근덕	머리가 돌지 않는 이상 그럴 리가요~ 암튼 세기의 미녀들이랑 일을 해도 눈 하나 깜빡 안 하던 놈이 저희 아들입니다~ 저는 이만. (자리 피하려 일어나는데)
복순	그런 놈이 꼭 한 여자한테 헤까닥 돌더라구요! (엉덩이로 확 밀치고 먼저 나가면)
근덕	아이쿠! (나자빠지며) 뭔 놈의 힘이 그냥! 어흐. 내 평생 선재가 여자 따라다니는 꼴을 못 봤는데 여자한테 돌긴 뭘 돌아!
선재(E)	돌아버리겠네 진짜.

씬/19 선재 차 안 + 솔이네 아파트 일각 (N)

보면, 쫙 빼입고 머리까지 세팅한 선재, 심각한 표정으로 앉아 있는.

선재	하...뭐라고 하지? (약봉지 들고 연습하는) 가다지나, 아니 지나가다 들

렀어요. 바보냐? 다시. 의사가 이 약 꼭 갖다주라고 해서 귀찮지만 할 수 없이 왔습니다. 하...너무 싸가지가 없나? (거울 보며 신경 쓰이는 듯) 하...너무 힘주고 왔나. 누가 보면 잘 보이려고 발악을 한 줄 알겠네... (하는데 창밖으로 솔이 지나가는 모습 보고 표정) 어?! (얼른 옷매무새 다시 하고 목소리까지 가다듬고 내리는)

차에서 내린 선재, 솔을 부르려는데 유아차 끌고 가는 모습. 헉! 놀란다.

선재   (철렁) 뭐야...애가 있어?? (하는데 솔이 어디론가 걸어가자 쫓아가보는)

씬/20 아파트 놀이터 (N) *원통 미그럼틀 있는 놀이터

솔, 유아차 끌고 놀이터 들어가는데, 쫓아 걷던 선재, 따라 들어간다.

솔   재아야~~ 꼬모랑 나오니까 좋지?
선재OFF   고모? 조카였어? 다행이네...뭐야, 뭐가 다행인데?!
솔   아직도 안 자면 어떡해애. 일찍 자고 일찍 일어나야지. (하며 벤치에 털썩 앉는)
선재OFF   아파서 쓰러졌던 사람이 이 날씨에 왜 나와...옷은 또 왜 저렇게 얇게 입었어?

일각에 선 선재, 살짝 걱정되는 마음으로 솔을 보고 있는데.
솔, 유아차 살살 흔들며 재아와 놀아준다. 유아차 덮개 덮었다 열며 "까꿍-"재아, 꺄르르 웃고. 솔이 율동하며 동요 불러준다. "개울가에 올챙이 한 마리~ 꼬물꼬물 헤엄치다~ 뒷다리가 쏘옥~"하는데 재아 찡얼거리자 솔, 시무룩해지는.
선재, 그 모습 훔쳐보다 귀엽다는 듯 피식 숨죽여 웃는데.

솔   재아야~ 언제 잘 거니이~ (하는데)

선재, 다가가려다 버려진 캔 밟아 꽈직, 하고 소리 난다. 그 소리에 솔이 갸웃하며 돌아보려 하자 헉! 당황한 선재, 허둥대다 앞에 보이는 미끄럼틀 뒤에 숨는.

선재OFF　하, 왜 숨냐고! 이러다 들키면 더 이상하잖아!

솔, 갸웃하며 일어나 미끄럼틀 쪽으로 천천히 다가가면
선재, 이런 씨...! 살금살금 계단 밟고 올라가 미끄럼틀 위 오두막에 숨는.

솔　(다가가 보면 아무도 없고) 누가 있었던 것 같은데? (갸웃하며 다시 돌아 가려는데)
E　선재 폰 벨소리 요란하게 울리는
솔　??? (다시 획 돌아보면)

#미끄럼틀 위 + 아래 교차
선재, 헉 놀라 핸드폰 전원 끄려는데, 실수로 놓쳐 미끄럼틀 통으로 떨어 트린다. 미끄럼틀 타고 내려온 선재 폰이 하필 솔이 발 앞에 딱 떨어지는.

선재OFF　돌겠네 진짜! 하..씨..
솔　(오두막 올려다보며) 저기요. 핸드폰 여기 떨어졌는데요?
선재　(목소리 살짝 낮게 변조해서) 주울게요. 그냥 가세요....
솔　뭐야... (그냥 가려다 폰 화면 보는데 발신자 '백인혁'이다) 어?!! (폰이랑 오두막 번갈아 보다가, 눈치채는, 어이없어하며 폰 들어 전화받으며 스 피커폰 꾹 누르면)
인혁(F)　류선재! 어디냐? (대답 없자) 야 선재야!
선재　(헉!! 젠장!!)
솔　(소리 더 크게 울리라고 폰을 미끄럼틀 통 입구에 갖다 대며 씩 웃는)
인혁(F)　류선재애! 왜 대답 안 해! 류!선!재애애애!! (크게 소리치다가) 뭐야... 하 며 뚝 끊는)
선재　하... (미치겠고)
솔　(미끄럼틀 위에 보며) 류.선.재.씨? (부르면)

그때, 미끄럼틀을 타고 내려오는 선재. 미끄럼틀에 누워서 올려다본다.
폰 들고 허리 숙이고 있던 솔과 눈 딱 마주친다. 잠시 정적 흐르고...
선재, 민망한데 애써 아닌 척, 크음! 헛기침하며 자연스레 일어나는.

솔   여기서 뭐 하는 거예요?

선재   (시침 뚝 떼고) 보면 몰라요? 미끄럼틀 탔잖아요.

솔   아니 그니까, 왜 미끄럼틀을 타고 있냐구요.

선재   (어깨 으쓱하며) 종종 즐겨요~

솔   오밤중에요?

선재   대낮에 탈 순 없잖아요. 알다시피 내가 좀 알려진 사람이라.

솔   나 보러 왔어요?

선재   (바로) 네......니요? 아니요. (뚝딱대면)

솔   그래요? 그럼 미끄럼틀 계속 즐기다 가세요. (유아차 끌고 돌아가려는데)

선재   하...잠깐! (달려가 붙잡으며 주머니에서 약봉지 꺼내는) 실은 이거 주려
        고 왔어요. 며칠 약 챙겨 먹어야 된다던데 두고 가면 어떡합니까.

솔   ...?!! (놀라서 보는)

선재   물론 오직 이것 때문에 나온 건 아니고, 스케줄 끝나고 들어가다가 마침!
        지나가는 길에 들른 겁니다. 혹시 오해할까 봐.

솔   ...고맙습니다. 오해 안 해요.

선재   그리고 이 날씨에 왜 돌아다녀요. 그러다 또 쓰러지면 누굴 고생시키려고.

솔   애가 유모차를 타야 자는데 어떡해요 그럼.

(E)   응애~~~~

선재   안 자는데요?

솔   하... (유아차 젖혀 애기 안아 어르는) 재아야~~ 울지 마~ 뚝! (하는데 애
        기 계속 울고)

선재   환장하겠네.

솔   용건 끝났음 가세요. (토닥이며 어르는데 재아가 계속 울자 어쩔 줄 몰라
        하는)

선재   애 안 달래봤습니까? 이리 줘봐요. (재아 안아 들자 울음 뚝 그친다)

솔   어?!! (신기)

선재   이렇게 안정적인 자세로 안아야 아이가 편하죠. 그리고 안는 사람이 당
      황하면 불안이 아이에게도 다 전달된다고 합니다. 그러니까 (차분하게
      토닥이며) 이렇게. 아이가 아무리 울어도 평정심을 유지하고 차분하게
      엉덩이를 토닥토닥.. (토닥이는데)
E   재아 토하는 소리
선재   (얼음)
솔   어머!! 어떡해!! 왜 토를 하지??

씬/21 솔이네 아파트 거실 (N)

솔   미치겠네...이게 뭔 일이야...왜 이렇게 오래 씻어?

       욕실에서 상반신 탈의한 선재가 젖은 옷 들고 나오는데... 마치 세제 광고
       처럼 뽀얀 수증기와 함께 꽃향기 폴폴 풍기는 CG.

솔   헉! (양손으로 눈 가리며) 미쳤나 봐!! 왜 벗고 나와요?!
선재   갈아입을 옷이 없는데 그럼 어떡합니까?

       (컷 튀면)

솔   (금이 티셔츠 들고 나와, 민망해 딴 데 보며 티셔츠 건네는) 빨리 입고 가
       세요.
선재   오늘은 가지 말라고 붙잡아도 갈 겁니다. (성큼 다가가 받아 들며) 아플
       땐 내 손 꼭 붙들고 놔주지도 않더니...
솔   제가 언제요?! (돌아보면 가깝다. 두근! 민망해 눈 피하며) 옷이나 입어
       요 빨리. (하는데 E. 현관 비번 누르는 소리 들리자 헉!) 벌써 왔나?

       그때, 현관문 손잡이 돌아가는 모습 slow. 솔, 헉! 놀라 "일루 와요!" 하며
       선재 확 잡아 방에 밀어 넣고, 현관으로 달려가 선재 신발 들어 등 뒤에
       숨기는 순간 현관문 열리며 복순, 말자, 보아 목욕바구니 들고 들어온다.

복순 퇴근했네? (재아 보며) 뭐야, 재아 아직도 안 자? 금이랑 현주는?

솔 몰라아. 재아 맡기고 급하게 어디 나갔어.

복순 (재아 안으며) 으휴. 내가 재워야지. 보아야 자기 전에 양치해야지~

솔 난 그, 그럼 쉴게! (하며 신발 품에 끌어안고 방으로 후다닥 들어가는)

씬/22 솔이네 아파트 솔이 방 (N)

솔, 방에 들어오면 금이 티셔츠 입은 선재 황당한 표정으로 서 있다.

선재 뭐 하는 겁니까? 우리 죄지었어요?

솔 우리 엄마한테 뭐라고 설명할 건데요.

선재 비.지.니.스. 파트너. 라면서요 우리.

솔 비지니스 파트너가 왜 저희 집에서 씻고 나와요! 딱 봐도 이상하잖아요!

선재 (그런 솔이 웃기고 귀엽고) 아하~

솔 엄마 곧 애들 재우러 방에 들어갈 거예요. 10분만 조용히 있다가 나가요.

선재 10분 동안 우리 뭐 할까요 그럼?

솔 하긴 뭘 해요. 가만있어요 그냥... (하며 보는데 선재 이미 돌아서서 방 구경하고 있는) 뭘 그렇게 봐요? 여자 방을 매너 없이.

솔(E) 친구가 무슨 여자냐?

선재 (솔이 태성에게 한 말 떠오르고, 좋아서 웃으며) 임솔 씨 나한테는 여잔가 보네요?

솔 (뭔 소린가 싶고) 네?

선재 아니에요. (책상 일각에 놓인 태엽시계 들어 보며) 이건 뭐예요?

솔 주세요. (놀라 확 뺏으려다가 떨어트리는)

선재 (태엽시계 주워 주는데 태엽 부분이 떨어져버린) 아, 어떡하죠?

솔 괜찮아요. 주세요. (손 내미는)

선재 고장 난 것 같은데. 고쳐다 줄게요.

솔 아니에요. 그냥 주세요. (가져가려 하면)

선재 내가 미안한 일 만드는 걸 싫어해서. (태엽시계 주머니에 넣으려는데)

솔	괜찮다니까요?! (하며 선재 손잡아 뺏으려고 하면)
선재	(살짝 장난스레) 어? 손은 왜 잡지?
솔	(멈칫, 손 놓으며 약 오르고) 아니 그니까 왜 굳이 가져가서...! (말하는데)
선재	(못 들은 척 주머니에 시계 넣고 홱 돌아서는데, 일각에 놓인 솔이 교복 입은 사진 보이는) 이건 학생 땐가 보네요? (가까이 가서 보는) 자감여고 교복 맞네.
솔	(헉!) 보지 마요. (하는데)
선재	(사진 가만 보며 피식) 예뻤네요...
솔	(두근...) 예쁘긴 뭐가 예뻐요. 참 나...
선재	교복이요.
솔	(화르르, 민망) 그죠. 우리 교복이 예쁘긴 했지.
선재	(돌아보며) 근데 정말 저 때 나 본 적 없어요?
솔	네? 그, 그럼요. 못 봤으니까 못 봤다고 하죠.
선재	아... (하며 다시 사진 빤히 보는)
솔	그만 보라니까요. (하며 못 보게 액자 덮어버리는데)
선재	왜요, 예뻐서 보는데.
솔	류선재 씨 무슨 교복 매니아예요?
선재	(일부러가 아닌 사진 보며 자연스럽게 말하는 투로) 설마. 그쪽이 예쁜 거지.
솔	(잠시 말문 막히고) 아, 아니 무슨 그런 말을 아무렇지도 않게! (언성 높이는데)
선재	(방문 쪽 보더니 손바닥으로 솔이 입 살짝 막으며) 쉿.
솔	!!! (두근)
복순(E)	임솔! 너 통화해?!
선재	(작게 속삭이는) 들키면 안 된다면서요.

솔의 입 막고 있는 선재. 가깝게 선 두 사람. 떨리고 긴장된 분위기. 눈 마주치자 솔, 어색하게 뒤로 물러서며 "아니야 엄마!" 소리치면. 선재, 어색하게 손 거두는.

씬/23 솔이네 아파트 솔이 방 + 거실 (N)

솔, 조심스레 문 열어 빼꼼 얼굴 내밀고 불 꺼진 거실 휙휙 살핀다. 뒤에
선 선재, 그런 솔이 보며 피식 웃고.
솔, "다들 자나 봐요." 속삭이며 저도 모르게 선재 손 잡아끌고 현관 쪽으
로 데려간다. 선재, 솔에게 잡힌 손 보며 또 피식.

선재   아주 상습적이네.
솔   네? 뭐가요?
선재   내 손 잡는 거요. 덥썩덥썩 쉽게도 잡네. (웃으면)
솔   (화들짝 놀라 놓으며) 가요 빨리. (막 선재 등 떠밀고 현관에 선재 신발
       내려주면)
선재   (신발 신는 순간 센서등이 팟! 하고 켜진다) ...?! (표정)
솔   가족들 나오면 어쩌려구요! 가요. (선재 밀고 현관문 여는)

씬/24 솔이네 아파트 복도 + 현관 (N)

집에서 나온 선재, "갈게요..." 하며 돌아보는데 현관문 닫히기 전 센서등
아래 선 솔과 눈이 마주치는 모습 slow. 순간 어떤 기억이 스친다.

〈선재 회상 인서트〉 *8화 42씬
솔과 선재의 현관 키스 장면 짧게 스치고.

현관문 쿵 닫히면, 선재, 잠시 멍한 표정으로 닫힌 문 보고 서 있다.
선재, "뭐야 이거...!" 헉! 입 틀어막고 놀란 표정에서.

씬/25 솔이네 아파트 앞 + 영수 택시 (N)

선재, 옷 봉지 들고 혼란스러운 표정으로 나온다.

입구에 선 택시에서 내리던 남자 손님, "어? 류선재?" 신기한 듯 보며 묻는데. 한편, 택시 기사, 기어 바꾸며 차 출발하는데 영수다. 차 앞 유리창으로 걸어오는 선재 모습 무심히 보고 그대로 스쳐 지나가는데. 영수, 선재 스치는 모습 slow.

씬/26 솔이네 아파트 솔이 방 (N)

솔, 일각에 놓인 선재가 준 약봉지 본다. 한숨... 마음 복잡한.

씬/27 선재네 아파트 거실 (N)

심각한 선재, 폰으로 검색해보고 있다. '여자랑 키스하는 상상'까지 치다 멈칫.

선재	상상은 아닌데...꿈도 아니고. 맨정신이었는데? 환각인가? (중얼대는데)
인혁	(불쑥 나타나 선재 폰 들여다보는) 너 여자랑 키스하는 상상했냐?
선재	(화들짝 놀라며) 뭐야! 언제 왔어!
인혁	(흐흐 웃으며) 야. 뭘 상상으로 해 실전으로 해 그냥. 여자 생겼다며~
선재	여자 생긴 거 아니다~
인혁	전에 집에 데려온 여잔 그럼 누군데.
선재	비지니스 파트너.
인혁	넌 비지니스 파트너랑 키스하는 상상도 하냐?
선재	(이 악물고) 그런 거 아니라고...
인혁	아니긴. (피식 웃으며 소파에 앉아 자연스레 맥주 따 마시면)
선재	그냥...그 여자 볼 때마다 어떤 장면들이 꼭 오래전에 본 영화 속 한 장면처럼 흐릿하게 떠올라.
인혁	그래? 떠오를 때마다 기분이 어떤데?
선재	벅차다고 해야 하나, 슬프다고 해야 하나... (표정 있고) 왜 이러는 걸까?
인혁	반했네.

선재	뭐?
인혁	사랑이네.
선재	(정색) 너 가라.
인혁	왜애! 벅차고 슬프고! 그렇게 감정이 요동치는데 그게 반한 게 아니면 또라이지.
선재	그래 나 또라이다. 가라고.
인혁	할 말 있어서 왔거든? 하도 전화 안 받길래 기껏 왔더니만.
선재	용건이 뭔데.
인혁	고딩 때 밴드부 김태성 기억나? 얼짱으로 완전 유명했는데. (선재 대답 없자) 암튼 걔가 경찰 됐거든. 근데 너한테 뭐 부탁할 게 있다고 잠깐 시간 만들어달라네?
선재	경찰이? (표정)

씬/28 카페 (D)

선재, 인혁 앉아 있고. 맞은편에 앉은 태성이 공무원증 보여주며 인사하고 있는.

태성	강남경찰서 강력반 김태성 형삽니다. 또 보네요?
선재	...그러게요?
인혁	어? 둘이 언제 본 적 있어?
태성	얼마 전에 우연히?
선재	급하게 부탁할 게 뭐죠?
태성	류선재 씨 차량 블랙박스 영상이 필요합니다.
인혁	(헉!) 블랙박스 영상은 왜? 야 선재야 너 뭔 사고쳤냐?!
선재	무슨 일 때문인지 알려주는 게 먼저 아닙니까?
태성	류선재 씨 팬이. 류선재 씨 집 앞에서 괴한에게 납치를 당할 뻔했거든요.
선재	(쿵) 네?
인혁	(헉!! 더 놀라는) 뭐, 진짜?
태성	류선재 씨 차 블랙박스에 용의자 차량이 찍혔을 겁니다. 번호판 식별에

필요해서요.

선재   아... (걱정스런 표정) 괜찮습니까? 제 팬이라고 한...

태성   (O. L) 다행히 다친 덴 없습니다.

선재   다행이네요. 영상은 바로 보내드리죠.

인혁   (가슴 쓸어내리며) 무서운 세상이다...범인 빨리 잡혀야 될 텐데.

태성   그래야지. (하다 생각난 듯) 아, 우리 솔이가 기획한 영화에 출연하신다
        면서요?

선재OFF 우리 솔이 좋아하시네. (ON) 네. 그런데요?

태성   요즘 바쁘시죠?

선재   늘 바쁘죠.

태성   (웃으며) 얼마나 바쁘길래 일 얘기하러 나올 시간도 없나 해서요. 아침부
        터 남자 혼자 사는 집으로 불러들일 정도로.

선재   직장 일까지 간섭하는 사인가 보네요?

태성   당연히 우리 솔이 일이니까요?

선재   왜 계속 말끝마다 우리 솔이 우리 솔이 합니까?

태성   말버릇인데요? 근데 우.리. 류선재 씨 표정에서 살짝 적대감이 느껴집니다?

선재   내가요? 그럴 리가요? (애써 미소)

인혁   (선재와 태성 번갈아 보다가) 이 분위기 뭐야? 둘이 싸우려고 만났어?

선재,태성 (동시에) 우리가 언제? / 무슨 소리야.

인혁   그리고 왜들 서로 존대야? 내 친구면 둘도 친구지. 그냥 말 놔.

태성   굳이 뭐. 친목 쌓자고 만나자고 한 건 아니라서.

선재   그렇죠. 뭐 동창회도 아니고. (직원이 뜨거운 차 내려놓자) 차나 마시죠.

인혁, 선재, 태성 동시에 뜨거운 차 마시는데.

인혁   (얼굴 확 빨개지며) 아 뜨뜨!! 야 겁나 뜨거! 니들 괜찮냐? 안 뜨거워?

선재,태성 (뜨겁지만 눈 마주치자 꾹 참으며, 동시에) 그닥?

인혁   겁나 뜨겁구만 뭔 허세야 이것들아! 흐.... (혓바닥에 손부채질)

선재   이 정도로 뭘. (태성과 눈 마주치자 허세, 차 꿀꺽꿀꺽 마시면)

태성   미지근하네. (안 지려고 차 꿀꺽꿀꺽 마시는)

선재,태성 (동시에 빈 찻잔 내려놓는데 목, 귀 똑같이 빨개지는 CG. 꾹 참고 평온한

표정)

인혁   (고개 절레절레 저으며 혼잣말) 미친놈들...

씬/29 경찰서 + 선재네 아파트 주방 (2분할) (D)

#경찰서

태성   (입에 손선풍기 바람 쐬다가) 그 자식 이상하게 맘에 안 드네? 전생에 원수였나.

#선재네 아파트 주방

선재   (얼음 털어 넣고 씹어대며) 그 자식 이상하게 마음에 안 드네? 전생에 원수였나.

씬/30 선재네 아파트 멀티룸 (D)

선재, 블랙박스 영상 보고 있다. 선재 차가 주차장에서 빠져나오면 택시 한 대가 시동 걸고 출발해 선재 차를 스쳐 지나간다. 순간 떠오르는 장면.

〈선재 회상 인서트〉 * 7화 11씬
주양저수지에서 선재, 영수 택시와 스쳤던 장면 빠르게 스치는.

선재, 살짝 두통이 오는지 인상 쓰며, 무슨 기억인 건지...혼란스러운 표정에서.

씬/31 로또 당첨금 찾는 몽타주 (D)

#1. 솔이네 아파트 금이현주 방

비장한 음악 흐르고. 청소부 옷 입은 현주, 진지한 표정으로 모자 눌러쓰고. 그 옆에 금, 배에 로또 용지 찰싹 붙이곤 복대로 꽁꽁 둘러 싸매고 있다. 마치 전장에 나가는 군인처럼 비장한 표정.

#2. 농협 본점 건물 로비

은행직원들 점심시간 끝나고 들어가고 있는. 혼잡한 분위기. 청소부로 분장한 금, 현주, 로비 양 끝에서 걸레질하다가 눈 마주치자, 금, 수신호 사인 보내는. '20보 직진. 우측으로 꺾어서 다시 5보 직진' 현주, 비장하게 끄덕이면. 금, 현주 걸레질하는 척하며 비상계단 쪽으로 이동하는.

#3. 비상계단

금, 현주 막 뛰어올라 가다가 직원들 마주치면 급 청소하는 척하고. 직원들 지나가면 또 다시 막 뛰어올라 가는, 누가 봐도 수상한 모습 위로.

금OFF	절대 우리의 정체가 발각돼선 안 돼. 자연스럽고. 침착하게.
현주OFF	자연스럽고. 침착하게.

#4. 건물 복도 + 당첨금 수령 장소

복도 유리 닦고 걸레질하는 척하며 이동하는 금, 현주.

현주	(속삭이는) 나는 너무 떨리는데 역시 오빠 배우를 해봐서 그런가 침착하네?
금	(속삭이는) 잘하고 있어. 봐! 누가 우릴 보고 1등 당첨잔 줄 알겠어?
직원	(금, 현주 보자마자) 당첨금 수령하러 오셨죠?
금,현주	(헉!) 아닌데요!! (발끈)
직원	(동요하지 않고 미소 지으며) 이쪽으로 오세요~ (안내하고)

금, 현주 얼결에 쫓아 들어가면... 똑같이 청소부 분장한 남자가 007 가방을 품에 안고 나오며 스쳐 지나간다. 금, 현주 크음... 민망한 표정에서.

씬/32 거리 일각 + 골목길 (D)

금, 현주 장난감병정처럼 뚝딱대며 걸어가다가 사람 없는 골목으로 휙 빠진다. 아무도 없는지 확인하곤 "꺅!!!!" 소리치며 껴안고 방방 뛰는데.

금 (옷 까뒤집어 복대에 숨겨 온 통장 꺼내 보며) 진짜 당첨금이야...! (감동, 울먹)

현주 (울먹) 우리 이 돈으로 뭐 할까? 어머님 할머니 솔이 울 애들 좋은 패딩부터 사자.

금 장모님 임플란트도 해드리구~

현주 우리 전셋집도 구해야지! 근데 4억으로 전셋집 구하면 바로 빵 원 되겠다. 그치.

금 (훌쩍이며) 그래도 이게 어디야~ 여보야 시집살이 그만해두 되잖아.

현주 근데 보통 1등 당첨금 몇십 억 되고 그러지 않아? 우리가 역대 최저 당첨금이라던데...이번에 1등이 오빠가 산 편의점에서만 무려 50명이나 나왔대! 신기하지!

금 (해맑게) 그래? 신기하네? 거기가 명당은 명당이었나 봐!

현주 아무래두 오빠 올해 대운이 들었던 거 아니야? (웃으며) 기분이다. 허락할게. 그 아는 형이 보라던 오디션...한번 봐!

금 뭐?! 진짜?

현주 오빠 운이 풀린 거 같으니까 한번 해보라구. 대신 이번 도전이 마지막이다~

금 (감동) 여보야! (와락 안으며) 고마워!!!

현주 이제 애들 데리러 가야지! (금이 팔짱 끼고 가며) 오늘 우리 고기 먹을까?

금 그래! 한우로 먹자! (OFF) 고맙다 동생아~ (히죽 웃는 얼굴에서 디졸브)

씬/33 로또 명당 편의점 앞 (N)

(자막) 약 1년 전
로또 명당 앞 길게 쭉 서 있는 사람들 보이고. 술 잔뜩 취한 금이 번호 중 얼중얼 말하며 수동 용지에 체크하고 있다. "6, 18, 28..."

옆사람	(힐끔 보며) 뭔 번호에요?
금	제 동생이 엄~~청 용한 무당한테서 받은 번호래요. 근뒈! 백날 해도 안 돼 안 돼.
사람들	용한 데서 받은 번호래요~ (웅성웅성) 번호가 뭐라구요? (여기저기서 물어대면)
금	어차뫄 안 될 텐데... (큰 소리로) 잘 들으세요! 6! 18! 28! 30! 38! 40! 41!! 원 모얼 타임! 6~~18~~28~~ (고래고래 소리치면)

사람들, 받아 적으며 뒷사람한테 전달전달해서 숫자 알려주고. 옆에 자동 줄 섰던 사람들도 수동으로 몰려들더니 금이 불러주는 숫자대로 받아 적는 모습에서.

씬/34 룸 식당 (N)

솔, 이대표, 정훈 앉아 있고 맞은편에 선재, 김대표, 동석 앉아 식사 중인.

이대표	출연 결정해줘서 고마워요. 우리 임피디가 전에 실수한 건 너그럽게 잊어줄 거죠?
동석	선재 형이 은근 뒤끝이 있... (선재랑 눈 마주치자 크음... 물 마시는)
선재	(솔과 눈 마주치고, 씩 웃으며) 그럼요.
솔	... (표정)

(시간 경과)
회식 분위기 무르익은. 김대표, 동석, 정훈, 이대표 대화하며 웃고, 분위기 좋은. 솔, 말없이 술 홀짝 마시는데, 그런 솔을 보고 있는 선재.

김대표	촬영은 대략 언제부터 들어가죠?
이대표	일단 시나리오 뽑을 동안 감독부터 섭외할 예정이구요...
선재	(O.L) 근데 시나리오 작업 들어가면...

일동	? (선재 보면)
선재	(솔이 보며) 결말은 바뀔 가능성 있습니까?
정훈	결말이 왜요?
선재	그냥...그렇게 끝나면 좀 슬프잖아요.
이대표	하긴. 요즘 세상이 팍팍해서 너무 슬픈 건 사람들이 싫어하기도 하더라.
솔	저는... (선재 보는) 지금이 주인공들한테 가장 최선인 결말 같아요.
이대표	그래도 들어나 보자~ 우리 남주 의견도 들어봐야지. 어떤 결말이었으면 하는데요?
선재	음...여자에 대한 모든 기억이 리셋이 된 남자가, 우연히 여자를 만나서 결국 또 사랑에 빠지는 거죠. 어쩔 수 없이.
솔	... (철렁)
이대표	어머~ 완전 멜로 엔딩이네?
솔	전 좀 별론데요?
선재	(솔이 보는 표정)
솔	지독한 운명으로 또 얽히는 거 최악의 결말 아닌가요? 여자를 다시 만났다가 남자가 또 죽으면 어떡해요? 지긋지긋하잖아요. 살려 놓으면 죽고, 살려 놓으면 죽고.
선재	어차피 사람은 날 때부터 시한부 인생 아닌가. 누구나 언젠가는 다 죽어요.
솔	더 오래...살길 바라는 마음이겠죠. 여자는.
선재	오래 사는 게 중요한가. 잠시라도 사랑하는 사람이랑 행복한 게 낫지.
솔	그래도 어떻게 끊어낸 인연인데요. 또 그렇게 사랑에 빠져버리면... (울컥하는 마음 꾹 참고) 너무 허무하잖아요. 그게 뭐야... (쓸쓸한 표정)
선재	(가만 보다) 뭐. 어디까지나 개인적인 의견일 뿐입니다. 기획자 의견을 존중하죠.

씬/35 식당 앞 (N)

회식 파하고 헤어지는 분위기. 이대표, 김대표, 정훈, 동석 인사 나누고 있고. 솔, "저 이만. 가볼게요." 인사하고 가면. 선재, 가는 솔을 보는 표정.

씬/36 한적한 예쁜 거리 (N)

솔, 걸어가는데 불쑥 옆에 다가와 걷는 사람, 선재다.

솔   (살짝 놀라 멈춰 서서) 왜 따라와요?

선재   내 맘.

솔   오픈된 장소에 이러고 있으면 안 된다면서요. 열애설 나도 책임 안 져요.
        (걸으면)

선재   (속도 맞춰 걸으며) 우리 비지니스 파트너잖아요. 일 얘기했다고 하면 되
        지 뭐.

솔   그래서 일 얘기하시게요?

선재   아니요. 데려다주고 싶은데 내 차를 안 가져와서. 택시 타는 거 보고 갈게요.

솔   (다시 멈춰 서서 선재 돌아보며) 왜 이러세요?

선재   뭐가요?

솔   본인이 잘 알 거 아니에요.

선재   (빤히 보다가) 남자친구 없는 거 맞아요? 집 앞에서 만난 경찰, 사귀는
        거 아니죠?

솔   그게 왜 궁금한데요?

선재   그러게요. 정말 그쪽한테 반하기라도 한 건가...

솔   (쿵. 애써 마음 다잡고) 안 지 얼마나 됐다고 반해요 반하긴.

선재   내가 생각해도 이상하긴 한데...관심이 가는 건 맞아요. 자꾸 생각나고.
        걱정되고.

솔   (맘 아프지만 밀어내려) 죄송한데요...그냥...저한테 이제 관심 갖지 마세요.

선재   왜요? 나랑 엮이면 삼대가 망할 운명이라서?

솔   (눈물 참으며, 담담하게) 저요. 사랑하는 사람 있어요. 그 사람을 많이, 너
        무 많이 사랑해서...그래서 류선재 씨는 안 돼요. 그러니까 제발 부탁인데
        요. 더 이상 다가오지 말아주세요.

선재   (가슴이 콕 쑤시고 씁쓸한 듯) 그쪽한텐 참 여러 번 까이네요.

솔   ......

선재   그래요. 나 싫다는 사람 억지로 붙잡을 수도 없고. 앞으로 선 안 넘을게요.

솔	감사합니다. 그리고...그동안 류선재 씨한테 무례했던 거 맞아요. 미안했어요.
선재	마지막 인사합니까? 일 때문에 또 볼 텐데 무슨.

〈솔 회상 인서트〉
#본시네마 대표실 (D)

솔	(제대로 된 사직서 이대표 책상에 올려두며) 죄송해요.
이대표	(섭섭한) 정말 두 번 세 번, 아니 백번 생각하고 결정한 거야? 회사 관두고 뭐 할 건데!
솔	좀 쉬고, 여행도 가고...영화 공부, 제대로 다시 해보려구요.

#다시 현실

솔	(눈물 참으며 살짝 농담하듯) 저한테 차였는데 어색해서 어디 볼 수 있겠어요?
선재	...... (표정)
솔	(따뜻하게 진심으로) 류선재 씨. 건강하게 잘 지내세요. 그럼 저 갈게요. (돌아서는)
선재	(가는 솔을 보며 서 있는, 왠지 가슴이 쓰린)

씬/37 선재 밴 안 (N)

선재, 생각에 잠겨 창밖 보며 가고 있는.

솔(E)	그 사람을 많이, 너무 많이 사랑해서...그래서 류선재 씨는 안 돼요.
선재	(창밖에 시선 둔 채로) 동석아...
동석	(운전하다 룸미러로 선재 힐끔 보며) 네?
선재	나 어때.
동석	어떤...점이요?

선재	남자로.
동석	(움찔, 당황) 혀, 형, 지금 고백, 하는...그런 거 아니죠? 나, 여자 좋아하는데?
선재	(동석 말 안 듣고, 생각에 잠겨) 난 왜 안 되지?
동석	형이 남자라서요. 죄송해요.
선재	(그제야 동석, 어이없다는 듯 돌아보며) 이게 미쳤나.
동석	아니구나. 휴...다행이다. (가슴 쓸어내리는)

씬/38 버스정류장 (N)

솔, 버스 기다리며 "다 끝이야. 잘 정리했어..." 하는데 태성에게 전화 걸려온다.

씬/39 태성 차 안 (N)

솔, 기운이 빠져 푹 기대앉아 있고. 태성, 운전하며 그런 솔을 힐끔 살피는.

솔	바쁜데 뭘 데리러 와.
태성	오늘 회식이라며. 차 안 가져갔을 것 같아서. 술 많이 마셨어?
솔	조금... (힘없이 장난 투로) 근데 요즘 날 왜 이렇게 챙겨? 누나 좋아하지 마라~
태성	......(가만 운전하다가) 좋아하면 안 되나?
솔	뭐? (돌아보면)
태성	솔직히 요즘 너 보면 좀 헷갈려.
솔	...! (일부러 피식 웃으며 모른 척 넘어가려) 무슨 소리야... (창밖 보는데)
태성	우린 친군데. 10년 넘게 그랬는데. 요즘 불쑥불쑥 마음이 따로 놀아. 옛날에 널 좋아했었나? 기억엔 분명 아닌데, 또 그랬던 것도 같고...내가 요즘 좀 이상하네.
솔	(표정) 너...그거 착각일 거야. 아니, 착각이야.
태성	그걸 어떻게 알아?

솔	(가볍게 넘어가려) 외로워서 그래 너어. 맨날 하던 연애 쉰 지 오래돼서.
태성	그런가? 착각인지 아닌지 한번 사겨볼까?
솔	진심 아닌 거...알어.
태성	(피식... 다시 진지하게) 헷갈리는 감정 때문에 우리 우정까지 잃을까 봐 들이대지도 못해. 요즘 내 상태가 이 모양이라 니가 이상하게 볼까 봐 솔직하게 말하는 거야.
솔	(미안한) .....나 못 잊는 사람 있는 거 알잖아.
태성	알지. 누군지 절대 안 알려주는 그놈. (한숨) 금방...제자리로 돌아오겠지.
솔OFF	그래. 그럴 거야. 그래야지. 너도, 선재도, 나도...

씬/40 솔이네 아파트 거실 (N)

불 꺼진 거실. 솔, 집에 들어오는데 말자, 혼자 TV 보며 앉아 있다.

솔	할머니. 왜 안 자고 있어?
말자	(가만 돌아보며, 미소) 우리 솔이 왔대? 밥은 먹었고?
솔	할머니...! (놀라 달려가 옆에 앉아 말자 얼굴 살피는) 나...기억나?
말자	할미 얼굴 뚫어지겄어~
솔	(눈물 그렁그렁) 오랜만에 기억해줬네... (끌어안는데)
말자	이 할미가 다 잊은 줄 알었어?
솔	응...
말자	(토닥이며) 잊긴...기억은 사라지는 게 아니여. 살면서 보고 듣고 느끼는 수만 가지 기억들이 모두 어디로 가겄어. 다...내 영혼에 스미는 거여. 그래서 머리론 잊어도 내 이 영혼은 잊지 않고 다...간직하고 있제.

〈솔 회상 인서트〉
*14화 61씬. 선재가 "내가...요즘 좀 이상합니다." 했던 장면
*39씬 태성 "요즘 불쑥불쑥 마음이 따로 놀아.....내가 요즘 좀 이상하네."

#다시 현실

솔	정말 그런 걸까...?
말자	암. 글제. 할민 지금 기억 속을 여행 중이여. 세 살 적 엄마 품에서 어리광 부릴 때로도 갔다가...열여덟 서방 만났을 때로도 갔다가...그러다 또 우리 막둥이가 그리우면 이렇게 또 돌아오기도 하는 거제...
솔	그럼 자주 좀 와. 응?
말자	그려...그르자. (하면서 하암 하품하며 졸기 시작하는데)
솔	(말자 애틋하게 꼭 안는 데서) (F.O.F.I)

씬/41 경찰서 (D)

태성	(들어오며 막내 형사에게) 며칠 전에 블박 영상 국과수에 의뢰한 거 언제 나온대?
막내	아, 좀 전에 나왔어요. 택시 회사명까지!
태성	!! (표정)

씬/42 본시네마 대표실 또는 미팅룸 (D)

이대표, 정훈, 선재 미팅 분위기.
선재, 한 손에 태엽시계 꼭 쥐고 앉아 복도 계속 보거나 문만 보고 있다.

이대표	..최기성 감독 얘기 중이에요. '어게인 러브' 찍었던. 아님 신인 감독 중에 감각 있는..
선재	(O.L) 말씀 중에 실례지만....임솔 씨는 왜 안 오죠?
정훈	아~ 앞으로 이 작품은 제가 담당할 예정입니다. 임피디 퇴사했거든요.
선재	퇴사요?
이대표	선재 씨 몰랐구나? 내가 엄청 붙잡았는데 영화 공부 제대로 하고 싶다면서 관뒀어요.
선재	!!! (표정에서)

씬/43 본시네마 앞 (D)

선재, 동석 기다리며 서 있다. 생각에 잠긴.

〈선재 회상 인서트〉 *36씬
솔이 "류선재 씨. 건강하게 잘 지내세요." 인사하던 장면

선재OFF 진짜... 마지막 인사였어? (태엽시계 들어 본다)
솔(E) 그 사람을 많이, 너무 많이 사랑해서...그래서 류선재 씨는 안 돼요.
선재 (쓸쓸한 표정) 이건 어떻게 돌려주나...다시 못 볼 사람인데.

그때, 선재 밴, 선재 앞에 멈춰 선다. 동석 창문 내리고 "형! 타세요!" 하는. 선재, 태엽시계 주머니에 넣으며 차에 타려는 순간, 귓가에 스치는 소리. (E) '소나기' 피아노 멜로디! 놀라 멈춰서 주위 보는데, 이내 환청임을 깨닫는다. "뭐야..." 혼란스러운 표정에서.

씬/44 카페 (D)

솔, 노트북으로 시나리오 작업하다가 문득 창밖 보는데, 지나가는 버스에 걸린 선재 광고 본다. 표정. 다시 노트북 보는데 집중이 안 된다. 노트북 덮고 일어나는.

씬/45 택시 회사 (D)

택시 회사 사장, 쩔쩔매고 있고. 태성, 막내 형사 서 있는.
태성, 책상에 서류들(근로계약서, 소속 기사 택시면허 등) 툭 던지며.

태성	이 회사에 등록된 택시만 100대가 넘는데 택시 면허 가진 소속 기사는 15명밖에 안 되네요? (책상에 걸터앉아 탕 내려치며) 도급택시 불법인 거 모르실 리도 없고.
막내	단속을 해도 소용없다니까요. 이러니 개새끼들이 택시로 범죄 저지르고 다니지.
사장	택시 경기가 너무 안 좋아서... (애원하듯) 이번 한 번만 넘어가주시면...
태성	(O. L) 도급택시 건은! 절차대로 처리할 겁니다. 먼저, (블랙박스 영상의 택시 번호판 사진, 영수 몽타주 내려놓으며) 5663, 이 택시. 누가 몰고 다닙니까?
사장	(책상 서랍에서 서류철 꺼내는. *도급택시 정보 담긴) 보, 볼게요...
태성	(확 뺏어 들더니 빠르게 획획 넘겨 보다가, 멈칫) 찾았네...! (종이 탁 내려놓는데 보면, '김영수' 간단한 인적 사항 옆에 증명사진 붙어 있는)
막내	(몽타주 사진 옆에 붙여보며) 어! 이놈 맞는 것 같은데요? 김영수!!
태성	피해자한테 사진 보내서 확인하고 체포영장 신청해.
막내	네! (영수 증명사진 폰으로 찍고)
태성	지금 김영수, 운행 나갔어요? (사장 끄덕거리자) 교대 시간 언젭니까?

씬/46 아늑한 술집 + 이클립스 작업실 (N)

크리스마스 분위기의 술집 안. 솔, 구석 자리에서 혼자 술 마시고 있다. 솔, 서글픈 표정, 술 마시는데 톡 알림에 멈칫. 핸드폰 확인하면 이대표다. **'류선재가 니 기획서에 나온 노래 작업해서 가이드 보내줬어 들어봐'** 솔, '소나기' 제목 보고 철렁! 가슴 내려앉고. "어떻게 이 노래를..." 놀란 표정. 솔, 확인하기 무서워 재생 못 하고 톡 화면만 보고 있는데. 말자 말 떠오른다.

말자(E)	살면서 보고 듣고 느끼는 수만 가지 기억들이 모두 어디로 갔어. 다...내 영혼에 스미는 거여. 그래서 머리론 잊어도 내 이 영혼은 잊지 않고 다...간직하고 있제.

솔, 노래, 듣고 싶어진다. 이어폰 귀에 꽂고 떨리는 손으로 재생 버튼 누르는데 **M. 이클립스 '소나기'** 흘러나오기 시작한다. 선재 목소리 듣는 순간 울컥한다. 가슴이 찡한. "오랜만에 듣네..." 눈가가 촉촉해지는 솔.
그때, 선재가 작업실에서 피아노 치며 잔잔하게 노래하는 장면으로 오버랩 된다.
솔, 선재 노래 듣는 모습과 선재 노래하는 모습 교차되어 보여지다가...
솔, 살짝 술기운에, 흥얼흥얼, 작게 노래 따라 부르기 시작한다. 그러자 마치 둘이 같이 부르는 것처럼 목소리가 합쳐진다. (남녀 듀엣 곡처럼)

씬/47 택시 회사 + 영수 택시 (N)

태성, 종이컵 커피 마시며 택시 회사 입구 쪽 주시하고 있는데 막내, 달려 온다.

막내	김영수 체포 영장 나왔어요! 바로 지원 요청도 했구요.
태성	이제 이 새끼 오면 잡기만 하면 되네. (하는데)
막내	김영수 이놈 전과 있더라구요, 2008년에 살인 미수죄로 6년형 받고 복역했었대요. 근데...그때 김영수 검거한 경찰이 김원철 형사님이던데요? 선배님 아버지.
태성	(종이컵 확 구겨서 휴지통에 툭 던지다 멈칫) 뭐?
막내	신기한 인연이네요...어? (하다 입구 쪽 보며 속삭이는) 왔어요!!

태성 돌아보면, 영수가 탄 택시, 입구로 들어온다. 태성, 막내 눈빛 주고 받는. 한편, 영수, 입구로 들어가다가 일각에 선 태성과 막내 형사 본다. 그리고 일각에 세워진 태성 차 보고 핸들 움켜쥐며, 경계하는. 태성과 막내 형사, 영수 택시 쪽으로 다가가 막아서고. 태성, 택시 창문 똑똑 친다.

영수	(창문 살짝 내리며) 무슨...일이시죠?
태성	잠깐 내려서 얘기 좀 합시다. 물어볼 게 좀 있어서.

영수, 태성 눈 마주친다. 긴장감 흐르고... 영수, 시동 끄려 천천히 손 뻗는데 그때, 태성 뒤에 있는 막내 형사 허리춤에 찬 수갑 끄트머리가 시선에 탁 걸린다!

영수, "씨.." 후진 기어로 확 바꾸고 풀악셀 밟는다! 갑자기 후진하며 빠지는 택시. 영수, 세워져 있던 다른 택시 들이받더니 차를 돌려 도주한다. 태성, 막내 이런 씨, 욕하며 재빨리 차에 올라탄다. 사이렌 꺼내 울리며 영수 쫓기 시작하는.

씬/48 태성 차 + 도로 일각 (N)

태성이 운전하며 영수 택시 추격하고, 막내 형사 지원 요청하고 있는.

씬/49 이클립스 작업실 (N)

선재, 태엽시계 보며 앉아 있는데. 인혁이 들어오다 선재 보고 놀라는.

인혁   어? 니가 웬일이냐? 오랜만에 곡 작업했나 보네? 뭐야~ 뭔데~
선재   (일어나며) 나중에. 영화에 쓸 곡이야. (하며 코트 걸치면)
인혁   뭐야, 가게? 크리스마슨데 좀 놀아주지!
선재   혼자 놀아. 간다. (나가고)

씬/50 복도 또는 계단 (N)

선재, 조용한 복도를 걷거나 계단 내려가고 있다. 발소리 뚜벅뚜벅 울린다. 선재 뒷모습, 멀어지는. 꼭 무슨 일이 날 것만 같은 분위기.

씬/51 영수 택시 + 도로 일각 (N)

영수, 쫓아오는 태성 차를 룸미러로 보며, 핸들 확 꺾어 차선 변경. 속도 올리고.

씬/52 거리 일각 + 영수 택시 + 태성 차 + 도로 일각 + 술집 앞 (교차) (N)

#거리 일각
선재, 건물에서 나온다. 동석, "차 빼 올게요." 하며 가고.
선재, 주머니에서 태엽시계 다시 꺼내 본다. 그러다 천천히 태엽을 감는데. (E) 째깍째깍.. 초침이 움직이며 멈춰 있던 시간이 흐른다. (기억 돌아오는 촉발 장치) 움직이는 초침을 가만 보던 선재, 순간 스치는 장면.

〈선재 회상 인서트〉*10화 59씬
솔이 편지 읽으며 태엽시계 감아보는 컷.

두통 오는 듯 머리 짚으며 살짝 인상 쓰는 선재.

#영수 택시
영수, 앞차 박을 뻔하자 신경질적으로 차선 바꿔 아슬아슬하게 달리고.

#태성 차
태성, "저 미친 새끼가!" 추격하는.

#술집 앞
솔, 술집에서 나오는데. 하얀 눈발이 날리기 시작한다. "어? 눈 오네..." 하늘 올려다보곤 가방에서 노란색 3단 우산을 펼쳐 쓴다.

#거리 일각
눈발이 날리기 시작하자, 천천히 다시 고개 드는 선재.

그때, 길 건너편에서 교복 입은 여고생이 가방에서 노란 우산을 꺼내 펼쳐 쓴다. 순간 심장 쿵 내려앉는 선재. 떠오르는 기억.

〈선재 회상 인서트〉*2화 49씬
솔이 노란 우산 씌워주던 장면. 솔이 얼굴이 선명하게 보이는.

선재, 무슨 기억인지 혼란스러운데 순간 가슴이 타는 듯 아프고, 미어진다.

〈선재 회상 인서트〉*7화 11~12씬
영수 차에 치인 솔을 저수지에 뛰어들어 구하는 선재.

선재, 헉! 호흡 가빠지고, 저도 모르게 울컥 눈물이 차오른다.
그때 다시 건너편 보면, 노란 우산 쓴 여고생이 열아홉 살 솔이로 보인다.
여고생이 돌아서서 걸어가자 선재, 심장이 쿵, 내려앉는다. 기억이...... 떠올랐다! 선재, "솔아...!" 하며 걷다가 차도 쪽으로 빠르게 달려가며 소리친다. "솔아!!!"

#술집 앞
노란 우산 쓴 솔, 걸어가려는데.

선재(E) 솔아!

어디선가 선재 목소리 들려오는 것 같아 뒤돌아본다! 저도 모르게 가슴이 철렁.

#태성 차 + 영수 택시 + 도로 위
태성 차, 영수 택시 추격하고 있고. 영수, 차선 바꿔가며 빠르게 택시 몰고 있는데,

#거리 일각 + 영수 택시 + 태성 차
태성 차 사이렌 소리가 멀리서 점점 가까워진다.

노란 우산 쫓아 달려가던 선재. 차 다니는 차도로 뛰어든다. "솔아!!"
한편, 영수, 앞차 제치려 핸들 확 트는 순간, 차도로 튀어나오는 선재가
보인다. 태성, 영수 택시 쫓고 있다가 무언가 보고 !!! 놀란 표정. 차도로
뛰어드는 선재, 째깍째깍 초침 소리가 귀에 크게 울리며 극심한 두통이
밀려와 멈춰 서는데. 빠르게 달려오는 영수 택시 헤드라이트 불빛이 선
재를 덮친다!
영수 택시가 선재를 치기 직전, 그 광경을 본 태성이 액셀을 세게 밟으며
속도 높여 달려가 핸들을 확 튼다. 순간 꽝!!! 소리와 함께 태성 차가 영
수 택시 앞범퍼를 들이받는 장면 slow... 태성이 차로 선재 사고를 막는
장면 극적으로 보여진다.
영수, 순간 꽝!!! 세게 들이박는 소리와 함께 택시 멈춘다. 핸들에 머리를
박은 영수, 헉헉...거친 숨소리.

#술집 앞 거리
솔, 거리 보고 서 있는데 선재 모습 안 보인다. 그저 스쳐가는 불안이겠
지, 싶다. 다시 돌아서서 걸어가는 모습.

#태성 차 + 거리 일각

선재NA   정해진 운명이라는 게 있는 걸까?

태성, 핸들 꼭 쥐고 천천히 고개 들면 차 보닛에서 연기 새어나오고 있다.
태성 차 앞 유리 밖으로 카메라 이동하면...
태성 차와 영수 택시가 부딪힌 채 멈춰 서 있고. 태성 차 앞에 선재가 쓰
러져 있다.

선재NA   바꿀 수도 거스를 수도 없는 필연 같은 것 말이야.

동석, "형!!!" 놀라 달려오고, 사람들 옆에서 웅성웅성 모여든다.
선재 시선에 까만 하늘에 하얀 눈발 흩날리고 있다.

선재NA   만약 그렇다면 솔아...내 운명은...

〈선재 회상 인서트〉

선재NA   우리가 과거...현재...아니 그 어떤 시간 속에서 만났더라도.

1화 휠체어 탄 솔에게 우산 씌워주던 장면, 모의 경기 포옹 씬, 수영장 키스, 자전거 씬, 야구 거리응원, 벚꽃길 데이트, 인혁 고향집 바닷가 데이트, 8화 재회 키스 장면, 13화 시상식장 재회 등. (*1화 한강 다리부터 현재 시점까지 솔, 선재 아련하고 예쁜 장면들) 다시 14화 엔딩 관람차 엔딩. 다시 눈 내리는 전경에서 디졸브.

#다시 현실

선재NA   널 사랑하게 될 운명이 아니었을까.

쓰러져 있는 선재, 느릿하게 깜빡이는 눈가에서 눈물이 또르르 흐른다. 선재 눈동자에 하얀 눈이 내려앉으면 스르르 눈 감으며 화이트아웃.

16화

앞으로 나와 모든 시간을 함께해줘 솔아.

응...그렇게. 평생 옆에 있을게.

씬/1   거리 일각 + 영수 택시 + 태성 차 (교차) (N) *15화 엔딩
연결

영수, 앞차 제치려 핸들 확 트는 순간, 차도로 튀어나오는 선재가 보인다.
태성, 영수 택시 쫓고 있다가 무언가 보고 !!! 놀란 표정. 차도로 뛰어드
는 선재, 째깍째깍 초침 소리가 귀에 크게 울리며 극심한 두통이 밀려와
멈춰 서는데. 빠르게 달려오는 영수 택시 헤드라이트 불빛이 선재를 덮
친다!
영수 택시가 선재를 치기 직전, 그 광경을 본 태성이 액셀을 세게 밟으며
속도 높여 달려가 핸들을 확 튼다. 순간 꽝!!! 소리와 함께 태성 차가 영
수 택시 앞범퍼를 들이받는 장면 slow... 태성이 차로 선재 사고를 막는
장면 극적으로 보여진다. 동시에 선재, 두통에 인상 쓰며 머리를 짚는데
그만, 의식을 잃고 쓰러진다.
한편, 사고 충격으로 미끄러지는 태성 차와 영수 택시... 길에 쓰러져 있
는 선재 앞에 아슬아슬하게 멈춘다. 핸들에 머리를 박은 영수, 헉헉... 거
친 숨소리.
태성, 핸들 꼭 쥐고 천천히 고개 들면 차 보닛에서 연기 새어나오고 있다.
태성 차 앞 유리 밖으로 카메라 이동하면... 태성 차와 영수 택시가 부딪
힌 채 멈춰 서 있고. 태성 차 앞에 선재가 쓰러져 있다.
동석, "형!!!" 놀라 달려가면, 사람들 옆에서 웅성웅성 모여들고. 그때, 태

성과 막내 형사, 차에서 다급히 내린다.

태성, 사고 충격으로 오른쪽 어깨가 다쳤는지 인상 쓰는데, 쓰러져 있는 선재 보고 놀란 표정. 막내 형사에게 "다쳤나 살펴봐." 하곤 택시 쪽으로 뛰어가고. 태성, 택시에서 영수 붙잡아 끌어내리며 손목에 수갑 채우는.

태성 김영수. 연쇄 납치 미수 혐의로 체포...

영수, 힘 쭉 빼고 순순히 응하는 듯하는데, 태성이 반대 손에 수갑 채우기 직전 몸통으로 태성의 다친 오른쪽 어깨 쪽을 확 쳐서 쓰러트리고 도주하기 시작한다. 태성, 하..씨! 바로 다시 일어나 영수 쫓기 시작하고, 막내 형사도 뒤쫓아 달리는.

씬/2 추격 몽타주 (N)

#거리 일각 + 골목길

영수, 도망치다가 쫓아오는 태성과 막내 형사 돌아보곤 골목길로 빠진다. 필사적으로 도망치는 영수. 이를 바짝 뒤쫓는 태성과 막내 형사. 이내 영수, 막다른 담벼락에 다다른다. "하..씨." 도망칠 곳 없는.
태성, "김영수! 거기 서!" 소리치며 달려가는데. 영수, 주위 살피다 무언가를 밟고 담벼락을 번쩍 뛰어넘어 달아난다. 태성, 바로 담벼락 넘어 뒤쫓는데.

씬/3 거리 일각 + 하천 또는 강 (N)

담벼락을 넘어 뛰어내린 영수. 멀리 달아나려 차도 쪽으로 확 뛰어들어 달려간다.
뒤쫓아 온 태성, 영수 쫓으려는데, 쌩쌩 달리는 차 때문에 차도로 뛰어들지 못하는.
한편, 거의 차도 다 건너가던 영수, 순간 빠른 속도로 확 달려온 덤프트럭

에 쾅! 치여 날아간다. 하천 또는 강에 빠지는 영수 모습 slow. (*과거 솔이 사고 장면과 비슷하게)

이를 보고 놀라는 태성 표정... 달려오는 차를 피해 차도를 건너는 태성. 덤프트럭 끽 하고 멈춰 서고, 운전자 놀라 허겁지겁 내리고. 태성, 영수가 빠진 강을 바라보며 충격받은 표정에서...

씬/4 물속 (N) *13화 36씬 선재 바닷속 씬과 비슷하게

물속으로 가라앉는 영수. 붉게 핏물이 번지는 데서... 블랙아웃.

씬/5 선재 기억 되살아나는 몽타주 (N) *또는 응급실에서 눈 감은 선재 얼굴과 교차로

물속 장면으로 연결. 저수지에 빠진 솔을 구하는 선재 장면에서 시작해서 13화 37씬 인혁 고향집 손님방 대화 장면까지.

씬/6 응급실 (N)

눈 번쩍 뜨는 선재 얼굴에서 시작. 침대에 누워 있는 선재, 맺혀 있던 눈물 흐른다.

씬/7 택시 안 (N)

선재(E)　솔아...!

창문에 기대 눈 감고 있던 솔, 눈을 뜬다. 선재 목소리가 들리는 것 같아 불안한 표정인데. 택시에서 흘러나오는 라디오 뉴스.

라디오(E) 오늘 저녁 강남 연쇄 납치 미수 사건 피의자가 검거 과정에서 도주하다 숨지는 사건이 발생했습니다. 피의자는 2008년 주양저수지에서 살인 미수 혐의로 6년형을 복역한 전과가 있는 것으로 밝혀졌는데요.

솔 주양저수지...? 설마...

라디오(E) 비슷한 수법으로 피해자들을 납치해 살해할 계획을 세우다 경찰에 덜미가 잡힌 피의자 '김영수'는 서울 한복판에서 경찰과 추격전을 벌이며 도로로 뛰어들었다가 달려오는 덤프트럭에 치이는 사고를 당해 현장에서 사망했습니다.

솔 ('김영수' 이름 듣고 쿵!) 김영수가...죽었다고?! (놀란 표정) 선재...그럼 선재는?

불안한 마음에 핸드폰 꺼내 SNS에 '류선재' 검색해보는데. 실시간으로 '류선재 교통사고' 떠 있고. 도로에 사고 현장 사진 아래 **'류선재 차에 치였대'**라는 글 올라와 있다. (*태성 차와 영수 택시 사고 수습 중인 사진. 선재는 안 찍힘)

솔 (쿵!) 교통사고?? (댓글들 보는 **'헐, 무슨 일이야'** **'나 우신대병원 응급실 갔다가 류선재 실려 온 거 봄'** 걱정되고 불안한 표정) 죄송한데 우신대병원으로 가주세요!

씬/8   몽타주 (N)

#1. 응급실 (N)
동석, 커튼 젖히며 들어오는데, 선재, 벌떡 일어나 뛰쳐나간다. 놀란 동석, "형!!!"

#2. 병원 로비 (N)
선재, 정신없이 뛰어나온다. 사람들 선재 알아보고 수군대고. 선재, 달려가며 솔에게 전화 걸려는데, 핸드폰 액정 깨지고 망가져 있는. 애타는 마음이다. 미친 듯이 달려 나가고.

#3. 거리 일각 (N)

택시에서 내린 솔, 걱정에 울먹이며 달려간다. 행인과 부딪혀 넘어지는데, 괜찮냐며 놀란 행인에게 "괜찮아요…!" 하며 바로 일어나 달려가는.

#4. 병원 건물 앞 + 거리 일각 (교차) (N)

선재, 솔을 생각하며 정신없이 달려가고, 솔, 달려가는 모습 애틋하게 교차된다.

씬/9   예쁜 거리 (N)

대형 트리 또는 예쁜 일루미네이션 있는 인적 없는 거리.
솔, 울먹이며 달리다가, 멀리서 달려오는 선재 보고 !!! 놀라 멈춰 서는.
한편, 달려가던 선재도, 저만치 서 있는 솔을 발견하고 멈춰 선다.
선재, 눈물이 그렁그렁 차올라 있고. 주체할 수 없이 감정 터져버릴 것 같아 차마 다가서지도 못하고 그렇게 서 있다. 거리를 두고 서서 서로를 바라보는 두 사람.

솔	(다친 곳 없이 서 있는 선재 보며 OFF) 안 다쳤구나…다행이다… (안도의 숨 쉬는)
선재	(벅차고 울컥하는 마음 애써 누르며) 왜 그렇게 뛰어와요?
솔	(울음 꾹 참으며 OFF) 선재야. 이제…정말 다 끝났나 봐…! (벅찬 감정)
선재	(감정 꾹꾹 누르며) 혹시 나 사고 난 줄 알고 보러 왔어요?
솔	(눈물 참으며, 아무렇지 않은 척) 아니요. 그냥, 지나가다가…
선재	아니면, 왜 울어요?
솔	…안 울었어요. (들키지 않으려 고개 숙이며) …저, 갈게요. (돌아서려는데)
선재	(가슴 저릿하고, 혼자 아파했을 시간을 생각하자 울컥) 혼자 있을 때 맨날 이렇게 울었어요?! 당신 다 잊어버린 그 사람 그리워하면서?!
솔	…?!! (그걸 어떻게 아는 건지, 놀란)

선재	하, 거봐...내가 그랬잖아. 새드엔딩이라고...이래도 결말 바꿀 생각 없어요?!
솔	그게 무슨... (말이냐, 혼란스러워 물으려는데)
선재	(O. L) 근데 어쩌지? 이미 바뀐 것 같은데.

선재, 눌렀던 감정 터져 나온다. 성큼성큼 다가가 솔을 와락 안는 모습 slow. 솔을 품에 안는 순간 선재 눈에서 눈물 뚝 떨어진다.

솔	(믿기지 않아 혼란스러운, 살짝 밀어내려 하며) 왜, 이래요.
선재	(으스러질 듯 더 꽉 안으며) ...솔아.
솔	(멈칫, 놀란 표정) !!!
선재	(O. L) 나 다 기억났어.
솔	!!! (쿵! 손에 힘 툭 풀려 떨어지고) ...뭐?
선재	(그제야 팔 힘 풀고 솔이 얼굴 보며) 다 기억났다고.
솔	(믿겨지지 않는) 말도 안 돼...어떻게...
선재	(미어지고, 원망스럽기도 한) 왜 그랬어. 어떻게 나한테서 널 지울 생각을 해. 어떻게 너 없이 살게 해. 그게 될 거라고 생각했어?!
솔	(그 말에 울컥 울음이 터진다) 선재야...
선재	(가슴 아프게 보다가 솔을 다시 끌어안는)
솔	(울음이 멈추질 않고, 선재 꼭 안고선 엉엉 운다)
선재	(솔을 달래며 눈물 흘리다가) 울지 마...응? (솔의 얼굴 감싸며) 잊어서 미안해.
솔	(흑흑, 서럽다)
선재	늦어서...미안.

솔, 그런 말 말라는 듯, 울며 고개 젓는데... 선재, 눈물을 닦아주다, 그대로 고개 숙여 키스한다. 어긋나기만 했던 둘의 사랑이 비로소 완성되는 순간이다.
눈물을 흘리며 애틋하게 키스하는 두 사람 모습에서...

씬/10 경찰서 일각 (N)

벤치에 앉아 있는 태성, 바람 쐬며 생각에 잠겨 있다. 심란한 표정.

〈태성 회상 인서트〉
태성 달려가는데 도로에서 영수가 덤프트럭에 치이는 컷 짧게.

김형사(E) 뭔 청승이냐?

태성 (돌아보면 김형사다) 우리 서엔 웬일이셔?

김형사 (커피 주며) 너 보러 왔다 인마. 니 사건 아주 난리가 났드만. (태성 옆에 앉으면)

태성 그놈 택시 트렁크에서 살해 도구만 수십 개가 나왔어요. 살인이 목적이 었나 봐.

김형사 그럴 줄 알았다. 2008년에 그놈 잡아 넘길 때, 출소하면 이놈 분명히 재범 할 거라고 그렇게 말했는데...저런 새끼들은 교화도 안 돼요...악마 같은 놈.

태성 악마 타이틀 붙여서 뭐라도 되는 양 띄워주지 마셔. 찌질한 사회부적응 자지 악마는 무슨...근데 김영수, 옛날에 아버지가 잡아넣은 놈이라면서.

김형사 그니까 말이다. 부자가 한 놈을...근데 신기하지 않냐? 옛날에 그놈 잡을 때 니 친구 덕에 잡은 거였잖어.

〈태성 회상 인서트〉
#태성 집 앞 (N)
(자막) 2008년 8월
대문 앞에서 교복 입은 솔이 김형사 붙잡고 다급히 말하고 있는.
솔 "지금 바로 주양저수지로 가보셔야 돼요! 빨리요!"김형사, 황당해하 는데. 태성, 바이크 타고 와 헬멧 벗으며 그런 솔을 보고 갸웃하는 표정.

#다시 현실

태성 그때가 그때였나. 신기하긴 하네. (하며 음료 마시는데 씁쓸한 표정)

김형사 (태성 표정 보며) 형사 생활 오래하다 보면 별일을 다 겪는다. 혹시나 해 서 말인데 니 탓 아니야. 그놈이 죽을 운명이었던 거지...그놈이 이렇게

죽어서 살 운명으로 바뀐 사람들도 있을 거다. (태성 어깨 투박하게 두드려주는)

태성 그렇겠지...? (하며 문득 손에 쥔 커피 들어 보는데 선재 사진 박힌 달달 커피다)

씬/11 다시 예쁜 거리 (N)

선재, 솔이 얼굴 애틋하게 어루만지고, 솔, 눈물 맺힌 눈으로 선재 바라본다. 재회의 여운... 이어지고. 선재, 코트 속에 솔을 감싸며 꼭 끌어안는. 그때, 빵- 클랙슨 소리에 돌아보면 선재 밴 서 있고, 동석이 창문 내리고 소리친다.

동석 끊어서 정말 죄송한데요~ 형! 이러다 사진 찍혀요오!!

솔 (아차! 싶어 선재 품에서 살짝 물러나면)

선재 (동석 무시하고, 솔이 챙기며, 다정하게) 추웠지.

동석 사랑을 속삭이는 건 좋은데요! 어디 들어가서 속삭이면 안 될까요? 네에에??!!!

솔 저기, 동석 씨가... (말하려는데)

선재 (O.L) 몸이 다 얼었네. 감기 걸리겠다. 가자... (하며 솔이 손잡고 밴 쪽으로 가는)

동석 (얼른 내려서 뒷문 열어주려는데)

선재 (다시 뒷문 쾅 닫으며) 동석아...퇴근해. (조수석 문 열어 솔이 태운다)

솔 ?? (얼결에 조수석에 올라타면)

동석 왜요 왜. 갑자기요?

선재 (조수석 문 닫고 돌아서서) 나인 투 식스 지켜야지. 조심히 가. (운전석 쪽으로 가는)

동석 세븐 일레븐이거든요?! 지금 열한 시예요! (총총 쫓아가며) 둘이 어디 가려구요~ 나라도 붙어 있어야 열애설이 나도 카바를 칠 텐... (하는데 선재랑 눈 마주치자 크흠..) 좋은 시간 보내세요 형. (하며 운전석 문 닫아주자마자 떠나버리는 밴)

씬/12 선재네 아파트 거실 (N)

선재, 솔이 어깨 감싸안고 꼭 붙어 앉아 있다. 달달한 분위기.

솔 근데에. 언제까지 이러고 있을 거야?
선재 (더 붙어 있으려는 듯 허리 끌어안으며) 좀만 더.
솔 (피식) 밤새려고?
선재 새지 뭐. (하며 솔이 어깨에 얼굴을 부비면)
솔 (살짝 간지러, 웃으며) 애두 아니고, 어리광은.
선재 널 잊고 산 시간들이 너무 아까워서 이제부턴 한 순간도 떨어져 있고 싶지가 않아.
솔 ...그래. 그러자. 꿈에서도 붙어 있자.
선재 (애틋하게 보며) 이제 너에 대한 기억은 하나도 안 잊을 거야. 혹시나 또 니가 지우려고 해도 이렇게 어떻게든 다시 기억해낼 거야.
솔 이제 다신 안 그래.
선재 근데 생각해보면 잊고 있던 게 아닌 것 같아. 널 잊은 적이 없어 나는.

〈선재 회상 인서트〉
#주얼리숍 앞 (N/D)
선재, 쇼윈도 안에 진열된 목걸이(*솔에게 췄던 목걸이) 보고 서 있다. 그러다 저도 모르게 눈에서 눈물이 뚝 흐르는데. 동석, 다가오다 보고 "형! 지금 숏 들어간다는데...울어요?" 놀라는데, 선재, 홀린 듯이 매장 안으로 들어가는 모습에서.

#다시 현실

솔 울었다고? (놀라는)
선재 (목걸이 손에 들고) 그러니까 머리론 널 잊었어도 내 심장은 기억하고 있던 거지.

솔	(목걸이 가만 보며) 우리 할머니가 그랬거든. 기억은 사라지는 게 아니라 영혼에 스미는 거라구. 진짜 그런가... (웃으면)
선재	(솔에게 목걸이 채워준다) 이제야 제자리를 찾았네.
솔	(목걸이 펜던트 만지며, 미소 짓다가) 근데 말이야... (장난스레) 15년 사이에 목걸이 많이 채워줘봤나 봐. 전엔 막 버벅거리더니 이제 한 번에 뚝딱 잘도 하네?
선재	하, 참 나. 내가 말했지. 나, 멜로 장인이라고. 드라마 찍으면서 몇 번이나 해봤는데 아직도 이거 하나 못 채우면 그게 바보지... (하며 솔이 보면)
솔	괜찮아. 나 잊고 살던 세월이 몇 년인데 뭐, 그럴 수 있지. (입 삐죽이면)
선재	(솔이 표정에) 뭐야, 질투도 할 줄 알아?
솔	아니라니까. 열애설도 무지 나고 그러드만~ 뭐 몇 번 하다 보면 능숙해지는 건 당연...
선재	(좋고, 귀여워 뽀뽀 쪽 하면)
솔	챠, 할 말 없으니까는. 어? 남녀 사이에 친구...
선재	(말 중간에 다시 뽀뽀 쪽)
솔	...가 어딨냐고 하던 사람이...
선재	(또 뽀뽀 쪽 하고 물러나며, 더 해보라는 듯) 응. 하던 사람이?
솔	(얼굴 핑크빛으로 물들고, 살짝 부끄러워져) 몰라...다 까먹었어.
선재	(다시 솔을 꼭 끌어안으며) ...사랑해.
솔	(둘러 안고, 다신 떨어지지 않겠단 듯 손에 힘을 꼭 준다) 사랑해 선재야.

거실 창밖으로, 둘의 사랑을 축복하듯 흰 눈이 펑펑 내리는 모습에서. (F. O. F. I.)

씬/13 카페 + 선재 집 (D)

(자막) 한 달 후
솔, 카페에서 노트북으로 시나리오 작업 중인데. 솔이 폰 진동 울리는. 솔, 폰 확인하면 선재한테서 톡 와 있는. (카톡창 CG)
선재♡: 언제쯤 끝나?

한편, 선재, 집 거울 앞에 서서 향수 뿌리고, 머리 만지며 데이트 나갈 준비하는데 톡 답장 알림 울리자 폰 확인한다. 솔이다.

♥내운명♥: 모르겠어ㅜ 오늘 안에 못 끝날 거 같애.

선재, "뭐?" 세상 무너진 표정. 답장한다.

선재♡: 그럼 오늘도 못 만나? (엉엉 우는 이모티콘)

솔, 일하다가 또 진동 울리자, 멈칫. 한숨 쉬며 톡 확인하고 답장하는.

♥내운명♥: 내일까지 넘기기로 해서 바빠~ 다 끝내고 연락할게. 내일 봐!

솔   나도 보고 싶지만 어쩔 수 없어 선재야. 근데 삐지는 거 아니겠지? (맘에 걸리는데, 할 수 없다는 듯 폰 내려놓고 다시 일하는데)

(시간 경과)

카페 안이 소란스러워져 솔, 고개 들면. 선글라스 끼고 멋지게 차려입은 선재가 카운터에 비스듬히 기대 폼 잡고 서 있다. 솔, 헉! 놀라는데. 사람들 "류선재다!" "대박...웬일이야!" 웅성웅성.

한편, 선재, 솔이 헉! 놀란 표정으로 보자 살짝 선글라스 내리고 찡긋 눈인사한다. 솔, 헉!! 말문 막히는데. 선재에게서 톡 와서 보면.

선재♡: 보고 싶어서 와버렸어. (사랑해 이모티콘)

솔OFF   미쳤나 봐!!

선재   (시침 뚝 떼고 돌아서서 직원에게 미소) 주문할게요~

(컷 튀면)

솔, 일하고 있고. 선재 멀리 떨어진 자리에 앉아서 우아하게 커피 마시고 있다. 직원이 솔의 테이블에 3단 트레이에 담긴 디저트(애프터눈 티 세트) 서빙해주는.

솔   (당황) 저 이거 안 시켰는데요?

직원   아, 이거 류선재 씨가...

솔   (O.L) 네?! 티내지 말라니깐...! (하는데)

직원   모든 손님들께 쫙 돌리셨거든요.

솔   네? (둘러보면 모든 테이블에 같은 3단 디저트 트레이 올려져 있는)
(E)   골든벨 딸랑딸랑 울리는 효과음
손님들   대박이다... / 팬서비스 웬일이야... (수군수군 소란스럽고)

솔, 황당해하며 선재 쪽 보면, 선재. 꽃받침 하며 씩 웃고 있다. 솔, 씩씩대
며 선재에게 톡 보내면. 선재, 포커페이스 유지한 채 답장하는.
♥내운명♥: 진짜 이러기야?
선재♡: 당 떨어질까 봐♡
선재♡: 먹으면서 일해. (뽀뽀 쪽 날리는 이모티콘)
♥내운명♥: 일이 되겠냐구!
선재♡: 그럼 일하지 말고 나랑 놀까? (기대하는 이모티콘)

솔   내가 못 살아 진짜! 어떻게 일을 하라는 거야. (주섬주섬 노트북 챙겨 들
         고 일어나는)

한편, 선재, 솔이 일어나서 나가는 모습 보며 "어?!" 벌떡 일어나 쫓아가
려는데... 여자 손님들 우르르 몰려와 "팬인데 싸인 좀 해주세요!" "사진
한 번만 찍어주세요~" 하며 막아서는. 선재, 솔이 나간 문 안타깝게 보는
표정에서.

씬/14 도서관 열람실 (D)

솔, 집중해서 시나리오 쓰고 있는데 노트북 옆에 누군가 캔커피 내려놓
는. 솔, 갸웃하며 돌아보면 모자 푹 눌러쓰고 마스크 낀 선재가 옆자리에
앉는다.

솔   (헉! 놀라 주위 획획 살피곤 작게 속삭이는) 여기까지 또 왜 쫓아왔어!
선재   (속삭이는) 바쁘다고 안 만나주니까. 내가 보러 와야지 어떡해.
솔   (주위 눈치 살피며) 이러다 누가 알아보면 어쩌려고!
선재   꽁꽁 다 가렸는데 누가 알아봐. 쉿...일해. 난 얌전히 책 볼게. (책 펴는)

솔   하... (눈 흘기며 고개 절레절레 젓는)

(컷 튀면)

선재, 비스듬히 턱 괴고, 거의 솔이 쪽으로 돌아앉아 보고 있는. 솔이 흘러내린 머리카락 넘겨주는데, 솔, 신경 쓰이지만 애써 무시하고 일하는. 선재, 솔이 반응 없자, 괜히 볼 콕 찌르며 장난 거는.

솔   (째려보며 이 악물고 낮게) 얌전히 있는드며...!

선재   (웃음 참으며 다가가 작게 속삭이는) 근데 우리 이러고 있으니까 꼭 대학 때 같다.

솔   뭐? (하다 과거 생각에 피식 웃으며) 그렇긴 하네...

선재   비밀연애도 할 만하지? (맞은편에 앉아 있던 고시생과 눈 마주치는)!

여자고시생   아뇨. 여기가 촬영장인 줄 아나. 비밀연애는 나가서 해주실래요? 류.선.재.씨?

솔   (헉!) 류, 류선재 아니구 제 친오빠예요! 친.오.빠. 임솔, 임금. 하하.

선재   (정색하고 있는 고시생과 솔이 번갈아 보며 품, 웃음 꾹 참는데)

솔   저희 오빠가 류선재 닮았단 말을 좀 들어요. 친오빠!! 가자! (선재 끌고 가는)

씬/15 도서관 앞 (D)

솔, 선재 잡아끌고 사람 없는 곳으로 후다닥 나오는데.

선재   자. 오빠가 들어줄게. (솔이 노트북 가방 뺏어 들어주는)

솔   (귀엽게 째려보며 툴툴대는) 이제 나 어디 가서 일하냐고. 집에선 귀염둥이 조카들 때문에 일도 못 하는데.

선재   천천히 써. 내가 올해는 좀 쉬고 싶다고 내년부터 촬영하자고 말할까?

솔   말이 돼? 내일까지 초고 꼭 넘기기로 했단 말이야... (주위 획획 살피며) 누가 또 보겠다. 너 이제 가. 빨리.

선재   그럼. 오빠랑 조용하게 집중해서 일할 수 있는 데 갈까? (씩 웃는)

씬/16 선재 차 안 + 선재네 아파트 주차장 (D)

선재, 주차장에 차 세우자 솔, 어이없는 표정.

솔   뭐야. 집중해서 일할 수 있는 데가 류선재 집이야?
선재   그럼. 여기만큼 조용한 데가 또 있었어? (하며 먼저 내리면)
솔   (피슝피슝 웃으며) 흐응~ 그럼 그렇지이~ 틈만 나면 붙어 있고 싶어 가 지구 아주~
선재   (조수석 문 열어주며) 어서 내려. 올라가자.
솔OFF   뭐가 저렇게 급해애? 차암나~ 웃겨 아주우~ (김칫국 잔뜩 마시며 내리는)

씬/17 솔이네 아파트 거실 (N)

TV 앞에 모여 앉아 있는 말자, 복순, 금, 현주, 보아, 재아.

금   주목! 주모옥!! 저 배우 임금! 첫 드라마 데뷔작! 이제 곧 시작합니다!
복순   (귤 까먹으며, 별 기대 안 하는 투로) 또 엑스트라 한 걸로 오버하는 거 아니야?
현주   그놈의 아는 형이 꽂아준댔던 법정 드라마도 엎어졌다며~
금   이번엔 당당하게 오디션 봐서 캐스팅 된 거거든? 무려 재벌 2세! 주인공 남편 역할!
복순   (놀라) 어머어머! 진짜 니가 일일드라마 주인공 남편이라고?
현주   꺅! 진짜? 그런 큰 역할을?
금   자, 자, 자!!! 눈으로 확인해. (씩 웃으며) 오! 시작했다! (TV 가리키면)

〈TV 인서트〉
타이틀 '*남편이 잠든 사이에*' 뜨고.
#1. 재벌 집 침실 (N) *아방궁 세트

얼굴의 반을 붕대로 칭칭 감은, 식물인간 상태의 금, 산소마스크 쓰고 침대에 누워 있다. 생명유지 장치들 주렁주렁 연결된.

한편, 여주인공, 화장대 앞에 앉아 거울 보며 립스틱 바르고 있는 모습.

#다시 거실

말자 (어느새 TV 코앞에 바짝 다가가 있는. TV 속 금이 콕 찌르며) 오빠야다.
복순 쩌기 저 침대에 누워 있는 거? 어머!! (박수 치며) 맞네 맞아! 우리 아들!
현주 웬일이야 여보야~ (눈물 그렁) 십수 년 동안 맘속에 배우 꿈 간직한 보람이 있네~
금 (뿌듯하고) 거봐! 내가 뭐랬어. 언젠가는 내가 보란 듯이 성공한댔지?!
복순 (감격) 울 아들이 테레비 나오는 것도 다 보구. (훌쩍이며) 조용해봐. 드라마 보게.

(시간 경과)
〈TV 인서트〉
TV 장면과, 말없이 멍한 표정으로 드라마 보는 가족들 모습 교차로 보여지는.

#2. 재벌 집 침실 (N)
금, 전 씬과 똑같이 붕대 감고 누워 있고. 여주인공이 베개로 금이 얼굴 누르려는데! 똑똑 노크 소리에 놀라 얼른 베개 집어 던지는 장면.

#3. 재벌 집 침실 (N)

내연남 (여주인공 끌어안고) 우리 이래도 돼?
여주인공 걱정 마. 내 남편은...영원히 잠들어 있을 테니까... (하며 내연남과 격정 키스하는데)
금 .... (산소마스크 낀 채 미동 없이 누워 있는)

(컷 튀면)

시어머니 　감히 딴 놈을 만나? 내 아들이 멀쩡히 살아 있는데? (소리치며 세숫대야 물 끼얹는)

여주인공 　꺅!! (하며 허리 숙여 피하면, 그 뒤에 누워 있는 금이 물 쫄딱 맞고)

금 　...... (물 맞고도 미동 없이 누워 있는)

여주인공 　인정하세요! 봐요! (금이 가리키며) 제 남편! 당신 아들! 죽은 거나 다름 없다구요!

시어머니 　이 악마 같은 년!!!! (소리치며 여주인공 뺨 후려갈기는 데서 스틸)

'남편이 잠든 사이에' 타이틀.

#다시 거실

현주 　(양손으로 보아 눈 가리는) 저게 끝이야? 자기 한 번도 안 일어났네?

복순 　붕대를 칭칭 감고 있어서 저게 넌지 누군지도 모르겠다. 저건 언제 풀어?

금 　안 푸는데? 쭉 저러고 누워 있다가 마지막 회에 죽거든. 제목 봐! 남편이 잠든 사이에 일어나는 일인데 남편이 깨면 드라마 끝나지!

복순,현주 　.....뭐? (당혹)

금 　왜? (해맑게 웃으면)

잠시 정적 흐르다가, 복순, 현주 동시에 어색하게 웃으며 박수 쳐주는.

복순 　아하하. 그래그래. 첫 드라마 데뷔작인데 저 정도면 뭐. 대박 난 거지. (크음...)

현주 　(띄워주려) 하하하 그죠. 이제 시작인데 여기서 열심히 하면 다음 기회도 생기고 하는 거죠. 근데 자기야. 꼼짝 않고 누워 있는 연기를 어쩜 저렇게 리얼하게 해?

금 　딥슬립 연기하다가 물벼락 맞고 램수면 연기로 바꿨는데 디테일한 변화, 느껴졌어?

현주 　당연하지! 막 눈꺼풀 미세하게 떨리던 거 내가 딱 봤잖아. 그나저나 우리 오빠 화면빨 장난 아니더라. 붕대를 칭칭 감고 있어도 콧대가 살아 있던데?

금 　진짜? 어쩐지. 감독님이 내 비주얼이 가장 맘에 들었다고 하시더라고 아하하하.

복순　(금, 현주 번갈아 보며) 그래...천생연분이다. (피식 웃는 데서)

씬/18 선재네 아파트 주방 + 거실 (N)

솔, 식탁에서 노트북으로 일하고, 선재, 소파에 앉아서 책 보고 있다.

솔　(일하다 말고 책 읽는 선재 뚫어져라 보며 OFF) 뭐야? 집으로 데려오길 래 엄청 귀찮게 굴 줄 알았는데 왜 가만있지?

그때, 선재, 책 탁 덮고 일어나서 솔이 쪽으로 걸어오는.

솔OFF　치이...그럼 그렇지이. 잠깐이라두 좀 놀아줘야 되나아~ (하며 노트북 덮 으려는데)

선재　(솔이 획 지나쳐 주방으로 가는)

솔　잉? (뭐지? 갸웃하며 돌아보면)

선재　(샌드위치 쟁반에 들고 와서 솔이 옆에 내려놓는) 먹으면서 해. 방해 안 할 테니 어서 일해. (하곤 쌩 지나쳐 다시 소파에 앉아 책 보는)

솔OFF　뭐야...진짜 일만 시키네? (왠지 모르게 좀 아쉬워서, 쩝...)

(시간 경과)

솔, 완성된 시나리오 메일로 보낸다. 노트북 덮고, 보는데. 선재 거실에 없다.

솔　어디 갔지? (일부러 큰 소리로) 와! 일 다 끝냈다! (조용하고) 드디어 끝 이다아! (하는데 조용한) 뭐야...? (일어나서 선재 찾는)

씬/19 선재네 아파트 멀티룸 (N)

솔, 빼꼼 문 열고 들어가 보면. 선재, 이어폰 또는 헤드폰 끼고 영화 보고 있던.

선재   (인기척에 이어폰 빼며 돌아보는) 왜? 다 끝났어?

솔   어? 어.

선재   (일어나 다가가며 미소) 거봐. 집중하니까 오늘 안에 다 끝낼 수 있잖아.

솔   그러게. 밤샐 줄 알았는데. (하는데 선재가 허리 숙여 가까이 다가오자, 두근! OFF) 그럼 그렇지이...올 것이 왔구만. (스르르 눈 감으려는데)

선재   (솔이 입가를 톡톡 털어주며 피식) 빵 맛있게 먹었나 보네?

솔   어?

선재   가자. 데려다 줄게. (하며 휙 지나쳐 나가면)

솔   가자고? 벌써?

씬/20 선재네 아파트 거실 (N)

솔, 식탁에서 느릿~ 느릿 천천히 가방 챙기며 선재 눈치 살핀다.
선재, 자연스럽게 코트 걸치고 지갑 챙기고 있는.

솔OFF   치이. 하루 종일 되게 치대더니만 갑자기 왜 저래? (입 댓 발 나온)

선재   다 챙겼어? (거실 조명 끄며 산뜻하게) 가자. 늦었다. (솔이 손잡고 데려 가는)

솔   (따라가며 입 삐죽거리며 OFF) 늦긴. 열한 시밖에 안 됐구만. 열아홉 살인 줄 아나... (아쉬워서 일부러 가방 툭 떨어트리는. 소지품들 바닥에 흩어지자 ON) 아이쿠 이런! 다 쏟아져버렸네에?

선재   (주워 주려다 멈칫) 맞다. 나 차 키. 잠깐만. 챙기고 있어. (다시 침실로 들어가면)

솔   아주 지구가 망해도 데려다주려나 부네. (천천~히 가방에 물건 주워 넣으며 입 댓 발 나와 구시렁) 나 일 다 끝났는데. 더 있다가 가두 되는데... (가방 챙겨 다시 일어서는데 뒤에서 들리는 선재 목소리)

선재(E)   자고 가면 안 돼?

솔	(쿵! 두근!) 어?
선재(E)	자고...내일 가면 안 되냐고.
솔OFF	이럴 줄 알았다니깐... (두근두근. 머리 귀 뒤로 넘기며 ON) 그래...니가 정 원한다면...자고 갈게~~~~ (하며 돌아보는 순간 헉! 동공 지진. 사색이 되는) !!!

보면, 인혁과 통화 중인 듯 핸드폰 들고 있던 선재, 솔이 말에 얼음! 되어 있는. 선재 폰 너머로 인혁 목소리가 크게 퍼져 나온다.

인혁(F)	야! 뭘 자고 내일 와! 애들 다 모여 있는데 지금 당장 뛰어와!
선재	(대답 없이 손 툭 내리며 전원 버튼 꾹 누른다)
솔	(창피해 죽는. 얼굴 화끈화끈 달아오르고) ...!!! (수습하려) 그, 그게! 내가 오오오오해를! 아하하하! 나, 그냥 택시 타고 갈게!!! (창피해 휙 돌아 도망가는데)

선재, 성큼성큼 쫓아가 솔을 앞질러 휙 돌아서 막아서는. 솔, 창피해 옆으로 쏙 도망가려 하면. 선재, 한 팔로 벽 탁 짚으며 못 가게 막으며, 재밌어서 씩 웃는. 솔, 도망가긴 글렀고, 창피해 죽겠는 표정으로 올려다보면.

선재	어딜 가? 자고 간다며.
솔	아니이. 나는. 나한테 한 말인 줄 알고...
선재	(웃음 참으며) 너한테 한 말이면. 자고 가려고 했어?
솔	자고 간다는 말이 그니까! 요즘 일만 하느라 데이트도 못 하고 그랬으니까! (선재가 빤히 보자 목소리 작아지는) 맛있는 것도 먹구 영화도 보고 하면서 놀다가...
선재	(둘러대는 거 뻔히 알겠고, 놀리려 O.L) 놀다가?
솔	놀고...또, 그래. 밀린 예능도 같이 보구 대화도 좀 하다가...
선재	(O.L) 대화도 좀 하다가?
솔	그러다 보면 너무 늦어지고 하니까, 그 시간에 집에 가느니 코...자고 간다는 뜻..
선재	(얼굴 붉히며 말하는 솔을 보며 웃음 꾹 참고 O.L) 그니까. 자고 간다는

거잖아?

솔 그 잠이 그 잠이 아니라아~

선재 (O. L) 그래. 니가 하고 싶은 거 다 하자. 맛있는 것도 먹고, 영화도 보고, 예능도 보고, 또 뭐였더라. 대화?

솔 (빠르게 끄덕이며) 응. 대화!

선재 그래. 다 해. 근데......

솔 응?

선재 이거 먼저. (훅 다가가 키스한다)

선재, 솔 키스 점점 깊어지고. 솔의 허리를 감싸안는 데서.

씬/21 선재네 아파트 침실 (N → D)

키스하며 자연스레 침대에 눕는 두 사람. 달달하고, 로맨틱한 분위기.
선재, 잠시 물러나 솔을 사랑스럽게 바라본다. 그러다 솔의 이마, 눈, 콧등에 차례로 애틋하게 입 맞추곤 다시 눈 마주친다. 두 사람 다 행복이 충만한 미소.
솔, 선재 목을 끌어안으며 키스하는 모습에서... (F. O.)

(시간 경과)
햇살이 들이치는 방 안.
솔, 선재 팔 베고 누워서 자고 있고. 먼저 깬 선재, 자고 있는 솔을 보고 있다. (*솔, 선재의 커다란 티, 반바지 입은. 선재, 편한 홈웨어)
선재, 솔이 코끝을 손가락으로 콕.콕. 건드리며 장난치는데 솔이 "흐응..." 살짝 찌푸리며 안 깬다. 선재, 웃음 참으며 솔이 볼을 콕.콕. 건드리며 장난치는데, 솔, 몸을 뒤척이며 잠에서 깨려 하자, 선재, 얼른 다시 눈 감고 자는 척한다.
한편, 솔, 눈 뜨면 코앞에 눈 감은 선재 얼굴 보인다. 미소.

솔 선재야... (부르는데 선재 눈 안 뜨자, 그 모습 가만 보다가 배시시 웃으며

선재 가슴에 손가락으로 하트 그리는데)

선재   (눈 감은 채, 미소 지으며) 나도 사랑해.

솔   (! 놀라) 깼어?

선재   (눈 계속 감은 채 솔이 허리 끌어안으며) 아니. 안 깼어.

솔   깼으면서. (피식)

선재   자고 내일 간다며. 더 자.

솔   이미 내일이거든요?

선재   눈 뜨기 전까진 아니거든요.

솔   계속 이러고 있고 싶어서 수 쓰는 거 다 아네요. (장난스레 웃으며 간지럼 태우는)

선재   (꾹 참아보다가, 웃음 터뜨리며) 그만...그만! (하며 눈 뜨고) 일어날게, 됐지?

솔   (웃는데)

선재   (솔이 얼굴 빤히 보는) ......

솔   (눈 마주치자) 뭘 그렇게 빤히 봐. 눈꼽 꼈어?

선재   응.

솔   뭐? (민망해 얼른 손으로 얼굴 가리려 하면)

선재   (그런 솔이 손잡고, 말리며) 장난이야. 예뻐서 봤어.

솔   치... (피식)

선재   (솔이 손 당겨 제 뺨에 대본다. 온기 느끼며) 실감이 잘 안 나. 이게 꿈은 아닌지.

솔   ...나도.

선재   가끔은...무서워. 네가 또 다른 시간으로 가버릴까 봐. 그러다 또 널 잊게 될까 봐.

솔   (걱정 말라는 듯) 이제 그럴 일 없어.

선재   정말?

솔   정말. 이제 가고 싶어도 못 가. 시계도 없는데 뭐.

선재   (안심이 되는. 피식) 그러네.

솔   근데 그 전자시계 어딨어?

선재   (잠깐 생각하더니) 모르겠네? 옛날에 잃어버린 것 같은데 어딨는지 모르겠어. 뭐 어디 버려졌거나 누가 주워 갔겠지.

솔	전에 300만 원이나 주고 샀던 걸 생각하니까 좀 아깝네. 내가 주웠어야 됐는데.
선재	어차피 이제 필요 없잖아. (솔을 끌어안으며) 이렇게 꼭 붙어 있을 건데.
솔	그러긴 할 건데. 이제 진짜 일어나야 하지 않을까?
선재	5분만 더. 아니 10분만. (하며 세게 끌어안으며 미소)

씬/22 호숫가 거리 (D) *1화 47씬 같은 장소

말자, 복순 아침 운동 겸 산책하고 있다. 잠시 후, 말자, 걸음 느려지고, 호수 보면서 멈춰 선다. 그러더니 작은 크로스백 지퍼를 열고 안에서 뭔가를 꺼내는데, 선재 전자시계다. (*숫자 0:00:00에 멈춰 있는) 전자시계를 호수로 힘껏 던진다.

〈호숫가 물속 인서트〉
선재 전자시계, 깊게 가라앉는다.

작은 파동이 일다 이내 잔잔해지는 호수를 바라보며, 미소 짓는 말자.

복순	(앞서 걷다 말자 안 보이자, 돌아보며) 엄마! 안 오고 서서 뭐 해!
말자	(복순 돌아보며 해맑게 웃고) 같이 가 언니야~ (총총, 가벼운 발걸음)

씬/23 몽타주 (D)

#1. 선재네 아파트 욕실
거울 앞에 나란히 서서 양치하는 솔, 선재. 동시에 물로 입 헹구고 고개 드는데 거울 속에서 눈 마주치자 품... 웃고.

솔	이제 나 씻을 거야, 나가. (하며 선재 등 떠밀어 내보내면)
선재	(나가려다 다정하게 백허그 하며) 그럼 같이..... (하는데)

솔	(화르르. 수건으로 선재 입 확 막으며) 나가라고오! (확 밀어 내보내는)

#2. 선재네 아파트 거실

선재, 토스트 만들고 있는데, 옷 갈아입은 솔, 머리에 헤어롤 단 채로 총총 나와서 분주하게 가방이랑 노트북 챙겨 드는.

선재	아침 안 먹고 가?
솔	이대표님이 오전에 보자고 해서 지금 나가야 돼! (가방 들고 후다닥 가면)

#3. 선재네 아파트 현관

솔, 신발 신고 있는데, 어느새 쫓아온 선재가 솔 입에 주스 빨대 물려준다.

선재	(포장한 토스트 손에 쥐여 주며) 가면서 먹어. 내가 데려다준다니깐.
솔	같이 나갔다가 지난번처럼 주민들한테 다 들키게? 갈게!
선재	(급하게 붙잡고) 잠깐, 이거 달고 가려고? (솔이 머리에서 헤어롤 빼주며 피식)
솔	맞다. (배시시 웃으며) 진짜 간다! (나가려 하면)
선재	(또 급하게 붙잡고) 잠깐. 뭐 잊은 거 없어?
솔	(피식 웃으며 다시 돌아와 선재 옷깃 잡고 끌어내려 볼에 뽀뽀 쪽 하며) 됐지? 근데 우리.....꼭 신혼부부 같지 않아? 갈게! (획 나가며 문 닫으면)
선재	신혼..부부? (양 볼 핑크빛 CG. 다리 힘 풀려 비틀하며 헉! 입 틀어막는데)

씬/24 브런치 카페 (D)

솔, 현주, 이대표 앉아서 브런치 먹고 있는.

솔	아침부터 급하게 호출하시길래 시나리오 보시구 한 소리 하시려는 줄 알았는데, 맛있는 거 사주시려는 거였어요?
이대표	고생했는데 밥이라도 사줘야지. 그래서, 아직도 재입사할 생각은 없고?
솔	저 올해 무지 바빠요! 도전하고 싶은 일이 있거든요.

현주	그게 뭔데?
솔	늘 머릿속에서 꿈만 꾸던 일인데, 더 늦기 전에 해보려구요.
이대표	뭐야? 뭔데. 혹시 결혼해?
솔	(웃으며) 에이. 결혼이 무슨 도전이에요~ 다음에 말씀드릴게요.
이대표	궁금하게...근데 못 본 새 얼굴이 핀 것 보니까 연애는 하는 것 같은데?
솔	(당황) 네? 어우. 아니에요~
현주	그러고 보니까 너 어제도 외ㅂ.. (박!이라 말하려다 솔이 눈치 주자 입 다물며) 암튼 요즘 너 쫌 수상하긴 해~ (하며 무심히 핸드폰 보는)
이대표	시나리오 결말도 달달하게 해피엔딩으로 바뀌고. 글이 핑크빛이잖어. 연애하지? 응? 누군데에~
현주	(급 소리치는) 류선재?!
솔	헉! (돌아보면)
현주	류선재도 연애하나 봐요! (핸드폰 화면 들어 보이며) 열애설 떴는데?
솔	!!! (놀란 표정)

씬/25 류근덕 갈비 (D)

근덕, 선재 열애 기사 보고 있다. 〈류선재 묘령의 여인과 도서관 → 집 데이트♥〉
타이틀 아래 모자 푹 눌러쓰고 마스크 낀 선재가 솔이 손잡고 나오다 찍힌 사진, 선재 차에서 내리는 솔, 선재 파파라치 사진들 쭉 떠 있다. (*솔 얼굴 모자이크 된)

| 근덕 | (히죽 웃으며) 어떻게 생겼는지 보이지두 않네. (핸드폰 가까이 들여다보며) 도서관 데이트라니. 참~ 바르고 똑똑한 처잔가 봐~ 집까지 데려간 것 보면 선재 이놈이 아주 제대로 빠졌나 부네. 이야. 누군지 몰라두 뿌옇게 다 가렸는데 미모가 그냥 액정을 뚫고 나오네! 선재가 눈 돌아갈 만해! (사진 크게 확대하는 데서 연결) |

씬/26 솔이네 아파트 거실 (D)

복순, 열애 기사 사진 크게 확대해서 보고 있다.

복순 챠! 세기의 미녀들을 봐도 눈 하나 깜짝! 안 한다더니만. 실루엣만 봐도 딱 별로구만! 여자 보는 눈도 없지...이상한 여자한테 눈 돌아간 거 아니야?

씬/27 고급 주얼리 매장 (D)

선재, 손으로 턱 끝을 쓸며 무언가 신중하게 고르는 듯 심각한 표정에서 빠지면. 그 앞에 인혁, 동석 양 손가락 모두에 반지 10개씩 끼고 손 쫙 펴고 서 있다.

선재 흠... (인혁, 동석 손가락 하나하나 살피며 반지 고르는)

동석 언제까지 이러고 있어야 되는 건데요! 아 손가락 피 안 통해!

선재 우리 솔이 이미지랑 딱 맞는 게 없으니까 이러고 있는 거잖아.

인혁 너네 솔이는 대체 무슨 이미진데?

선재 자. 봐. 너무 빛이 나서 눈부실 수 있으니까 안구 조심하고. (하며 핸드폰 속 솔이 사진 보여주는)

인혁 하, 지랄... (하며 핸드폰 사진 보는데 손가락으로 솔이 얼굴 콕 찍으며) 어?! 나 니 여친 낯이 익어. 어디서 본 것 같애.

선재 니가 이런 반짝거리는 여잘 어디서 봐? 어딜 만져!! 만지지 마. (인혁 손가락 확 붙잡는데, 손가락에 반지 가까이 보며) 어? 이거 괜찮네. (직원에게 인혁 손가락 들고 흔들며) 이걸로 할게요!

직원 네. 잠시만 기다려주세요. (가면)

동석 (반지 빼며) 근데요 형. 여자친구 선물...그래, 뭘 사 줘도 좋은데요! (작게) 아침에 열애설까지 났는데 이러고 있으면 어떡해요! 결혼임박썰까지 띄우려고요?

선재 썰이 아니면 되잖아.

동석	그 말 뭐예요? 뭐, 진짜 결혼 발표라도 할 생각이에요? (헉!!) 대표님 알아요?
선재	이제 알게 하면 되지. 니가.
동석	(헉!! 놀라며 후다닥 전화하러 달려가면)
인혁	(반지 빼서 내려놓으며) 너 진심이냐? 진짜 결혼하게?
선재	(고른 반지 들어 보며) 이제 솔이랑 한 순간도 떨어져 있고 싶지가 않아.
인혁	그건 니 생각이고. 연애는 연애고 결혼은 다른 문제다?
선재	내가 바보냐? 그걸 모르게. 그러니까 정식으로 프로포즈부터 하려는 거잖아.
인혁	프로포즈만 하면 일사천리일 줄 아냐? 집안 허락은 받았어?
선재	(멈칫, 당황) ...아니?
인혁	으이그...쯧쯧. (허세) 넌 나 없으면 인생 어떻게 살래. 어? (절레절레)
선재	그럼 넌 결혼해봤냐? (툭탁대는데 솔에게 전화 와 웃으며 받는) 어 솔아.
솔(F)	너 어디야?!!
선재	나? 반지... (인혁이 쉿! 하며 눈치 주자) 하야! 반지하! 인혁이 작업실! 인혁이 곡 작업하는데 봐주러 왔어. 소리 들리지?
인혁	(얼른 선재 폰에 딱 붙어서 흥얼흥얼 노래 부르며 장단 맞춰주는)
솔(F)	지금 당장 좀 봐!

씬/28 선재 차 안 (N)

솔, 선재에게 핸드폰 화면 가까이 들이밀며 "어떡해 우리!"
보면, 열애 기사고.

선재	보정 좀 이쁘게 해주지. 모자이크만 잔뜩 해놨네.
솔	보정이 중요해?
선재	넌 줄 아무도 몰라. 이쁜 얼굴을 다 가려놨구만.
솔	(답답) 그게 중요하냐구 지금!
선재	(웃으며 달래는) 걱정 마. 내가 다 책임질게.
솔	무슨 책임을 질 건데?

선재   그야... (말하려다 회상)

〈선재 회상 인서트〉*27씬 뒤 상황

인혁   (선재 얼굴 붙잡고) 너 프로포즈 할 때 가장 중요한 게 뭔 줄이나 아냐?
         비밀 유지. 니가 프로포즈 할 거란 걸 들키는 순간 감동 와장창이야. 그니
         까! 프로포즈 전까지는 괜히 입 근질거린다고 나불대지 말고 내 말 꼭 기
         억해. 비.밀.유.지.

#다시 현실

선재   그야..뭐. 이런 저런 방법으로? 너 피해 안 가게 할게.
솔   나 때문이 아니라, 너한테 안 좋을까 봐 걱정돼서 그렇지...
선재   나 걱정돼서 이렇게 달려온 거야? 걱정을 종종 시켜야 되나... (뽀뽀할 듯
         다가가면)
솔   아, 몰라. (밀어내며) 또 사진 찍힐라, 어서 가. 따라 내리지 마! (후다닥
         내리는)

씬/29 솔이네 아파트 입구 + 선재 차 안 (N)

         솔, 차에서 내려 총총 뛰어가는데, 마침 아파트에서 나오던 태성과 마주
         친다. 한편, 차 안에서 솔이 가는 모습 보고 있던 선재, 태성 보고 !! 표정.

태성   이제 들어와?
솔   어? 태성아. (반가운) 우리 집 왔었어? 웬일이야?
태성   내일 재아 돌잔치 한다며. 집에 가다 선물 주려고 들렀지.
솔   아~ 애들 오랜만에 삼촌 봤다고 좋아했겠네?
선재   (어느새 솔이 옆에 불쑥 와 서며) 무슨 친구 조카 돌잔치까지 챙깁니까?
솔   !! (놀라 돌아보며 헉!)
태성   내가 솔이 올케랑도 친구라. 친구 자식 돌잔치 챙긴 건데요?

선재   (크음. 할 말 없어진)

솔   (젠장, 수습하려) 어머!! 류선재 씨가 여긴 어쩐 일로! 이거 참 우연이네요 하하하.

태성   연기하는 거 다 티 나. 아침에 열애 기사 대문짝만 하게 떴던데. 그거 너지?

솔   (뜨끔!) 어떻게 알았어?

태성   친구 애인 생긴 걸 기사로 봐야겠냐? (선재 보며) 인사 안 시켜줄 거야?

씬/30 술집 (N)

사람 없는 술집 구석 자리. 선재, 태성 마주 앉아 있다. 솔이 잠시 자리 비운 상황.

태성   무슨 톱스타가 연애를 이렇게 대놓고 해요? 동네방네 소문내면서?

선재   설마 질투합니까?

태성   걱정인데요?

선재   그쪽이 신경 쓰여서 하는 말은 절대 아니니까 오해 말고 들어요. 그쪽은 그저 잠시 스쳐 지나간 전.남.친.일 뿐입니다. 알았어요?

태성   네? (뭔 소린가 싶고)

선재   옛날~옛날에 고작! 2주 사귄 걸로 지금까지 미련 떠는 걸까 봐. (자기 가슴 찌르며) 전남친. (태성 가리키며) 현남친. (아차 싶어 다시 정정) 현남친! 전남친! 오케이?

태성   뭔 소리지? 나 솔이랑 사귄 적 없는데?

선재   (???) 사귄 적, 없어요?

태성   임솔이 지랑 나랑 사겼대요?

선재   네? (잠시 생각하다, 과거 바뀐 걸 깨달은) 아...아! (좋아서 크게 웃는) 아하하하하!

태성   (당황) 뭐야, 정신줄 놓았어요? 왜 웃는데? (이상하게 보면)

선재   하하...아닙니다. 이건 잘 바꼈네. 아, 속이 다 후련~하다! (태성 손잡고 또 웃는)

솔   (다가오며) 무슨 얘길 했길래 이렇게 웃어?

태성	(질색하듯 손 뿌리치며) 몰라. 니 애인 또라이 아니지?
선재	(겨우 웃음 진정하고, 솔이 손잡아 옆에 앉히며) 어서 앉아.
솔	(주위 살피곤 목도리 선재 목에 감아주며) 이거 하고 있으라니깐 왜 풀었어!
선재	(솔이 손잡아 말리며) 괜찮아. 나 연애하는 거 대한민국 사람 다 알아 이제.
솔	그래두...
태성	(선재, 솔 번갈아 보며 고개 절레절레) 손님도 없다. 보는 눈 하나도 없어! 자. 술이나 받아요. (선재 잔에 술 따라주며) 사귄 진 얼마나 됐어요?
솔,선재	(동시에) 얼마 안 됐어! / 15년이요. (하며 태성 잔에 술 따라주는)
태성	(술 받다 멈칫) 뭐?
솔	그게, 실은 오래전부터 알았거든. 앞집 살았어서.
태성	그래? (끄덕이다가) 그럼 니가 죽을 때까지 못 잊을 거라던 그 사람. (선재 잔에 짠 부딪히며) 맞냐?
솔	....응.
태성	왠지 그런 것 같더라. 술 취해서 그쪽 이름을 애타게도 불러댔거든요.
선재	... (솔이 본다. 맘 아프고)
태성	(술 털어 마시고) 우리 솔이한테 잘해줘요. 내가 굉장히 아끼는 친구거든요.
선재	(술 따라주며, 조금은 풀어진 말투) 근데 언제까지 우리 솔이 우리 솔이 할 겁니까?
태성	(장난스레) 저번부터 느낀 건데, 우.리. 류선재 씨가 질투가 많네? (술잔 들면)
선재	많은 정도가 아닌데? 앞으론 조심합시다~ (짠 하고 마시는)
태성	(마시려다 멈칫, 갸웃) 근데, 우리 이렇게 술 마신 적 또 없죠?

〈선재 회상 인서트〉 * 11화 41씬
선재, 태성 취해서 끌어안고 노래 부르던 장면.

선재	(크음..) 그럴 리가요? 우리가 알던 사이도 아니고?
태성	하긴. (하며 술 마시면)
솔	(선재, 태성 번갈아 보며 고개 저으며 피식 웃는데)
태성	(다시 선재 따라주려다 멈칫) 근데 술 잘해요? 힘들 것 같으면 말하고.

| 선재 | (승부욕 발동) 뭐, 막걸리만 체질에 안 맞아서 안 먹고 웬만한 술은 다 잘 합니다. 취해본 적이 없어요 내가. 왜요. 형사님은 의외로 술이 좀 약하신가? |
| 태성 | 그럴 리가. 그럼... (맥주잔 놓으며) 이걸로 가실까? (소주 콸콸 따라주는) |

씬/31 술집 앞 (N)

솔, 발 동동 구르며 기다리는데, 선재 차가 달려와 솔이 앞에 멈춘다. 동석이 급히 내리며 "형 많이 취했어요?" 하는데 솔, 고개 절레절레 저으며 일각 가리킨다. 동석 시선 따라 팬하면, 건물 앞에 선재, 얼굴 벌게진 채 취해 있고, 태성한테 매달리듯 안겨 있다.

태성	(부축하며) 취해본 적이 없긴... (동석, 솔 보며) 아, 빨리 좀 데려가시죠?
동석	(달려가서 선재 부축하며) 형! 가요 가. 감사합니다~ (데려가는데)
선재	(동석 팔 뿌리치곤 다시 태성 쪽으로 성큼성큼 다가가는) 야 김태성.
태성	(어이없어하며) 야 김태성???
선재	그래 너...! (하며 눈 마주치는)
태성	그래. 나 뭐.
선재	(가만 보다가 갑자기 태성을 와락 안는다)
태성	!!!! (소름) 저기 류선재 씨? 여기서 이러시면 곤란합니다. (떼내려는데)
선재	(태성 꼭 안으며, 진지하게. *여기서부턴 취한 말투 아님) ...고맙다.
태성	...?? (멈칫)
선재	(물러나며 태성 양 어깨 잡고 눈 마주친다) 고맙다고. 김영수. 범인 잡아준 거.
솔	...! (표정)
태성	참 나. 뭐 직업인데 고마울 일인가. 솔이도 그러더만 왜들 이러지?
선재	니가 끝내줬잖아. 질긴 악연을. (태성 어깨를 툭툭, 두드리며) 진심으로...고맙다.
태성	(멈칫, 선재 보며 표정) ...??

선재, 그러다 태성 품으로 휘청 고꾸라지려고 하면 동석이 부축해서 차

에 태운다.

태성   (고개 젓다가 솔에게) 야. 니 애인 웬만해선 술 먹이지 마라~
솔   응. (피식, 웃으며) 갈게. 고마웠어.
태성   그래...잘 가라.

태성, 솔이 타고 떠나는 선재 차 보고 있다가, 미소 지으며 돌아서는 모습
에서.

씬/32 선재 차 안 (N)

동석, 운전하고 있고. 뒷자리에 선재, 솔이 어깨에 기대 눈 감고 있다.

솔   으이그. 예나 지금이나 똑같네. 술도 못 마시면서...
선재   나 안 취했거든요. (눈 뜨며 솔이 손잡아 깍지 끼는)
솔   (피식 웃으며) 안 취했으면 일어나지? (하며 살짝 어깨 빼려고 하면)
선재   (더 치대듯 솔에게 기대며 씩 웃는) 그럼 취한 걸로 하자. 아 취한다~
솔   참 나... (피식)
동석   (룸미러로 둘이 꽁냥이는 모습 보곤 고개 저으며 룸미러 돌려버리는)
선재   근데 내일 조카 돌잔치라며. 왜 말 안 했어?
솔   말 안 했나? 근데 말하면 뭐.
인혁(E)   프로포즈만 하면 일사천리일 줄 아냐? 집안 허락은 받았어?
선재   (인혁 말 떠올라 벌떡 몸 일으키는) 가야지.
솔   잔치랄 것도 없어. 가족끼리 조촐하게 밥 먹는 건데 뭐.
선재   그럼 더 가야지!
솔   뭐???

씬/33 류근덕 갈비 앞 (D)

금이 차에서 한복 입은 말자, 복순, 금, 현주가 보아, 재아 한 명씩 안고 내린다. 예쁜 원피스 차려입은 솔, 마지막으로 내리는. 금, 선글라스 끼면.

복순 뭔 선글라스야! 맨날 붕대 칭칭 감고 누워만 있는 거 누가 알아본다고?

금 눈썰미 좋은 아주머니들은 몇몇 알아보거든?! (삐죽이는데)

솔 (류근덕 갈비 올려다보며 헉! 놀라는) 돌잔치 장소가 여기야? 서일동 갈빗집이라며!

복순 서일동 맞잖아! (금이한테) 근데 넌 하필이면 왜 여기다 잡았어?

금 여기 사장님 옛날에 우리 앞집 살았다며! 옛 이웃사촌인데 더 잘해주시겠지~

복순 으휴. 들어가자. 사돈어른 오고 계시대? (말자 손잡고 들어가며)

현주 차가 막혀서 쪼금 늦는대요~ (하며 들어가는데)

솔 (다급하게 핸드폰 꺼내는데 마침 선재에게 전화 걸려 와서 받는)

선재(F) 서일동 다 왔는데 어느 식당이야?

솔 (O.L) 오지 마!

선재(F) 갑자기 왜?

솔 오지 말라면 오지 마아! 다음에 인사시켜줄게. 알았지? (확 끊는)

씬/34 류근덕 갈비 룸 (D)

한쪽에 돌상 세팅되어 있고. 근덕과 직원들 테이블 세팅하고 있는데.
솔이네 식구들 일동 룸으로 들어온다.

근덕 어서오세요~ 마침 상차림 딱 끝났는데. (인사하다 복순, 말자 보고 놀라는) 아이고! 오늘 돌잔치 예약하신 분이 그럼!

금 안녕하세요. 저 기억나세요? 앞집에 금비디오. 임!금!

근덕 어렴풋하게 기억나네. 좋은 날 찾아주셔서 고마워요. 돌상 빠진 거 없나 봐요~

금,현주 (인사하며, 아이들 데리고 돌상 쪽으로 빠지면)

근덕 (복순과 눈 마주치자 영혼 없이) 이렇게 차려입으시니 참..고우시네요.

	하하. (솔이 보며) 참하고 눈 돌아가게 이쁘다던 따님이신가 보네?
솔	(어색하게 웃으며) 안녕하셨어요...
근덕	그래요. 옛날에 얼핏 본 것 같은데 이상하게 엊그제 본 것 같고 그르네?
복순	애가 인상이 좋아가지구 그런 소리 많이 들어요. 실제로 보니까 아까우신가 봐요?
근덕	아깝긴요~ 선재 열애 기사 보셨죠? 조만간 이쁜 며느리 보게 생겼는데요 뭘. (웃는)
복순	(삐죽이며) 아~ 예~ 저희 딸 남자친구도 오늘 오기로 했어요. 가족끼리 하는 돌잔치까지 오는 것 보면 아마도 곧 날 잡을 것 같네요~ 오호홍 (웃는)
솔	(뜨끔! 복순 옆구리 쿡 찌르며 입 다물라는 듯 눈치 주고) 아니야 엄마...
근덕	아들딸들이 각자 제 짝들을 찾았나 보네요. 그럼 이만.. (나가려는데)
말자	(큰 소리로) 서방!!!

일동, 돌아보면. 과일바구니, 쇼핑백 들고 들어오는 사람, 선재다! 솔, 헉! 놀라는.

근덕	아들? 이 시간에 웬일이야? 아빠 보러 왔어? (웃는데)
복순	어머어머! 웬일이야! 일전에는 미안해요~ 톱스타 류선잰 줄도 모르구! 팬이에요~~
금,현주	류선재다. 류선재! (신기해하며 달려오고)
말자	서방~ 왜 이제 왔어~~ (하며 선재한테 달려들어 와락 안기면)
근덕	(선재 앞 막아서며) 이렇게 막 달려들고 그러시면 좀...싸인은 이따 챙겨드릴 테니까 돌잔치 진행하시죠~ 아들? 가자...웬 과일이야? (하며 데리고 나가려는데)
선재	(긴장한 듯, 옷매무새 바로 하며 복순에게 90도로 인사하는) 안녕하셨어요...어머님!
복순,근덕	(동시에) 어, 어머님??? / 어머니이임???
솔	(쪼르르 선재한테 가 속삭이는) 오지 말라니깐 왜 왔어! 다들 놀라시게!
선재	양쪽 집안에 한 번에 인사드리고 좋잖아.
일동	(솔, 선재 번갈아 보며, 눈치채고 헉! 놀란 표정) !!!

(컷 뒤면)

근덕, 선재 앉아 있고, 맞은편에 복순, 말자, 솔, 금, 현주, 앉아 있는.

복순 (핸드폰으로 열애설 사진 보여주며) 그러니까. 이 묘령의 여인이 내 딸 솔이?

선재 ...네.

복순 어머어머머머! (입이 귀에 걸려) 아드님이 저희 딸한테 눈이 제대로 돌았나 봐요!

근덕 (크음...애써 껄껄 웃으며) 그르게요. 아하하하!

금 근데 둘이 그럼 언제부터 만나신 건... (존댓말 하려다 급 근엄) 건가?

선재 고등학생 때부터 제가 많이 좋아했습니다.

현주 뭐? 그때부터 알았어? 내 기억엔 없는데? 헉! 혹시 짝사랑? 웬일이니 웬일이야!

선재 (헤, 웃으며) 그땐 떨려서 말도 못 붙였죠. 솔이가 워낙 예쁘잖아요.

솔 어우 야아~ (민망, 어색하게 웃다가 근덕과 눈 마주치자 크음. 내리깔고)

근덕OFF 벌써부터 저 팔불출!

복순 근데 우리 이렇게 앉아 있으니까 꼭 상견례 하는 거 같지 않아요? 오홍홍 (웃다가 장난스레) 그냥 이참에 상견례까지 후딱 해버릴까? (웃고)

선재 (좋아서 히죽 웃으며) 전 좋습니다.

근덕 (선재 째려보며 구시렁) 나사 빠진 놈 마냥...

그때, 현주 친정 식구들 도착한다. 현주, "엄마!" 하며 일어나면.
금, "오셨어요?" 하며 일어나고. 현주 친정 식구들도 선재 보고 수군수군.

복순 (선재 손잡아 끌며) 사돈~~ 우리 류서방 인사시켜드릴게요!! (호들갑 떨며 가면)

근덕 류서방?? 얼씨구! (선재가 솔이네 식구들한테 인사하는 모습 보며 삐죽이는)

씬/35 류근덕 갈비 홀 + 룸 (D) *몽타주 느낌으로

근덕, 룸 입구에서 문에 귀 바짝 대고 엿듣고 있는데, 안이 시끌벅적하다.
"뭘 하길래 아주 신이 났어들?" 궁금해서 문 살짝 열어 훔쳐보는데.

#룸 안
양가 가족들, 친척들 식사하며 돌잔치 보고 있는. (*총 15명 정도, 목소리
크고 하이텐션인 중년 친척들로) 사회자, 한창 돌잡이 이벤트 하고 있다.

사회자	(돌잡이 용품 설명하다가) 빠진 게 하나 있죠? 그게 뭘까요! 돈이 빠졌죠! 우리 재아 왕자님 생애 첫 용돈을 내가 주고 싶다! 하는 분! 손!
일동	(모두가 5만 원짜리, 만 원짜리 각각 꺼내서 번쩍 들고 소리치는) 여기! 여기!
선재	잠깐만요! (하면서 100만 원짜리 수표 꺼내 번쩍 든다)
일동	오오!!! / 스케일이 남다르구만! / 대박이네! (시끌벅적)
사회자	이야! 수표를! 우리 고모님 남자친구분께, 아니지 예비 고모부님께 모두 박수!!!
근덕	(문 밖에서 훔쳐보며) 예비 고모부? 벌써 저 집 식구 다 됐구만!
사회자	그럼 돌잡이 시작해볼게요~ (멘트 이어 하는)

금, 재아 안고 돌잡이 상 앞에 서 있고. 재아, 마이크 잡으려고 손 뻗는데
현주, 재아 손잡고 일부러 선재가 낸 100만 원짜리 수표 억지로 잡게 하
고. 일동 웃는.

(컷 튀면)
사회자, 퀴즈 이벤트 중이고. "재아 왕자님이 태어날 때 몸무게는?!" 질문
하면 한 명씩 손 들고 "3.8!" "3.6" "4.0!" 한마디씩 소리치는데.

선재	(손 번쩍 들고) 3.48!! (소리치는)
사회자	정답!!! 예비 고모부님께 상품으로 천일염 한 박스 드립니다! (천일염 상자 주면)
선재	와아!! (천일염 박스 끌어안고 솔이 손잡고 흔들며 진심으로 함박웃음)

#홀 + 룸 안

근덕	(선재 보며 삐죽이는) 좋댄다...으이그. (하며 옆에서 웃고 있는 솔이 찬찬히 보는) 뭐, 선재 이놈이 눈 돌아갈 만하긴 하네. 날 닮아서 눈도 높아 하여간... (하는데)
직원	(지나가다 듣고) 아들 여자친구 맘에 차시나 보네요? 누굴 데려와도 반대할 것처럼 구시더니? (하며 빼꼼, 룸 안 같이 엿보는)
근덕	외롭게 혼자 지내는 것보단 낫지. 선재가 저렇게 웃는 것도 오랜만에 보는 것 같아.

근덕, 선재와 솔이 마주 보고 웃는 모습 보며, 흐뭇한 미소 지으며 문 닫는데. 그때, 복도로 쫙 빼입은 인혁, 현수, 제이 등장해 뚜벅뚜벅 걸어오는 모습 slow.

근덕	어? 니들이 웬일이야? 밥 먹으러 왔어?
인혁	아니요 아부지. 저희... (진지한 표정) 행사 왔어요.

〈이클립스 작업실 인서트〉

인혁, 현수, 제이. 동시에 이클립스 단톡방에 뜬 선재 메시지 확인한다.
'우리 솔이 조카 돌잔치 행사 좀 뛰자 - 류선재'

현수	미친놈 아니야?
인혁	(정색) 야. 썹어. 우리가 돌잔치 행사 뛸 짬밥이야? (인상 쓰며 돌아앉는)
현수	(이어서 온 선재 톡 확인하며) 근데. 행사비로 우리 작업실 리모델링해준다는데?
제이	오오! 대박. 악기랑 장비까지 풀세트로 싹 다 바꿔준대!!
인혁	(천천히 돌아앉는데 입이 귀에 걸려 씩 웃고 있다) 돌잔치 장소가...어디라고?

#다시 룸 안

| 사회자 | 와...이분들이?? 놀라운데요. 재아 왕자님을 위해 달려온...이클립스!! (소개하면) |

인혁, 현수, 제이 룸 문 벌컥 열고 등장. 일동 모두 놀라서 꺅! 소리치고... 솔, 헉! 경악스런 표정으로 선재 보면. 선재, 으쓱해서 씩 웃는.
인혁, "재아 왕자님의 첫 생일을 축하드립니다." 짧게 멘트 하면. 일각에 있는 노래방 기계에서 반주 흘러나오기 시작한다. (*'상어가족', '바나나차차'류의 신나는 동요 또는 이클립스의 신나는 곡 등 유쾌한 분위기 될 수 있는 노래로) 인혁, 현수, 제이 노래방 마이크 잡고 재아 앞에서 노래 부르기 시작한다. 일동, 웃으며 박수 치고 호응해주는데. 재아, "으앙~~" 울어대기 시작하고.
이클립스 멤버들, 어쩔 줄 몰라 하며 우르르까꿍 달래며 노래한다. 난리통이 되는 돌잔치. 선재와 식구들 빵 터져 웃고... 솔, 고개 절레절레 저으며 피식.

씬/36 선재 소속사 대표실 (D)

김대표, 동석 태블릿으로 SNS에 올라온 돌잔치 영상 보고 있다.

〈영상 인서트〉
인혁, 현수, 제이 돌잔치 축하 공연하고 있고. 선재, 솔이 손 꼭 잡고 웃으며 보고 있는 장면 아래 해시태그 자막 박힌다.
#류선재여친조카돌잔치 #류선재결혼임박 #이클립스돌잔치행사 #류선재천일염...

#다시 대표실

| 김대표 | (이미 체념한) 내리라고 하기엔 늦었겠지...? 동석아. 기자들한테 예쁜 사랑하고 있다고 기사 좋게 써달라고 해. (하며 울먹이면) |

동석	넵...근데 우세요?
김대표	부러워서 그런다! 나는 지들 키운다고 바쁘게 일만 해서 장가도 못 갔는데!
동석	꼭 바빠서 못 가신 건 아닌 것 같은데요. (하다 김대표가 째려보자 핸드폰 보는 척)
김대표	(동석 째려보다가) 근데 류선재 천일염은 뭐냐? 애 소금 광고 들어왔어?
동석	(마침 선재한테 전화 걸려 와서 받는) 네, 형. (듣다 놀라며) 네????

씬/37 한강 유람선 (N)

선재, 솔이 손잡고 유람선 갑판으로 걸어 나오는.

솔	돌잔치 축하 공연으로 이클립스 부른 건 너무했다. 콘서트 티켓 값이 얼마데, 어떻게 노래방 반주로 노랠 부르게 해?
선재	점수 좀 따려고 그랬지.
솔	(피식) 그래서, 땄어?

〈선재 회상 인서트〉
#갈빗집 일각 (N)
돌잔치 끝난 분위기. 복순과 금이 선재 붙잡고 얘기 중인.

복순	테레비에 나올 때마다 그렇~게 눈이 가드만. 우리 식구 될라고 그랬나 보네?
금	아 엄마 쫌! (복순 쿡 찌르며 눈치 주고, 무게 잡으며) 내가 솔이한테 해준 건 없지만. 그래도 하늘에 계신 울 아버지 대신해서 눈에 불을 켜고 지켜볼 겁니다. 내 동생 눈에 눈물 빼는 날에는 바로!! (노려보며 목 긋는 시늉) 알아들었죠?
선재	(마음 알겠고. 미소) 네. 걱정 마세요. 아, 배우 일 시작하셨다고 들었는데, 다음에 꼭 작품 같이 하면 좋겠네요.
금	(노려보고 있다가 바로 표정 풀려 웃으며) 매제~~ 내가 우리 매제 진짜 팬이었는데!! 꼭 작품 같이 해요 매제~~ 약속~~ (새끼손가락 내밀면)

복순	(멀리서 애기 울음소리) 으이그. 애 운다. 조만간 다시 봐요! (금이 데리고 가면)
선재	(미소 지으며 돌아서려는데 누군가 손잡는, 보면 말자다) 할머님..?
말자	(선재 손 토닥토닥 쓸며) 오래오래...잘 살어 이제. 행복하게. 웃으면서. (미소)
선재	(가슴이 뭉근해지는) 감사합니다.

#다시 현실

선재	(미소 지으며) 음...아마도?
솔	근데 갑자기 웬 유람선이야?
선재	뭐, 그냥. 한강이 우리 추억이 많잖아. 곧 우리가 만난 다리 나와.
솔	그래? (다시 한강 쪽 보면)
선재	(몰래 주머니에서 반지 케이스 꺼냈다 다시 넣고 심호흡하며, 작게 떨리는 목소리로) 저, 솔아. 나...너한테.. (OFF) 프로포즈...프로포즈를 하려고...
솔	(생각난 듯 핸드폰 꺼내 들며) 포즈 좀 취해봐!
선재	(화들짝 놀라 O. L) 프로포즈?
솔	(핸드폰 셀카 화면으로 켜놓은 채) 어?
선재	(상황 파악) 포, 포, 포즈으! 그래! 뭐 할까. 하트 할까? (솔이 볼에 볼하트 해주는)
솔	(찰칵 셀카 찍고) 밤이라 그런가 잘 안 나오네...
선재OFF	바보냐?? 하...
솔	(갑자기 빵 터져서 웃는)
선재	왜, 왜?
솔	근데 너 혹시! 지금 프로포즈 하려는 거 아니지?? (눈 가늘게 뜨며 씩 웃는)
선재	(철렁!) 어? (인혁 말 떠올리는)
인혁(E)	프로포즈 할 때 가장 중요한 게 뭔 줄이나 아냐? 비.밀.유.지.
선재	(정색) 아, 아닌데?
솔	(장난스레) 에이. 드라마에서처럼 유람선 통째로 빌려서 막 불꽃 터트리고 동석 씨가 3단 케이크 밀고 나오고 그런 거 아니야? 동석 씨! 나오세요~~~ (장난으로 소리치면)

선재	(당황, 아닌 척 연기) 지, 진짜 아닌데? 하하. 이를 어쩌지?
솔	(피식 웃으며) 으이그. 농담이네요~ 당황하기는.
선재	농담이야? 하하...재밌네! (몰래 휴 안도의 숨 쉬는)
솔	있잖아...너한테 할 얘기 있는데... (뭔가 말하려 하고)
선재	(솔이 말 귀에 안 들어오고, 손목시계 확인하면 8시 56분. OFF) 곧 시작인데 어쩌지? 하...그래. 눈치채기 전에 빨리 말하자. (ON) ...솔아.
선재,솔	(동시에) 나랑 결.. / 나 영화 찍을 거야.
선재	어? 뭐라고?
솔	나 영화감독...도전해보려구.
선재	...영화? (표정)
솔	(살짝 들뜬) 응...봄에 하는 단편영화 공모전에 출품해볼까 해. 퇴사한 것도, 시나리오 작업 서두른 것도 사실 이것 때문이었거든.

〈선재 회상 인서트〉*5화 27씬

솔	오랜만에 극장에서 영화 보나 했는데 아쉽다.
선재	영화 좋아하나 보다?
솔	응. 예전엔 하루에 두세 편씩도 보고 그랬었지. 꿈이 영화감독이었거든.

#다시 현실

선재	(옛 생각에, 미소 지으며 다정하게) 그랬어?
솔	너무 늦은 거 아닌가 싶기도 하구 자신은 없는데. 니가 전에 그랬잖아. 수영하는 동안 행복했다고. 그 행복은 안 해보곤 절대 가질 수 없는 거라고. 그래서 나도 도전해보려고. 결과가 어떻든...행복할 것 같아서.
선재	(가만 들어주다, 솔이 머리 쓰다듬어주며) 네가 행복한 일이라면, 난 다 좋아.
솔	(미소) 나 또 무지 바빠질 텐데? 자주 만나지도 못하구?
선재	내가 만나러 가지 뭐. (미소) 응원할게.
솔	고마워. 당분간 정신없을 것 같아. 조금만 기다려줘.
선재	그러엄. 얼마든지 기다릴 수 있어. (따뜻하게 웃어주는)

솔	아, 근데 넌 무슨 말하려고 했어? (하는데)
선재	....나? (미소 짓다가 순간 헉! 표정 식는. 얼른 핸드폰 꺼내 보면 시간, 8시 59분이다! 솔이 뒤쪽 보는데 구석에서 동석이 수신호 날리고 있는)
동석	(일각 구석에서 손가락 하나씩 접으며 사인 주고 있는. 5! 4!...)
선재OFF	안 돼...! 이 타이밍 아니야! (고개 절레절레 젓는)

동석, 손가락 3! 2!.... 하나씩 접으며 사인 주는 모습 slow.
선재, 이를 어쩌지? 눈 굴리며 생각하다가, 동석이 손가락 다 접는 순간,
선재 "귀 시렵지?!" 하며 얼른 양손으로 솔이 귀를 꽉 막는다. 동시에 하
늘에 폭죽 팡팡 터지기 시작한다.

솔	?? (선재 보는데 아무 소리 안 들리고. 선재 손 떼려고 하며) 괜찮은데?
선재	(고개 저으며 솔이 귀 더 꽉 막으며) 아니야. 추워추워. (하며 솔을 품으로 확 끌어당겨 코트로 솔이 머리까지 꽉 감싸안는. 아무것도 안 보이고 안 들리게)

솔이 뒤쪽으로 팬하면 갑판 화면에 보여지는데... 어느새 LED 촛불길 쫙
깔려 있고. 동석이 케이크 트레이 밀고 나오고. 인혁, 꽃잎 가득 담긴 바
구니 들고 걸어오고 있다.

선재	(헉!! 솔이 끌어안은 채, 썩 물러나라 다급하게 손짓하며) 가! 가라고! 치워 빨리!
동석	(멈춰서) 왜요! 왜! 실패야? (헉! 상황 파악. 휙 돌아 트레이 굴려 보내고)

한편, 눈치 못 챈 인혁이 걸어와 바구니 높이 들어 장미 꽃잎 바람에 날리
려는데. 선재, "철수!! 철수!!" 입모양으로 소리치며 손짓하면. 동석이 달
려와 인혁 뒷덜미 잡아채고. 뒤늦게 눈치챈 인혁, 꽃잎 바구니 뒤집어쓰
며 동석에게 끌려가는.

솔	나 안 추운데? (버둥버둥. 꼼지락거리며 코트 속에서 나오려 하면)
선재	(더 꽉 끌어안으며 토닥토닥) 무슨. 완전 시베리아야! 감기 걸려.

E	하늘에 폭죽 팡팡 터지는
솔	근데 선재야아~ 뭐가 막 터지는 소리가 나는 거 같애!
선재	(당황해 큰 소리로 둘러대는) 내 심장이 터지는 소리야! 하하하.

인혁, 동석, 촛불 막 쓸어 치우는데. 그때, 어디선가 '나랑 결혼해줄래?' 문구 적힌 커다란 현수막을 단 드론이 붕 날아오른다. 동석, 헉! 놀라 어딘가로 수신호 막 날려대면, 선재 쪽으로 날아가던 드론이 방향 확 틀어 높이 날아오르는 모습.

선재	(멀어지는 현수막 보며 OFF) 오늘은 타이밍이...아니네. 아직은 아니야. (슬픈 미소)

하늘을 나는 드론을 따라 카메라, 팬하면...

씬/38 한강 다리 위 (N)

한 커플, 손잡고 한강 다리 걷고 있는데. 그 앞으로 드론이 날아온다. '나랑 결혼해줄래?' 현수막 본 여자, "자기야! 오늘 할 말 이거였어? 감동이잖아~" 하며 남자한테 와락 안기면. 남자, "어??" 당황스런 표정에서.

씬/39 몽타주 (D/N)

#1. 영화 촬영 현장 1 (D)

솔(E)	레디 액션!

슬레이트 탁 치는 장면에서 빠지면, 휠체어 탄 소녀와 그 휠체어를 끌고 오는 소녀의 엄마... 팬하면, 단편영화 '소원' 촬영 중이다. (스태프 10~15명 정도) 촬영 모니터 앞에 앉아 헤드폰 끼고 보고 있던 솔, 무전

기로 "컷!" 하며 일어나 달려간다. 솔, 소녀에게 "휠체어를 직접 끌어보면 좋을 것 같은데..." 이런저런 디렉션 주는.

(시간 경과)
솔, 대본 보며 스태프들과 대화하는데.
스태프1 달려와 "감독님! 밥차 왔는데요?"
솔, 갸웃하며 가보면. 일각에 서 있는 밥차 트럭. **'솔 감독님을 응원합니다! – 류선재 드림'** 솔, 선재한테 전화 거는데 뒤에서 울리는 벨소리. 돌아보면 선재 서 있다!

솔	(놀라) 연락도 없이 어떻게 왔어?
선재	깜짝 응원해주려고 왔지. (살짝 고개 숙여 귓속말로 속삭이는) 실은 이 핑계로 얼굴 보려고.
솔	(피식, 웃는. 고맙고, 감동한 표정) ...고마워.
스태프들	감사합니다! 잘 먹을게요! / 감독님 남친 짱!! (소리치고)

#2. 영화 촬영 현장 2 (N)
주택가에서 촬영 중인데, 동네 할아버지 "니들이 여기 전세 냈어?!" 하며 꼬장 부리고 있으면, 솔, 과일주스 박스 건네며 죄송하다 인사하며 수습하는 모습.

(컷 튀면)
다시 촬영 중인데 투두둑 빗방울 떨어지기 시작하고.
스태프들 "비 온다!!" 소리치면, 솔 무거운 장비들 같이 챙겨 들고 뛰어가는 모습.

#3. 영화 촬영 현장 3 (D)
마지막 촬영 끝난 분위기. 솔, 울먹이며 "다들 고생하셨습니다!" 인사하고. 서로서로 포옹하며 인사하고.

#4. 편집실 + 선재네 아파트 침실 (N → D → N)

날 경과 몽타주. 솔 편집하고 있다.

창 밖으로 해가 뜨고 지고 할 때마다 테이블에 커피 컵 쌓여가고. 솔, 얼굴 점점 초췌해진다. 어느 날, 선재에게 전화 와서 받는 솔.

솔   아직 편집실. 좀만 더 하면 끝날 것 같아.
선재   늦었는데...데리러 갈까? (물어보곤 바로 일어나 외투 입으며 통화)
솔   아니야. 택시 부르면 금방 오는데 뭐. 내일 촬영 있다며. 어서 자. 오면 안 된다~
선재   알았으니까 끝나면 전화해. (하면서 이미 차 키 챙겨 방 밖으로 나가는)
솔   (전화 끊곤 기지개 쭉 피고 다시 일하는)

#5. 건물 앞 (N)

솔, 하품하며 나오는데, 선재, 짠 하고 나타난다. 솔, 놀란 표정.

솔   (선재 외투 안으로 파고들어 안기며) 왜 왔어. 그냥 자라니깐...
선재   (꼭 안고 자연스레 몸 흔들며) 아~ 이대로 확 우리 솔이 업고 튀어버릴까?

#6. 선재 차 안 (N)

선재 "다 왔어..." 하며 돌아보면, 솔, 조수석에서 지친 듯 골아떨어져 자고 있다. 선재, 솔이 손에 꼭 쥐고 있는 너덜해진 대본에 눈길, 안쓰럽게 보며 외투 덮어주고.

#7. 편집실 (D)

솔, 긴장한 표정으로 모니터 화면 보고 있다. 모니터 화면 보면, '제16회 경주국제단편영화제 공모' 사이트 떠 있고.

두근두근... 떨리는 마음으로, 완성된 영화 파일 첨부해서 클릭하는 솔. 화면, '출품 완료'라 뜨자 솔, "꺅!!" 소리치며 벌떡 일어나 감격스런 표정에서... (F. O. F. I.)

씬/40 솔이네 아파트 베란다 (D) *봄

말자, 창밖 파란 하늘 보며 웃고 있는데, 어디선가 벚꽃 꽃잎이 날아온다.

말자   (미소) 봄이네...봄이 왔어.

씬/41 예쁜 벚꽃길 (D)

솔, 선재 손잡고 걷고 있다. 봄바람 살랑살랑... 벚꽃 꽃잎이 예쁘게 흩날린다.

솔   우리 오랜만에 이렇게 손잡고 걷는 것 같다. 간만에 보니까 더 멋있어진 것 같네?
선재   바쁜 여자친구 기다리느라 (가슴 두드리며) 속은 새까맣게 탔네요.
솔   진짜?
선재   여기선 좀 그렇고. (장난스레 작게) 이따 보여줄게.
솔   (푸하, 웃음 터지고, 선재 손잡고 흔들흔들하며 걸으며) 얼마 만에 여유야 이게~
선재   발표는 언제 나?
솔   다음 달에.
선재   (미소) 잘될 거야.
솔   진짜 기대 안 하려고 했는데. 사람 마음이 또 막상 출품하고 나니까 괜히 기대하게 되구 그런다? 이럼 안 되는데.
선재   (커다란 벚꽃나무 아래 멈춰 서서) 그럼 소원이라도 빌어 봐. 예전처럼.
솔   그럴까?

솔, 선재 손 놓고 떨어지는 벚꽃 꽃잎 잡으려고 폴짝폴짝 뛰는데 계속 실패한다. 그때, 선재... 예전 그때처럼, 솔이 뒤에 다가서서 백허그 하듯 감싸안고 솔의 양손을 잡는다. 솔, ...?!! 갸웃하며 살짝 미소 띤 얼굴로 선재 보면. 선재, 솔의 양손 잡은 채로 떨어지는 벚꽃 꽃잎을 잡는 모습 slow. 선재, 포개진 솔의 손을 천천히 펼치면, 솔이 손바닥 위에 벚꽃 꽃잎들 보인다.

선재	눈 감아야지.
솔	(눈 꼭 감고, 소원 비는 듯 입가에 미소. 잠시 후 다시 눈 뜨고) 넌 무슨 소원 빌었어? (하며 살짝 고개 들고 선재 보면)
선재	나는... (하며 솔이 손바닥으로 시선 주며 미소)

솔, 다시 손바닥 위 보면, 벚꽃 꽃잎들 위에 놓인 프러포즈 반지가 반짝!

솔	...선재야. (반지의 의미, 알겠고 감동한)
선재	앞으로 나와 모든 시간을 함께해줘 솔아.
솔	(손 위 반지 보며, 눈물 그렁)
선재	(앞으로 돌아서서 마주 보는. 두 손 잡은 채, 솔이 얼굴 살피며) 대답, 안 해줄 거야?
솔	(눈물 참으며 *끄덕끄덕*) 응...그럴게. 평생 옆에 있을게. (웃으며 눈 마주 치면)

선재, 솔이 손 위의 반지를 네 번째 손가락에 끼워준다.
그러곤 벚꽃나무 아래서 예쁘게 입 맞추는 두 사람.

〈가까운 미래 인서트〉
#결혼식장
몽환적인 화면. 화면에 꽉 찰 정도로 풍성한 꽃장식이 예쁘게 되어 있는 단상 앞. 턱시도 입은 선재, 웨딩드레스 입은 솔에게 반지 끼워주고 입 맞춘다. 동화처럼 예쁜 두 사람 모습에서...

#다시 현실
입 맞추고 물러난 솔, 선재 눈이 마주친다.

| 솔,선재 | (동시에) 방금 혹시... / 너도 혹시... (봤냐는 듯 물으려다 말이 겹치자 활짝 웃는) |

같은 미래를 본 두 사람, 마주 보며 환하게 미소 짓는데.

2008년, 집 앞 벚꽃길에서 솔의 뒤를 따라 걷던 선재 모습과, 2009년, 예쁜 벚꽃길에서 손잡고 함께 달려가던 솔, 선재 모습이 오버랩 된다.

그리고 다시 현재. 따스한 햇살 아래, 서로를 꼭 안는 솔과 선재.

세상 그 누구보다 행복한, 앞으로도 쭉 행복할 것만 같은... 눈부시게 예쁜 두 사람 모습에서...엔딩.

씬/1 신혼집 침실 (D)

협탁에 솔&선재 웨딩 사진 담긴 작은 액자 세워져 있고, 그 앞에 놓인 핸드폰에서 알람 울린다. 팬하면, 커다란 침대에 혼자 자고 있는 선재, 협탁으로 손 뻗어 알람을 끄며 눈을 뜬다.

선재   (꿈을 꾸다 깬 듯, 잠긴 목소리로) 무슨, 이런 꿈을... (하며 일어나 앉는)

잠 깨려 마른세수하곤 비어 있는 옆자리를 본다. 괜스레 옆자리에 놓인 베개를 쓸어보곤 핸드폰 화면 보는데, 날짜 '**2024년 10월 20일**'이다. '♥내운명♥'에게 전화 거는데, 길게 신호음 이어지다 끊긴다.

선재   (아쉬운 듯) 많이 바쁜가 보네.

씬/2 제주도, 영화 촬영장 (D)

제주도 푸른 바닷가 일각.
스태프들, 배우들 각자 위치에서 스탠바이 중이다. 촬영 준비 마친 분위기.
피곤한 듯 하품하며 촬영장으로 걸어오는 솔, 핸드폰 확인하는데,
'♡내운명♡'에게서 온 부재중 전화 1통 찍혀 있다.
솔, 표정 확 밝아지며 전화 걸려는데, 조감독 달려온다.

조감독   감독님! 준비 다 됐어요! 빨리 오세요! (하고 달려가면)
솔   네! 지금 가요! (아쉽지만 통화 버튼 못 누르고, 배경화면으로 해둔 선재

사진 보며 미소) 보고 싶다... (선재 사진 손으로 톡톡) 좀만 기다려. 금방
끝내구 부지런히 달려갈게. (씩 웃으며 핸드폰 속 선재 사진에 손뽀뽀 쪽!
쪽 날리는데 옆에 서 있던 촬영 스태프랑 눈 마주친다) !!!

스태프　하하... (어색한 미소)

솔　하하... (민망해 괜히 스태프에게도 손 뽀뽀 쪽! 날려주고, 후다닥 촬영장
쪽으로 달려가면)

스태프　(황당해하다가) 감독님 또 저러시네...아~~부럽다~~ (터덜터덜 쫓아 걷는)

솔, 촬영 모니터 앞, 감독 자리에 달려와 앉는다. 헤드폰 끼고 무전기 든다.
솔, "레디 액션!" 힘차게 소리치면 촬영 시작된다.
한창 영화 촬영으로 바쁜 솔이 모습 몽타주 컷 이어지고.

씬/3　이클립스 작업실 외경 (N)

씬/4　이클립스 작업실 (N)

인혁, 작업실로 들어오는데, 태성이 소파에 앉아 캔맥주 마시고 있다.

인혁　어? 니가 여기 웬일이냐?

태성　우리 류.선.재 씨가 차기작이 형사 역할이시라고 자문 필요해서 왔는데.

인혁　왔는데?

태성　저놈 하루 종일 상태가 왜 저러냐? (하며 일각 턱짓하며 가리킨다)

인혁　??? (돌아보면)

작업실 일각. 피아노 앞에 앉아 고뇌에 차 있는 선재 뒷모습.

인혁　오...생일이라 안 나올 줄 알았더니. 곡 작업하고 있었어?

인혁, 가까이 다가가보면 선재, 폰으로 솔이 영화제에서 단편영화 부문

수상하고 한 수상 소감 영상 보고 있다.

인혁   (정색) 아씨...또 시작이네.

선재   (수상 소감 영상 끝나자 아쉬워하는) 하...보고 싶다.

인혁   나도 좀 보고 싶다. 제정신인 니 모습.

선재   (아랑곳 않고) 솔이 못 보니까 사는 낙이 없네 요즘.

인혁   솔이님 제주 촬영 엊그제 가지 않았냐?

선재   (째려보며) 누가 솔이 이름 함부로 부르래.

인혁   그럼 제수씨?

선재   것도 맘에 안 들어. 그냥 입에 올리지 마.

태성   (듣다듣다 못 들어주겠고) 중증이네. 그거 병이야 병! (뭐라 하는)

인혁   입에 올리면 안 되는 그분 떠난 지 48시간도 안 지났는데 왜 오바야!

선재   (진지) 아니야. 1분 1초도 안 지났어. 내 시간은...솔이 옆에 있을 때만 흐르거든...

태성   (헉! 빈 맥주캔 꽈직 구기며) 미친놈 아니야?

인혁   (소름! 못 참겠다) 아오! 야! 적당히 좀 해! 어후. 헛소리 그만하고 일어나. 생일날 이러고 청승 떨고 있지 말고 태성이도 왔는데 나가서 술이나 먹자. 어?

선재   (끄응, 핸드폰 끌어안고 엎드리며) 난 술 말고 솔이 필요해. (세상 심각) 우리 솔이 이틀은 더 지나야 올 텐데 나 어떻게 기다리지?

인혁   (포기. 졌다. 체념한 듯) 미친놈...

씬/5   신혼집 외경 (N)

씬/6   신혼집 현관 (N)

깜깜한 집 안. 삐리릭- 현관문이 열리고, 피곤한 듯 보이는 선재 들어오자 센서등이 켜진다. 선재, 신발 벗고 거실 들어서는 순간 달라진 공기를 느낀다. 멈칫, 하는 몸짓. 눈빛, 달라진다.

씬/7   신혼집 거실 (N)

어두운 복도를 지나 거실 쪽으로, 재킷을 벗으며 걸어가는 선재.
벗은 재킷을 의자에 툭 걸쳐놓고, 셔츠 소매 단추 끌러 걸어 올리며 걸어가 일각에 세워진 플로어 스탠드를 켠다. 은은한 조명 밝혀지면, 거실 한편에 커다랗게 걸린 두 사람의 웨딩 사진 보인다. 선재 씩 미소 지으며 소파 쪽으로 시선 돌리는데... 보면, 솔이다! 솔, 소파에 옆으로 누워 잠들어 있는.

선재 (반갑고. 웃으며 낮게 혼잣말) 언제 왔지? 연락도 없이.

선재, 입가에 미소 머금은 채 솔이 쪽으로 다가가 소파 아래 자리 잡고 앉는다. 테이블에 놓여 있는 케이크 상자와 선물 상자 보고 피식. 다시 잠든 솔을 본다.

선재 (작은 목소리로, 다정하게) 이봐요 임솔 씨. 서프라이즈 해주려고 와놓고 선 이렇게 잠이 들어버리면 어떡합니까. (하는데 솔이 안 깨자) 많이 피곤했나 보네...

선재, 솔이 대충 덮고 있던 블랭킷을 다시 덮어주려는데, 솔의 발목이 눈에 들어온다. 입가에 미소, 사라진다.

〈선재 회상 인서트〉 * 1화 30씬 한강 다리 위에서 휠체어 탄 솔에게 우산 씌워주던 장면.

다시금 떠오른 기억에, 마음이 싸르르... 쓰리다.
선재, 솔의 발목을 안쓰럽게 어루만지다가 천천히 고개를 숙여 복사뼈 부근에 입을 맞춘다. 소중하게.
다시 몸을 일으켜 곤히 자는 솔의 얼굴을 본다. 가슴에 행복감이 채워진다. 조심스레 솔을 두 팔로 안아 일어나서 침실 쪽으로 가는 선재.

씬/8 신혼집 침실 (N)

선재, 솔을 침대에 조심스레 눕힌다. 그러더니 그 옆에 모로 누워 한 팔로 머리를 짚고 솔을 지그시 바라본다. 그때, 솔의 속눈썹이 파르르 떨린다. 선재, 이를 보고 뭔가 눈치챈 듯, 눈을 가늘게 좁힌다.

선재   (작게) 일어나지? 안 자는 거 아는데.

솔   ......

선재   (놀리듯) 깬 거 다 아는데.

솔   ...... (눈 감은 채, 계속 자는 척)

선재   (깬 거 다 알면서) 흠. 진짜 안 깼나?

솔   (눈 꾹 감은 채 입 꾹 다물고 웃음 참는데)

선재   (씩 웃더니, 갑자기 몸 훅 일으켜 솔의 양쪽 볼, 이마 등에 쪽쪽쪽 연달아 뽀뽀해대는. 이래도 안 일어날 거냐는 듯이)

솔   (간지러워 못 참고 눈 번쩍 뜨며 일어나며) 아아 알았어어~ 일어날게! 일어났어! 됐지? (웃으면)

선재   (끌어안고 돌아누워, 얼굴 마주 보는) 모레까지 촬영이라며.

솔   진작 스케줄 조정 해놨었지~ 생일인데 어떻게 혼자 둬.

선재   언제 왔어?

솔   한 세 시간 전쯤? (쫑알쫑알) 예상보다 촬영이 좀 지연되는 바람에 하마터면 비행기 놓칠 뻔했잖아. 엄청 뛰었어.

선재   (솔이 쫑알거리는 말 들으며 흘러내린 머리칼을 귀 뒤로 쓸어 넘겨주는) 힘들었겠네. 전화하지 그랬어. 공항에 데리러 갔으면 세 시간 더 일찍 보고 좋았을 텐데.

솔   일부러 촬영 스케줄도 꽁꽁 숨긴 건데 전화를 어떻게 해~ (입 삐죽 내밀며 아쉬운듯) 기껏 몰래 온 보람도 없이 잠들어버렸네. 깜짝 놀래켜주려고 했는데.

선재   충분히 놀랐어. 보자마자 심장이 멎는 줄 알았는데? 떨려서?

솔	맨날 말은~ (장난스레 가슴 콩 때리곤) 근데 몇 시야?! 12시 되기 전에 얼른 파티 하자. 내가 케이크도 사 왔... (말하며 벌떡 일어나려는데)
선재	(솔을 다시 품에 꼭 끌어당겨 안으며) 잠깐. 잠깐만 이러고 있자.
솔	....? (살짝 갸웃하다 씩 웃으며 꼭 안는) 나 많이 보고 싶었나 보네?
선재	말도 못 하지. (잔잔하게 미소 지으며 애정 어린 손길로 머리 쓰다듬는)
솔	(장난스레) 나 없으면 어떻게 살려구 그러실까?
선재	(손을 멈칫) ...그런 무서운 소리 하지 마 솔아. 응?
솔	(평소와 사뭇 다른 분위기 눈치채고) ...무슨 일 있었어?
선재	(미소 지어 보이는) 아니.
솔	(눈치챈, 선재 얼굴 어루만지며) 그럼?
선재	그냥...어젯밤에 꿈을 꿨거든.
솔	꿈? 무슨 꿈?

〈선재 꿈 인서트〉

#1. 버스 안 (N) *7화 1씬 버스 장면 꿈 버전

몽글몽글하고, 몽환적인 화면.
열아홉의 선재. 꾸벅꾸벅 졸고 있는 열아홉 솔을 보며 피식 웃고 있다.
"볼 때마다 졸고 있네." 그때, 버스가 정류장에 멈춘다.

선재	어? 내려야 되는데? (잠시 망설이다 용기 내서 솔이 어깨를 손끝으로 조심스레 흔들어 깨우는) 저기... (좀 더 세게 어깨 흔들며 목소리 높인다) 저기..!
열아홉솔	(화들짝 놀라 벌떡 일어나는) 네...네?!!
선재	지금 내려야 되는데...
열아홉솔	(O. L) 네? (창밖 확인하곤 헉!) 어떻해!!! (놀라 벌떡 일어나 후다닥 내린다)
선재	(당황) 어?! (얼른 쫓아 내리고)

#2. 버스정류장 (N)

선재, 서둘러 쫓아 내리자, 먼저 내려서 기다리고 있던 솔이 불쑥 한 발짝 앞으로 다가선다. 선재, 얼음!

열아홉솔 저기, 깨워줘서 고마워! 내가 한번 졸면 누가 업어 가도 모르거든. 종점까지 갈 뻔했네.

선재OFF 뚫린 입아. 뭐라 말 좀 해라. 바보냐? 왜 말을 못 해 왜! (속은 시끄럽게 난리가 났는데 정작 떨려서, 아무 대답도 못 하고 얼음처럼 굳어 있는)

열아홉솔 (선재 굳은 표정에 살짝 무안해져) 어...그럼...갈게! (돌아서서 먼저 가는)

선재 하...뭐 하냐... (아무 말도 못 한 걸 자책하며 머리 헝클이는데 투두둑, 빗방울이 떨어지기 시작하는) 어?!! (소나기가 반갑다!)

열아홉솔 (빗방울에 놀라) 뭐야 비 와? 아~ 우산 없는데! (하며 손으로 머리 가리고 뛰어가는)

선재, 얼른 가방에서 3단 우산 꺼내 펼치며 솔이 쫓아 달려간다.
한편, 솔. 달려가는데 선재가 불쑥 달려와 우산을 씌워주는 모습 slow.
가깝게 선 선재 올려다보는데 저도 모르게 가슴, 살짝 떨린다.

선재 그게... (용기 낸다) 같은 방향이니까! 같이 쓰고 가자고.

열아홉솔 그걸 어떻게 알... (아냐고 물으려는데)

선재 (O. L) 나 너네 앞집 살아! 오다가다 너 봤어. 그래서...아는데. (긴장. 우산 쥔 손에 땀이 찬다)

열아홉솔 (신기한) 와. 진짜? 난 왜 몰랐지?

선재 뭐. 그럴 수도 있지. (괜히 헛기침하며) 그럼, 갈까?

열아홉솔 우산 없었는데 잘됐다. 고마워. (걷기 시작하고)

선재 뭘... (같이 우산 쓰고 걸어가는데 좋고, 설레서 몰래 씩 웃는)

열아홉솔 (걸으며) 앞집 배 씨 아저씨 언제 이사 가셨지? 너 언제 이사 왔어?

선재 ......봄. 봄에 왔어.

열아홉솔 봄... (끄덕이며) 꽤 됐네? 그럼 나 언제 처음 봤어? (종알종알 묻고)

선재, 우산을 솔이 쪽으로 더 기울인다. 두 사람, 얘기하며 걸어가는 모습에서...

#다시 현실

선재	(꿈 얘기 다 해주고 난, 표정)
솔	(머릿속으로 장면 그려본 듯, 미소 지으며) 그런 예쁜 꿈을 혼자 꿨단 말이야?
선재	(미소) 넌 꿈에서도 예쁘더라.
솔	(푸하, 웃고)
선재	(잠시 생각) ...꿈처럼 그때 널 깨웠으면 어땠을까? 그럼 우리가 덜 아팠을까?
솔	(선재 가슴팍에 귀를 대고 E. 쿵.쿵.쿵. 심장 소리를 들으며) 선재야. 나는...우리가 아팠던 시간들도 다 소중해. 그 시간들 덕분에 우린 다른 사람들보다 더 많은 기억들을 갖게 됐잖아. 안 그래?
선재	그래. 맞아. (가슴 따뜻해진다. 다시 미소 번지고) 덕분에 널 사랑한 시간들이 훨씬 많아졌어. (웃다가, 살짝 장난스레) 그거 다 합치면 대체 몇 년이야...생각해보니까 억울하네? 짝사랑만 너무 오래 했잖아. (손가락으로 솔이 코끝을 애정 어린 손길로 콕 누르며) 어? 아주 그냥. (다시 코를 콕) 좀 애를 태웠어야지. (다시 코를 콕) 어? 좀 덜 예쁘지 그랬어.
솔	그럴 걸 그랬나? (예쁘게 웃으면)
선재	(못 참겠다, 꽉 품에 끌어안으며) 아...어떡하지? 나 이렇게 행복해도 되나~~?
솔	(까르르 웃으며) 숨 막혀~
선재	(놀라 힘 풀고 다시 눈 마주치며) 응?
솔	(헤 웃으며) 아주 숨이 막힐 정도로 행복하다구. 아...행복해.
선재	(사랑스럽다. 씩 웃으며 키스하려 다가가는데)
솔	(자연스레 눈 감으려다, 다시 눈 번쩍 뜨고 벌떡 일어나는) 잠깐!!
선재	왜?
솔	(시계 보면 밤 11시 50분이다) 12시 넘어갈 뻔했잖아! (허둥지둥 일어나며) 이러다 생일 지나가버리겠다! 빨리 나와아!!! (후다닥 뛰어나가면)
선재	(아쉬운 듯) 선물부터 받으면 안 될까? (말해보지만 솔이 이미 나가고 없다)

씬/9   신혼집 거실 (N)

와인, 선물 상자, 케이크... 급하게 생일파티 분위기로 세팅해놓은 식탁에 마주 앉아 있는 두 사람. 케이크에 촛불 켜놓고 솔이 박수 치며 생일 축하 노래 불러주고 있다. 선재, 행복한 듯 웃으며 그런 솔을 보는.

솔 (생일 축하 노래 끝나자 박수 치며) 생일 축하해! (하는데 선재가 웃으면 서 가만있자) 뭐 해? 어서 소원 빌구 촛불 꺼야지. 응?
선재 소원? 음...없는데? 이번 생에 더는 바랄 게 없어.
솔 (마음 안다. 치이... 웃곤) 그래두. 초 다 녹는다이! 아무거나 빌어봐.
선재 (씩 웃으며 눈 감고, 속으로 소원 비는) .... (다시 눈 뜨고 촛불 후 불어 끈다)
솔 생일 축하해! (박수 짝짝짝 치면)
선재 (사랑이 담긴 눈으로 보며) 고마워.
솔 (마음 담아) 선재야. 태어나줘서...내 옆에 살아 있어줘서...고마워.
선재 (손 뻗어 솔의 얼굴 어루만지는) 사랑해.
솔 나도 사랑해. (활짝 미소) 근데 무슨 소원 빌었어?
선재 음... (말해주려다 마는) 비밀.

솔, "왜~ 말해주라~" 선재, "비밀이라니까." 솔, "치. 비밀이라니까 더 궁금하네?"
따뜻한 조명 아래 두 사람.. 도란도란 소박한 일상 대화 나누는 모습 이어지며 카메라 점점 멀어진다.
이 밤은... 두 사람이 함께할 무수한 시간들 속에서 특별할 것 없지만 행복했던 어느 날이 될 것이다. 이 순간도 결국 흘러가 과거가 되겠지만, 분명한 건 이날의 기억은 그들의 영혼에 스며들어 영원히 남을 거라는 것! 거실 창밖 비추면 밤하늘에 별들이 찬란히 빛나는 데서... (F. O. F. I.)

씬/10 한강 공원 (D)

(자막) 2009년 7월 22일
선재와 만나지 않는 운명으로 바꾼 솔이가 2023년으로 완전히 돌아간

이후(13화 엔딩 이후), 모르는 사이가 된 스무 살 솔과 선재의 2009년, 어느 날이다.

하늘에선 개기 일식 서서히 진행되고 있다. 한강 공원에 모여 있는 사람들, 하늘 보며 디카나 핸드폰으로 사진 찍고 있는 모습 보여지고.

인파 사이에 낀 스무 살 솔과 현주. 개기 일식 신기해하며 보고 있다. 솔, 디카 꺼내 들고 달이 태양을 가리는 순간을 사진에 찰칵, 담는다.

씬/11 라디오 부스 + 한강 공원 (교차) (D)

선재, 인혁, 현수, 제이 라디오 게스트로 앉아 있다. DJ, '아무거나 물어봐' 인지도 테스트 코너 진행 중이고. 인혁이 먼저 도전했다가 아깝게 실패한 분위기.

DJ 그럼 두 번째 도전 이어갈 텐데요. 인혁 씨 다음으로...선재 씨가 도전해볼까요?

선재 (생방이라 긴장한) 아, 네. 근데 정말 아무 번호나 누르면 되나요?

DJ (웃으며) 그래야죠. 무작위로 거는 거니까요~ 성공 욕심에 가족들한테 거시면 안 됩니다. 아셨죠?

선재, 전화기 들고선, 정말 머릿속에 떠오르는 아무 숫자들 누르기 시작하는데!

#한강 공원 + 라디오 부스
스무살 솔, 벤치에 앉아 디카로 찍은 개기일식 사진들 보고 있다.
그때, 핸드폰 벨소리가 울린다. 솔, 가방에 디카 넣으며 핸드폰 꺼내 든다.

스무살솔 (모르는 번호 떠 있자, 갸웃하며 받는) 여보세요?

선재(E) 안녕하세요!

스무살솔 (갸웃) 누구세요?

선재 아, 저는 신인그룹 이클립스에 류선재라고 합니다! 이클립스 혹시 아세요?

무의식 속에 남아 있던 번호를 누른 걸까, 영혼이 이끄는 대로 누른 걸까, 선재, 솔과 우연히 전화 연결이 된다. 운명처럼!

스무살솔   (놀라서) 이클립스요?! 그 이클립스?! 그럼요! 알죠! 진짜 류선재라구요?

멤버일동   (오오, 우리 아나 봐! 기대에 찬 눈빛 주고받는) !!

선재   (좋아서) 네! 맞습니다.

스무살솔   (꺅! 소리치며 벌떡 일어나는) 웬일이야!! 진짜요? 이거 진짜예요?

선재   네. 지금 저희가 라디오 텐텐친구 생방송 중인데요. 저희 데뷔곡 맞춰주시면 선물 드리고 있거든요. 혹시, 저희 데뷔곡 제목 아시나요?

스무살솔   (꺅! 흥분해서 방방 뛰며 O. L) 알죠!! 런런!! 저 그 노래 맨날 들어요!

DJ   네! 정답입니다!! 도전 성공!!

선재   와...! (좋아서 활짝 웃으며) 감사합니다!!

부스 안에선 선재, 이클립스 멤버들 박수 치며 좋아하고.
DJ, "통화에 응해주시고 정답 맞혀주셔서 선물 보내드릴게요!"
솔, "우와아! 정말요? 선물이 뭐예요?" 쫑알쫑알 통화하고.
부스에서, 선재가 스피커로 들려오는 솔이 목소리 듣고 있는 모습 교차된다.
그 장면 위로, 선재가 했던 말 흐르는. (*16화 12씬 대사)

선재(E)   근데 생각해보면 잊고 있던 게 아닌 것 같아. 널 잊은 적이 없어 나는. 그러니까 머리론 널 잊었어도 내 심장은 기억하고 있던 거지.

그때, 멀리서 현주가 아이스크림 두 개 사 들고선 "솔아! 임솔!!" 크게 부르면. 동시에 DJ "음악 듣고 올게요. 이클립스 데뷔곡이죠. 런런." 멘트 이어진다.
M. 이클립스 'Run Run' 흐르고.
솔, 통화하며 현주 쪽으로 달려가는 모습 점점 멀어지면서... (F. O.)

기억을 걷는 시간 (가제)

· 작품 개요

작품명: 기억을 걷는 시간

형식: 극장용 장편 영화

장르: 타입슬립 판타지 멜로

제작사: 본시네마

극본: 임솔

· 로그라인

비극적으로 생을 마감한 한 남자와

그를 살리기 위해 15년 전 과거로 간 여자의 이야기.

운명의 시간 속에서 다시 만나

과거와 현재를 오가며 사랑하게 되는 애틋한 판타지 멜로.

· 시놉시스

한 여자가 있다. 웃는 모습이 유난히 해사했던 여자. 그러나 더는 여자에게서 미소를 찾아볼 수 없다. 몇 달 전 불의의 사고를 당했기 때문이다. **다시는 걷지**

못할 거라는 걸 알았을 때...

"그냥 죽게 놔두지, 왜 날 살렸어?"

여자는, 사고 때 자신을 구해준, 기억에도 없는 사람을 원망하고 또 원망하며 **잠이 들 때마다 이대로 아침이 오지 않았으면 하고 매일 밤 빌었다.**

그날도, 재활병원 창문을 통해 들어오는 아침 햇살이 미치도록 서글펐다.
바랐던 것들도 사라지고, 바랄 것들도 사라져버린 여자는 그만 살고 싶었다. 그냥 확 죽어버리고 싶었다. **그런데 우연히 연결된 라디오에서 한 남자가 말했다.**

"오늘은 살아봐요. 날이 너무 좋으니까.
내일은 비가 온대요.
그럼 그 비가 그치길 기다리면서 또 살아봐요.
그러다 보면 언젠간 사는 게 괜찮아질 날이 올지도 모르잖아"

그 말을 끝으로 흘러나오는 그의 잔잔한 노랫소리가 가슴을 적셨다. 사고 이후 처음 마음에 박힌 위로였다.
고된 재활 치료를 시작으로 휠체어에 자유로이 오르게 되기까지 그의 노래는 여자에게 든든한 버팀목이 되어주었다. 마음이 밑바닥까지 곤두박질쳤을 때 그가 해준 말처럼... 힘들 때면 '그래 오늘은 살아보자' 마음으로 살다 보니 또 살아졌다. 그렇게 하루하루 살다 보니 다시 웃을 일도 생기고, 어느덧 아픔이 무뎌지는 순간이 오긴 온다고 느꼈다.

(중략) 여자는 콘서트장 밖에서 추위에 떨며 멀리서 들려오는 남자의 목소리에 눈물을 흘린다. 그때 거짓말처럼 하얀 눈이 내리기 시작한다.

(중략) 여자는 휠체어에 몸을 실은 채 한강 다리 위를 달리고 있다. 그런데 갑자기 여자의 휠체어가 꿈쩍도 하지 않는다. 추운 날씨 탓에 배터리가 방전된 것이다. 아무리 씩씩하려고 해도 잘 안 된다. 사는 게 참 팍팍하다 싶다. 여자는

애꿎은 버튼을 빨갛게 언 손으로 탁탁 때리다가 울컥한다. 두 손으로 눈을 꾹 누르며 애써 마음 다잡아보려 하는데 잘 안 된다.

어느새 여자의 머리와 어깨에 눈이 내려앉았다. 시린 손에 입김을 불어 넣고 있는데. 그때, 길가에 하얀 밴이 끽- 하고 멈춘다. 여자가 멈춰 선 밴을 의아한 듯 본다. 그때, 갑자기 문이 열리고, 누군가가 내리는 동시에 커다란 검은 우산이 펼쳐진다. 펼쳐진 우산이 천천히 위를 향하며 누군가 뚜벅뚜벅 걸어오는데... 그 남자다!

한강 다리 한가운데에서 펑펑 내리는 함박눈을 맞으며 떨고 있을 때 성큼성큼 다가와 머리 위로 우산을 씌워주던 그 남자. 이게 현실인지, 꿈은 아닌가 싶은데 남자가 말한다.

"왜 이러고 있어요? 혹시 휠체어, 고장 났어요?"

(중략) 남자의 사망 소식을 접한 여자는 남자가 있는 곳을 향해 달려간다. 빨리, 조금만 더 빨리... 힘든 줄도 모르고 손이 빨개지도록 휠체어를 끈다. 바로 그때, 여자가 마주 오던 자전거와 부딪히는 동시에 여자의 손목에 채워진 시계가 멀리 날아가버린다. 시계는 호숫가에 떨어져 깜빡- 깜빡- 불빛을 보낸다. 마치 자신을 찾아달라는 것 같다. 불빛을 발견한 여자가 시계에 가까이 다가간다. 휠체어 바퀴가 걸려 앞으로 고꾸라져 넘어졌지만 아랑곳 않는다. 여자가 시계를 찾아 움켜쥔 그때, 시계의 사이드 버튼이 눌리며 모든 순간들이 멈춰버린다.

(중략) 15년 전의 과거로 떨어져버린 여자는 한 발, 한 발 조심스레 내딛다가 발걸음을 빨리해 남자 앞에 선다. '고등학교 시절의 너는 이런 모습이었구나...' 여자는 남자를 향해 자신이 꼭 지켜주겠다고 벌게진 눈으로 말한다.

"난 지구 반대편까지도 쫓아갈 수 있어.
아니, 네가 다른 시간 속에 있다 해도 다 뛰어넘어서 널 보러 갈 거야."

여자는 남자를 따라다니며 남자의 미래를 바꾸기 위한 온갖 방법을 동원한다. 그러나 일은 계속 꼬이기만 하고 여자를 향한 남자의 오해는 쌓여만 간다. 여자는 아무것도 할 수 없는 무력감에 답답함을 느낀다.

(중략) 두 사람의 관계가 최악으로 치닫던 어느 날... 버스에서 깜빡 잠이 든 여자가 정류장을 지나치는 바람에 외곽의 한 저수지에 내리게 된다. 취객과 실랑이를 하다 운 나쁘게 저수지에 빠지게 되는데... 물에 빠진 여자가 허우적대다 숨 막혀 괴로워하던 바로 그때, 여자의 이름을 부르는 남자의 목소리가 들린다. 이어서 희미한 작은 빛이 물살을 헤치며 여자에게 점점 가까워진다. 불빛이 가까워진 그때, 여자는 잃어버렸던 과거의 기억을 마주한다.

15년 전, 여자가 불의의 사고를 당했던 그날.
물에 빠져 아무것도 할 수 없는 여자의 의식이 점점 희미해져 간다. 의식을 잃어가는 여자 앞에 희미한 빛 하나가 점점 다가온다. 여자를 과거로 오게 해준 전자시계 불빛이다. 여자가 천천히 눈을 감으려 할 때, 누군가 여자의 손목을 잡아끌어 올린다. 자신을 살고 싶게 해줬던 그 남자다! 남자는 여자를 끌어안고 검은 물속을 거침없이 헤엄쳐 위로 올라간다.

사고 날, 바로 그날처럼 남자가 여자를 끌어안고 수면 위로 향한다. 물 밖으로 나온 여자는 남자를 바라본다. 15년 전, 자신을 구해준 사람이 눈앞에 있는 남자였음을 알게 된 여자는 남자를 와락 안으며 눈물을 흘린다.

'내가 잃어버렸던 건 기억이었을까? 아니면 너였을까.'

남자의 마음이 저려온다. 남자가 조심스레 손을 올려 여자의 머리를 감싸 안는데... 희미한 가로등 불빛이 두 사람을 가엾게 비춘다.

(중략) 여자에게 남자는 하늘에 별처럼 닿을 수 없는, 먼 존재였다. 매일 같은 공기를 마시고, 같은 하늘을 보고, 같은 길을 걷고... 언제나 자신의 곁에 남자가 있었음을 여자는 알지 못했다. 여자는 그동안 얼마나 많은 인연의 순간들을 놓치고 살아왔는지 긴 시간을 거슬러 돌아오고 나서야 깨달았다. 그리고 놓치

지 말아야 할 순간들은 어딘가에서 신호를 보내고 있을지도 모른다고, 그 신호를 놓치지 않는 것이 남자를 다시 만난 이유이지 않을까 생각한다. 여자는 남자에게 좋은 친구가 되어주고 싶다. 여자와 남자는 함께 타임캡슐을 묻으며 먼 훗날 다시 만나 지금 이 순간을 추억하기로 약속한다. 여자는 소망한다. 남자의 시간이 멈추지 않고 흘러가기를, 남자가 세상에서 사라져버리지 않기를...

(중략) 여자의 예정된 사고 날이 다가온다.

여자는 오늘 하루가 무사히 지나가기를 바란다. 오늘만 지나면 된다고, 그럼 아무 일 없을 거라고... 불안한 마음을 달래던 중 남자에게서 잠시 만나자는 연락을 받는다. 여자는 아픈 마음을 뒤로하고 남자에게 만날 수 없음을 고한다.

잠시 후, 창밖에서 빗소리가 들리기 시작한다. 여자가 창밖을 내다본다. 세차게 비가 내리고 있다. 여자는 남자가 걱정되기 시작한다. 잠시 망설이다가 집을 나선다. 여자의 시야에 남자가 놓고 간 노란 우산이 보인다. 여자가 노란 우산을 펼쳐 들던 그때... 누군가 여자 옆을 스쳐감과 동시에 여자는 남자와의 첫 만남이 불현듯 떠오른다.

> "처음 본 날, 소나기가 내렸어요.
> 그 애가 노란 우산을 씌워주면서 웃는데... 숨을 못 쉬겠더라구요.
> 떨려서. 꼭 숨 쉬는 법을 잊어버린 사람처럼..."

과거 소나기가 내리던 날, 남자를 택배 기사로 착각해 노란 우산을 씌워줬던 그 순간을 기억해낸 여자는 남자의 잊지 못할 첫사랑이 바로 자신이었단 사실을 알게 된다.

북받치고 곧 터질 것 같은 감정이 올라온 여자는 비를 맞으며 자신을 기다리고 있을 남자를 향해 노란 우산을 쓰고 달려가기 시작한다. 그런데 그때... 골목 끝에서 라이트를 끄고 달려오던 택시와 맞닥뜨린다. 느릿하게 움직이는 와이퍼 너머로 운전석에 앉아 있는 택시 기사와 눈이 마주치는 순간, 여자는 15년 전, 사고 때의 모든 기억을 되찾게 되는데...

(중략) 2023년, 원래의 시간으로 돌아오자마자 여자는 남자의 생사부터 확인

한다. 떨리는 손으로 인터넷 검색창에 남자의 이름을 적어본다. 제발... 제발... 꼭 감았던 눈을 떠 보는데... 그가, 살아 있다! 여자는 남자의 시간이 다시 흘러가고 있음에 안도한다. 살아 있어줘서 고맙다고...

(중략) 15년이라는 긴 시간이 지났지만 여자를 향한 사랑에는 변함이 없는 남자. 남자의 마음을 알게 된 여자는 용기 내 자신의 마음을 전한다.

"언젠가 널 다시 만나게 되면 말하고 싶었어.
나도 너 좋아했다고... 보고 싶었다고. 간절하게 보고 싶었어."

(중략) 2009년 봄, 다시 과거로 돌아온 여자는 남자와의 인연이 자신만 손 놓으면 끊어질 관계라고 생각한다. 의도적으로 남자를 피하고, 모진 말을 내뱉으며 남자에게 상처를 준다. 부디, 남자가 자기 자신만 생각하기를.. 이렇게 해서라도 그의 죽음을 막을 수 있기를 간절히 바랐는데... 남자가 여자에게 달려온다. 다 알아챈 것 같은 표정이다.

밀어내려 하는 여자에게 남자가 무언가를 꺼내 건네는데... 전에 함께 묻었던 타임캡슐에서 꺼내 온 여자의 선물, 태엽시계다!

"너 나 살리러 온 거잖아. 미래에... 나 죽는 거지?
내가... 혹시 너 때문에 죽나? 너 구하다가?"

아무 말도 할 수 없어 하염없이 우는 여자에게 남자가 다가간다.

"그 이유 때문이라면 이제 도망치지 말고 그냥 나 좋아해라.
너 구하고 죽는 거면... 난 괜찮아. 상관없어."

(중략) 여자가 곧 현재의 시간으로 돌아가야만 하는 걸 알고 있지만, 남자와 여자는 함께할 수 있는 이 짧은 시간 동안 마음껏 사랑하기로 한다. 다시 돌아오지 못할 이 순간을 서로의 기억에 물들여가며 불순물 없는 사랑을 나눈다. 손을 마주 잡은 채 살랑살랑 불어오는 봄바람을 만끽하던 두 사람은 흩날리는

벚꽃 꽃잎을 잡아보기로 한다. 여자의 뒤에 선 남자가 여자를 감싸 안은 채 손을 포개어 포르르 떨어지는 벚꽃 꽃잎을 손에 담는다. 여자의 손바닥 위로 살포시 놓아진 벚꽃 꽃잎을 보며 여자와 남자는 소원을 빈다.

'우리 함께 오래오래 행복하게 해주세요...'

(중략) 여자는 남자에게 미래가 생겼음을 깨닫고 기뻐한다. 어쩔 수 없는 운명이란 없으며, 운명은 매 순간의 선택과 행동으로 달라질 수 있다고 생각한다. 그러나 그것은 여자의 오만이었다.

"아무리 바꾸려 해도 바뀌지 않는 운명이 있다면,
그건 선택이 바뀌지 않은 거야..
결과가 어떻게 될지... 알면서도 하는 선택도 있잖아.
어쩔 수 없이, 좋아서."
"사랑해..."

그대로 절벽 아래로 떨어진 남자는 또 한 번 여자를 구하려다 죽게 된다.
2023년이 아닌 **2009년 과거에서!** (중략)

'어쩌면 우린 처음부터 만나지 말았어야 했는지도 몰라.
아니... 만나지 말았어야 돼.'

남자의 죽음이 자신에게서 비롯된 것이라는 사실을 알게 된 여자는 그와의 인연을 끊어낼 결심을 한다. 남자의 생에서 자신을 지우기로.
여자는 남자를 택배 기사로 착각해 우산을 씌워줬던 그날로 되돌아간다. 노란 우산 쓰고 걸어오던 여자가 그대로 멈춰 선다. 여자의 시선에 집 앞에서 비를 맞고 있는 남자의 모습이 보인다. 잠시 애틋하게 남자를 바라보던 여자가 우산 손잡이를 다시금 감싸 쥔다. 그러고는 남자와 만나지 않기로 다짐한 듯, 그대로 돌아서서 몸을 숨긴다. 남자가 사라지고 난 뒤에야 울음을 토해내는 여자가 힘없이 우산을 떨어뜨린 채, 내려오는 소나기를 맞으며 서럽게 울어낸다. 여자는 남자의 사랑을 허무하게 지워내고 난 후 자신이 살던 시간으로 돌아온다.

(중략) 많은 것을 바꾼 대가로, 소중한 것을 잃었지만...
마치 아무 일도 없었던 것처럼, 그렇게 현재를 살아내고 있다. 여자는 이제야
모든 것이 제자리를 찾았다고 생각한다.

여자는 보통날처럼 하루하루를 보낸다. **여자에 대한 모든 기억을 잃은 남자도
일상을 살고 있다. 멀리서 반짝이는 남자를 바라보며 여자는 생각한다.**

이게 맞다고, 우리는 애초에 만나서는 안 될 운명이었다고.

여자의 기억 속에만 존재하는 노래 '소나기'가 잔잔하게 흘러나온다.

그치지 않기를 바랐죠
처음 그대 내게로 오던 그날에
잠시 동안 적시는
그런 비가 아니길
간절히 난 바래왔었죠
그대도 내 맘 아나요
매일 그대만 그려왔던 나를
오늘도 내 맘에 스며들죠
그대는 선물입니다
하늘이 내려준
홀로 선 세상 속에
그댈 지켜줄게요
어느 날 문득
소나기처럼
내린 그대지만
오늘도 불러봅니다
내겐 소중한 사람

쉽지 않은 집필 과정이었을 것 같습니다. 타임슬립의 개연성을 살려 구조를 짜는 일이 만만치 않았을 것 같고, 주인공들의 10대, 20대, 30대를 조화롭게 그려내야 한다는 부담도 있었을 것 같고요. 그럼에도 지금과 같은 스토리로 집필해야겠다고 결심한 이유는 무엇인가요?

주인공이 과거와 현재를 여러 번 오가며 이야기가 진행되는 타임슬립물 특성상 스토리가 반복적인 패턴으로 흐르는 건 어쩔 수 없는 문제였습니다. 나름 스토리에 계속 변주를 주고 싶어서, 솔이 자신의 사고를 직접 막는 사건을 중간에 배치하기도 했고, 판 자체를 바꿔놓으면 반복적인 구조가 좀 환기되지 않을까 해서 두 번째 타임슬립은 배경을 대학교로 바꿔보았어요. 2000년대를 배경으로 학원물과 캠퍼스물 둘 다를 써보고 싶기도 했고요. 그 시절 고등학생들에게 '캔모아'가 있었으면 대학생들에겐 '준코'가 있었던 것처럼, 각각의 재밌는 에피소드가 나올 수 있겠더라고요.

그리고 로맨스 드라마에서 주인공들의 사랑을 딱 한 챕터만 볼 수 있는 게 안타까웠어요. 아역 때의 서사가 나오는 드라마도 있긴 하지만... 과거와 현재를 오갈 수 있는 타임슬립 설정의 도움을 받아 솔과 선재가 10대, 20대, 30대 모든 시간대에서 예쁘게 사랑하는 모습을 그려보고 싶었습니다.

선재를 수영 선수로 설정한 이유가 있을까요? 솔은 태양, 선재는 물을 상징한다는 추측도 많았는데 그와 관련된 이유일까요?

선재를 수영 선수로 설정한 이유는, 저수지에서 솔을 구하는 서사와 2008년을 휩쓸었던 박태환 선수의 에피소드를 함께 엮어 보여주고 싶었기 때문입니다.

솔이 타임슬립 하는 공간을 대본상에는, 저수지 물속과 연결되는 검은 물속으로 설정했어요. 저수지 물속은 둘의 서사에 중요한 공간입니다. 선재가 수영 선수가 아니었다면 다친 소녀를 구하기 위해 그렇게나 깊은 물속으로 뛰어들기란 쉽진 않을 것 같았어요.

그렇게 선재를 수영 선수로 설정하고 나니, 선재 장면을 쓸 때면 자연스럽게 물의 이미지가 떠올랐던 것 같아요. 하루 종일 물에서 훈련해야 하는 선재는 비를 싫어하지 않을까, 그런데 만약 사랑에 빠지는 순간에 소나기가 내리면 어떨까, 싫어하던 게 한 순간에 좋아지는 감정이 바로 첫사랑의 시작이 아닐까, 상상 속에서 여러 생각들이 꼬리에 꼬리를 물며 떠올랐어요. 수영장 푸른 물빛, 푸른 바다... 그런 생각들을 하다 보면 선재네 집을 상상할 때 자연스레 파란 대문이 떠올라요. 파란 대문 앞에서 솔이에게 사랑에 빠지는 장면 같은 것들이죠. 그래서 대본에 자연스레 '파란 대문 집' '파란 운동복을 입은 선재'라 쓰게 되더라고요.

솔이 캐릭터를 생각할 때는 '햇살처럼 따스한' '해사하게 웃는 얼굴' 같은 단어들을 메모장에 적어놓고 기획을 시작했어요. 햇살 같은 아이니까 노란색을 좋아하지 않을까, 그런 생각들도 하고요. 그러다 보니 선재가 솔에게 처음 사랑에 빠지는 순간에 '노란 우산을 쓰고 달려간다'라고 쓰게 되더라고요. '파란 대문' 앞에 선 '파란 운동복'을 입은 선재가, '노란 우산'을 쓰고 달려오는 솔에게 반하는 거죠. 솔이는 저에겐 '햇살'이었는데 태양으로 추측해준 시청자분들과 마음이 통했던 걸까요?

♥ 개기 일식 이야기를 안 할 수가 없습니다. 선재와 인혁 등이 속한 밴드명이 '개기 일식'을 뜻하는 '이클립스(Eclipse)'이며, 이 드라마의 첫 씬도 2009년 7월 22일 개기 일식(실제로는 부분 일식)의 풍경으로 시작하지요. 뿐만 아니라, 선재와 솔이 태어난 1990년에도 7월 22일에 부분 일식이 있었습니다. 드라마에서 개기 일식을 중요한 상징으로 다룬 이유가 무엇인지요? 선재와 솔이의 출생년도도 일부러 이에 맞춘 걸까요?

기획을 하며 그 시대 이슈들을 찾아보는데 61년 만에 가장 큰 개기 일식이

2009년에 있었더라고요. 기억을 더듬어보니 그날 저도 일식을 보기 위해 한강 공원으로 구경을 간 기억이 떠올랐어요. 신기하고, 압도당하는 것 같기도 했던 그때 그 오묘한 감정들까지요.

그 순간, 재활병원 병실에 누워서 창밖만 보던 솔이가 개기 일식을 본다면 어떨까 하는 생각이 떠올랐어요. '작은 달이 거대한 태양을 삼킨다…' 조금 감상적으로 생각해보면 기적이 아닐까 싶었어요. 개기 일식 사진을 보면서 저는, 작은 달이 거대한 태양을 감싸안아주는 이미지를 상상해봤거든요.

그래서 대본에 개기 일식 장면을 녹이고 라디오 멘트로 적었어요. 그날이 솔에게 '기적 같은 일'이 찾아오는 날이었으면 했거든요. 작은 달이 태양을 감싸안아줄 수 있는, 61년 만에 찾아온 기적처럼요. 솔이 창문을 통해 버석한 마음으로 개기 일식을 보고 난 뒤에 우연히(사실은 선재의 의지로 인한 필연으로) 선재와 전화 연결이 됩니다. 죽고 싶던 그날에 선재가 건넨 위로의 말로 솔은 다시 살아갈 힘을 얻습니다. 선재가 솔에게 기적 같은 순간을 선물해준 거죠. 그날 선재가 솔의 마음속에서는 개기 일식, 이클립스 그 자체가 되었다고 생각했어요.

솔과 선재가 태어난 1990년은 일부러 맞춘 건 아닌데 부분 일식이 있었다니 신기합니다. 드라마 첫방송 날에도 개기 일식이 있었다는 기사를 보고 굉장히 놀랐었는데…! 이거야말로 진짜 운명 아닌가요?

♥ 솔이의 타임슬립에 대한 다양한 의견과 추측이 있었죠. 후반부에는, 타임슬립을 하면서 그전의 기억이 사라지는 게 아닌, 비디오테이프 녹화 기능처럼 기억을 '덮어쓰기' 하는 방식일 거란 가설이 가장 인기 있었고요. 그래서 솔이네 집을 의도적으로 '비디오 가게'로 설정했단 추측도 있었죠. '기억은 사라지는 게 아니여. (중략) 내 영혼에 스미는 거여.'란 말자의 대사를 듣고는 더욱 확신할 수밖에 없었고요.

처음 기획할 때부터 이 작품 속 세계관에서 시간선을 하나로 두고 생각했어요. 하나의 시간선 안에서, 솔이 과거로 갈 때면 현재 시간은 멈춰 있고 솔의 영혼만 과거로 돌아가죠.

'비디오테이프 녹화 기능처럼 기억을 덮어쓴다'라는 해석을 유튜브 댓글에서 보고 놀랐습니다. 적절한 비유 같다고 생각했어요. 비디오테이프도 필름이 길게 하나로 연결되어 있잖아요. 하나의 시간선에서 기억만 새로 덮이는, '기억은 사라지는 게 아니라 영혼에 스민다'라고 제가 생각한 설정과 같은 맥락이더라고요.

의도적으로 솔이 집을 비디오 가게로 설정한 건 아닙니다. 극에 아날로그적인 분위기를 주고 싶어서 솔이 집을 비디오 가게로 정했는데요. 11화, 비디오가게에서 선재와 솔이 데이트할 때, '되감기'라는 표현과 함께 '우리도 1분 전으로 돌아갈까?'라는 선재 대사를 썼는데, 이건 솔이와 함께하는 시간이 흘러가는 게 아쉬워 시간을 되돌리고 싶은 선재의 간절한 마음, 그리고 시간을 되돌리면 기억을 덮어쓴다는 복선을 비디오테이프에 비유해서 넣은 건 맞습니다. 그래서 비디오테이프 해석 댓글을 보고 많이 신기했어요. 제 마음을 알아주시다니!

♥   솔이의 타임머신을 '선재의 시계'로 설정한 이유가 있을까요? 선재의 시계가 타임머신으로 작동하게 된 이유가 궁금합니다. 솔이가 걷지 못하게됐다는 선재의 죄책감과 그에 대한 간절함이 타임슬립의 시작이었을까요? 삶의 의지를 되찾아주고 존재 자체로 고마운 자신의 스타를 다시 살려내고픈 솔이의 간절함이 시작이었을까요? 시계를 매개체로 한 타임머신의 작동 원리를 작가님께 속 시원히 듣고 싶습니다.

시계 버튼을 누르면 과거로 넘어간다는 설정은 '염원' '간절한 마음'에서 시작됐어요.

염원, 내가 죽는다 하더라도 그 사람을 살리고 싶은 간절한 마음... 이 세상에 우리들 눈에 보이지 않는 '신' 또는 '누군가'가 존재한다면, 그 간절한 마음이 너무도 안쓰러워 과거로 시간을 되돌릴 수 있는 힘을 주지 않을까, 생각해봤어요.

선재의 전자시계는 15년 전, 사고를 당해 물에 빠진 솔이를 구할 때 선재가 손목에 차고 있던 시계입니다. 선재는 제발 솔이가 죽지 않기를, 살아만 있어 주기를 바라며 아픈 어깨로 가라앉는 솔을 향해 헤엄쳤을 거예요. 어깨 수술을 한 이후로 한 번도 수영을 하지 않았을 텐데, 오직 솔을 살려야 한다는 아주 간절한 마음으로요. 그렇게 깜깜한 저수지 물속에서 가라앉는 솔을 찾아 헤맬 때 선재 시계에 깜빡깜빡 불이 들어온다고 지문에 썼는데, 전 그 순간에 시계에 마법 같은 힘이 생겼다고 생각했어요. 선재의 간절한 염원이 전해져 시계에 힘이 생긴 거죠.

그 후 2009년, 개기 일식이 있던 날, 선재의 의지로 선재는 솔에게 전화를 겁니다. 그날 선재의 말 한마디가, 솔에겐 위로가 되어 다시 삶의 의지를 찾게 해주죠. 그리고 솔은 선재의 팬이 되어, 선재가 애장품 경매에 내놓은 시계를 솔이가 사게 되는 계기가 만들어지는데, 저는 이게 곧 둘의 연이 이어지게 되는, 운명의 순간이라고 생각했어요. 시계의 버튼을 눌러 과거로 갈 수 있는 사람이 다른 그 누구도 아닌 솔이 된 이유도 거기에 있습니다. 시계의 힘은 솔을 살리고 싶었던 선재의 염원으로 생긴 거니까요.

솔이 죽고 싶던 순간에 다시 삶의 의지를 찾아준 선재인데, 선재의 사망 기사를 봤을 때 솔의 심정이 어땠을까요. 아마 목숨을 던져서라도 그를 살리고 싶었을 거라고 생각했어요. 15년 전, 솔을 살릴 때 선재가 간절히 빌었던 마음과 같은 마음인 거죠.

간절한 마음이 타임머신, 시계의 작동 원리입니다. 누군가를 살리고 싶은 마음일 수도 있고, 후회의 순간을 되돌리고 싶은 마음일 수도 있고, 또 그때는 놓쳐버린 기억을 되찾고 싶은 마음일 수도 있겠지요?

추가하자면, 13화 과거에서 선재가 죽음을 맞이했을 때 선재 손목의 시계에서 또 한 번 타임슬립의 힘이 생긴 것도 같은 원리입니다. 선재는 죽는 순간에도 솔의 안전과 행복을 빌었을 거예요. 저수지 물속에 몸을 내던져 솔을 살려냈던 이전과 마찬가지로요. 솔이와 사랑했던 시간을 잃고 싶지 않은, 행복했던 그 시간 속으로 돌아가 영원히 갇히고 싶다는 생각으로 바닷속에 빠졌을 것 같아요. 선재의 그 간절한 마음이 선재가 죽는 순간 또 다시 시계에 전해져 기적처럼 타임슬립의 기회가 한 번 더 생긴 게 아닐까요?

♥ 말자 할머니를 보며 눈물 흘린 시청자들이 많습니다. 재아 돌잔치 날, 말자가 선재에게 '오래오래…잘 살아 이제. 행복하게. 웃으면서.'라고 말하

는 씬에서 변우석 배우가 (지문에는 없었지만) 진심으로 눈물을 흘려 큰 화제가 되기도 했죠. 연기하는 배우뿐 아니라 시청자의 눈에도 눈물이 맺힐 정도로 말자 할머니는 드라마 내내 위로 그 자체였습니다. 작가님에게는 '말자'가 어떤 존재였나요? 또한, 마지막 화에서 선재의 전자시계를 말자가 갖고 있던 이유는 무엇이며, 2:00:00이 아닌, 0:00:00에서 숫자가 멈춰 있던 이유도 알고 싶습니다.

말자는 '신'적인 존재일 수도 있고, 작가인 저를 투영한 인물일 수도 있습니다. 정확하게 특정 짓고 싶진 않았고, 동화 속에나 나올 법한 캐릭터로 그리고 싶었어요. 그러면서도 너무 판타지로 보이지 않았으면 했고요.

특별한 능력이 없는 평범한 치매 노인일지라도 누군가의 마음에 와닿는 말은 해줄 수 있을 거라고 생각했어요. 기억이라는 건 영혼에 스며들기 때문에, 기억들이 점차 희미해지더라도 마음속에 남은 기억들이 다시 되살아나는 순간은 분명 있을 테니까요. 말자가 하는 대사들에는 솔이에게, 또 시청자분들에게 제가 전하고 싶었던 말을 간접적으로 많이 담았던 것 같아요.

전자시계 숫자가 0:00:00인 이유는, 보시는 분들 상상에 맡기고 싶어요. 솔이가 과거에서 또 다시 과거로 갔을 때도 동일하게 세 번의 타임슬립을 했다고 생각하고, 상상하셔도 좋을 것 같아요. 처음 기획할 땐 타임슬립 과정을 자세히 써볼까도 싶었는데 결과적으로는 빼기로 결정했어요. 솔이의 목표는 단 하나밖에 없겠더라고요. 선재가 자신을 사랑하지 않게 하는 것. 노란 우산을 씌워주지 않는 그 단 한 장면만 보여드려도 솔의 감정이 전달될 거라고 생각했어요. 작가로서 더 많은 장면을 보여주고픈 욕심이 들 때면 써온 대본을 1화부터 한 번 더 읽어봅니다. 장르적인 부분보다는 솔과 선재가 몽글몽글하면서 애틋하게 사랑하는 이야기로 달려왔더라고요. 그래서 솔의 마지막 타임슬립 과정은 여백으로 남겨두는 게 낫겠다 싶었어요.

(솔이가 세 번을 다 썼든, 말자가 사라지게 했든) 0:00:00이 된 시계를 마지막 화에서 말자가 물에 던져서 버리는데요. 굳이 이걸 장면으로 보여드린 이유는, 지금껏 솔이는 선재의 죽음을 막기 위해 자꾸만 과거로 돌아갔으나, 이제 선재는 살았고 영수는 죽었으니 더 이상 과거로 갈 필요가 없게 됐다는 걸 시각화해서

보여드리고 싶었기 때문이에요. 솔이는 더 이상 과거로 갈 이유가 없다고... 앞으로는 행복한 미래만 있을 거라고요.

♥   타임슬립 드라마 중에서도 유독 '데칼코마니 씬'이 많은 작품이었습니다. 우산 씬, 벚꽃 씬, 현관 키스 씬 등. 다 나열할 수 없을 정도로 여러 깨알 포인트가 많은 드라마였죠. 데칼코마니 씬 중 작가님께서 가장 공들여 쓴 씬과 영상으로 봤을 때 가장 좋았던 씬은 무엇이었나요?

극의 초반은 솔이가 잃어버린 선재에 대한 기억을 찾는 과정이었고, 후반은 선재가 잃어버린 솔에 대한 기억을 찾는 과정으로 진행됩니다. 솔과 선재의 감정과 서사가 데칼코마니를 이루기 때문에 그걸 영상으로 보여드리기 위해 의도적으로 데칼코마니 씬들을 더 많이 만들었던 것 같아요. 그 중에서 제가 좋아하는 데칼코마니 씬은 '한강 다리' 씬입니다.

1화에선 솔에 대한 기억을 선재만 갖고 있어요. 자신의 존재조차 모르는 솔에게 우산을 씌워주던 선재가 너무 안쓰러웠죠. 그러다 7화에선 선재가 자신을 짝사랑했다는 걸, 또 살려준 사람이라는 걸 다 알게 된 솔이 선재에게 노란 우산을 씌워줘요. 모든 걸 기억하는 솔이, 너무나 안쓰러웠던 1화 때의 선재를 위로해주는 장면이라고 생각하며 대본을 썼습니다. 좋아하는 씬인데 두 장면 다 감독님들이 너무 예쁘게 연출해주셔서 정말 좋았어요.

그리고 벚꽃 데칼코마니 씬도 대본을 쓰며 행복했던 장면이에요. 스무 살, 왠지 모르게 시린 밤에 벚꽃을 보며 서로의 행복을 소원으로 빌던 두 아이들이 엔딩에서는 환한 햇살 아래에서 같은 미래를 그리며 소원을 빌거든요. 안쓰럽고 슬픈 장면이 따뜻하고 행복한 장면과 연결되는 게 좋았어요. 벚꽃 씬들도 감독님들이 너무나 아름답게 연출해주셔서 특히 더 애정하는 장면이 되었어요.

♥   선재의 첫 죽음에 대한 의견이 분분했습니다. 우울증 때문에 자살한 거다, 영수가 호텔로 찾아와 죽인 걸 거다. 자세히 들어볼 수 있을까요?

선재의 첫 죽음은 자살이 아닙니다. 나름 부검 과정이나 경찰 수사 과정을 4화 대본에 넣었는데 편집이 되었어요. 그래서 방송만 보시면 헷갈리실 수 있을 것 같아요.

그런데 또 그 장면들이 다 들어갔다면 너무나 타살인 게 확실히 보여서, 선재가 자살한 줄 오해하고 과거로 돌아가는 솔이 시청자들 입장에선 답답하게 보일 수도 있었을 것 같아요. 선재 죽음의 원인은 타살인데 솔이 엇나가는 행동을 하는 거죠. 그래서 타살을 명확하게 보여주는 부분들이 편집된 것 같은데 방송으로 보고 저도 공감했어요. 빼길 잘했네, 하고요.

9화 초반을 보면 의문이 풀립니다. 호텔 스위트룸 테라스에서 1화 때와 같은 의상을 입고 서 있는 선재, 똑같이 울리는 초인종, 그리고 마스터키를 훔쳐서 방에 침입한 영수와의 몸싸움, 유일하게 다른 점은 '선재가 술과 우울증 약을 복용했냐, 안 했냐'의 차이밖에 없습니다.

의도적으로 같은 상황과 같은 연출을 보여줌으로써 1화 때 어떤 상황이었는지를 유추할 수 있게 구성했어요. 이후 솔이 "선재가 나 때문에 죽었던 거였어."라고 말하는데요, 이 대사로도 설명이 될 거라고 생각했습니다. 1화 때의 선재는 약을 복용한 상태라 저항을 못 해 수영장 물에 빠진 거고, 8화 때의 선재는 온전한 정신 상태여서 몸싸움 끝에 흉기에 찔린 거라고 추리해주신 댓글들을 보았어요. 네. 맞습니다. 정답이에요!

♥   첫 타임슬립 당시 선재를 향한 솔의 마음은 팬심이었습니다. 솔이 선재를 이성적으로 사랑하게 된 순간은 언제인가요?

제 나름대로는 4화 엔딩을 기준점으로 두고 대본을 썼어요.

1화부터 4화까지 솔은 선재를 그저 하늘에 떠 있는 반짝이는 별, 나의 스타로 생각합니다. 그런데 4화 엔딩에서 솔이 기억을 떠올리죠. 15년 전 사고 때 나를 구했던 사람이 선재라는 사실을요. 그때 솔은 깨닫습니다. 선재는 닿을 수 없는 먼 존재가 아니라, 내 앞집에 살던 소년, 나랑 같은 길을 걷고, 같은 공기를 마시던, 그리고 나를 살려준 사람이라는 걸요.

그때부터 솔은 선재를 더 이상 연예인, 팬심으로 보지 않습니다. 그냥 '선재'

그 자체가 되면서 연예인과 팬의 관계가 아닌 그저 '너'와 '나'가 된 거죠. 이때부터 솔이 선재를 이성으로 바라보지 않았을까요? 이후에 솔이 선재에게 자전거를 배우고, 독서실에서 같이 공부를 하고, 올림픽 거리응원을 가면서 정말 열아홉 살 그때로 돌아간 것 같은 기분으로 행복한 시간을 보냅니다. 그 시간들을 함께 보내며 점차 선재에 대한 감정이 사랑으로 변했을 거라고 생각해요.

♥　　솔이의 타임슬립으로 어쩌면 가장 크게 성장하고 변화한 건 태성이가 아닐까 합니다. 원작에는 없던 태성이란 캐릭터를 만든 이유와 솔이가 선재와의 인연을 모두 끊는 선택을 했음에도, 태성이와는 관계를 이어나간 이유가 궁금합니다.

솔에게 '구최애'가 있으면 재밌을 것 같았어요. 현재에선 선재의 열혈팬이지만, 과거로 갔을 땐 까맣게 잊고 있던 '구최애'가 등장하는 거죠. 아이러니한 삼각관계가 발생하는 게 흥미로웠고 많은 이야기가 상상됐어요. 2000년대 그 시절 솔이 좋아했을 인기남을 생각하다 보니 자연스레 싸이월드 얼짱, 인소 남주 같은 캐릭터가 떠올랐고, 그게 태성이의 탄생입니다.

서브 남주라고 해서 여자 주인공을 짝사랑하는 롤만 주고 싶지는 않았어요. 그러다 보니 영수 사건과 얽히면 어떨까, 태성이 아버지가 그 사건 담당 형사면 좋지 않을까, 살을 붙이고 솔과 선재의 서사와 연결 지어 가다 보니 태성이 캐릭터가 더 풍성해진 것 같습니다.

선재와의 인연을 모두 끊은 솔이 태성이와 친구 관계를 쭉 이어나간 이유는... 솔은 스무 살에 죽은 선재를 살리기 위해 2009년에서 다시 2008년으로 타임슬립을 합니다. 이번엔 반드시 선재를 살려야 한다는 마음으로 소나기가 내리는 날 택배를 가지고 서 있던 선재에게 노란 우산을 씌워주지 않고 돌아서는 선택을 하죠. 가슴이 찢어질 듯 아파도 솔이로서는 어쩔 수 없는 선택이었을 겁니다. 그럼에도 영수가 살아 있는 이상 선재의 안전이 걱정되었을 거예요. 김형사님은 솔이 아무리 허무맹랑한 말을 해도 믿어주려고 노력하는 분이고, 또 형사로서 영수를 쫓을 운명이라는 걸 솔은 알고 있습니다. 그래서 김형사님

그리고 그의 아들인 태성과의 관계는 어떻게든 이어나가려고 했을 것 같아요. 선재를 지키기 위해서요.

그리고 솔이 인생에 있어 태성이도 소중한 사람입니다. 태성이가 엇나가지 않고 잘 졸업할 수 있도록 네 번째 타임슬립에서도 솔이는 누나처럼 이런저런 조언을 해줬을 거예요. 패싸움도 말렸을 거고요. 또 16화에 편집된 장면이 있는데, 솔이는 과거로 돌아가 선재의 죽음만 막은 게 아닙니다. 솔이라면 5화에 나왔던 영수의 첫 번째 살인도 막지 않았을까요? 죄 없이 죽은 피해자를 구하기 위해 솔은 영수가 첫 살인을 계획한 날 김형사를 찾아가 주양저수지로 가달라는 부탁을 합니다. 그때 태성과 마주치면서, 태성과 좀 더 친한 관계로 발전하게 되죠. 김형사님과의 관계도 그때 생긴 거고요.

훗날 솔이 2008년 타임슬립을 마치고 다시 2009년 5월 시점으로 돌아왔을 때 완전히 2023년 현재로 돌아가기 전, 과거의 자신에게 편지를 남겨놨을 거라고 생각했어요. 과거의 솔이 혼란스럽지 않도록, 타임슬립 이야기와 태성과의 관계나 그런 것들을 잘 알려주고 돌아가지 않았을까요? 분량을 더 길게 쓸 수 있었다면 솔이가 과거의 솔에게 편지 쓰는 장면을 넣을 수도 있었을 텐데, 아쉬움도 남지만 한편으론 솔이 오로지 선재만을 생각하고 행동하는 모습이 더 강조된 지금 버전도 만족합니다.

♥　　선재와 솔은 첫키스에 대한 기억이 서로 다릅니다. 선재에게는 고등학생 때 수영장에서 나눈 키스가 처음, 솔이에게는 30대 때 현관에서 나눈 키스가 처음이지요. 20대 때 MT에서 나눈 입맞춤은 선재 기억 속에만 있고요. 이 둘은 이에 대한 이야기를 나눌까요?

수영장 키스를 선재가 솔에게 먼저 말해주지는 않을 것 같아요. 수영장에서 솔이 한 말들은 선재를 연예인으로 바라보고 한 말인데, 선재는 솔이 자신을 좋아해서 한 말로 착각하는 바람에 키스한 거거든요. 그게 오해였다는 걸 선재가 4화에서 알게 되는데, 솔이와 같은 마음으로 나눈 키스가 아니기에 선재 성격에 솔에게 말하지는 않을 것 같아요. 선재는 배려심이 많고 다정해서 자신이 솔의 마음도 모르고 '실수'했다고 생각할 것 같거든요.

그래도 재미있는 질문을 주셨으니 만약, 제가 그런 장면을 쓴다고 생각하고 상상해보자면! 어느 날 문득 솔의 끊겼던 필름이 살짝 돌아올 수도 있지 않을까요? 가령 솔이 술을 한잔 마시고 살짝 취한 밤이 될 수도 있겠네요. 솔이 먼저 '그날'을 기억해낸다면 선재는 무척 당황할 것 같아요. 선재 딴엔 모른 척 넘어가보려 해도 솔이 계속 추궁한다면 거짓말을 못 하는 선재는 결국 무너져서 솔직하게 말할 것 같네요. 〈원초적인 본능〉 테이프를 들켰을 때처럼요!

선재 (솔이 머리를 다정하게 쓸어 넘겨주며 피식) 취했어?

솔 아니이~ 이 정도 가지고 뭘. 나 안 취했어. 나 술 은근 쎄~

선재 (옛 기억 떠오른 듯 미소) 하여간. (솔이 볼을 귀엽다는 듯 콕콕) 예나 지금이나.

솔 진짠데... (하는데 불현듯 수영장에서 선재가 고백하며 입 맞추던 장면 떠오른) 어...? (갸웃하는데 선명해지는 입맞춤의 기억) 어! 어!!

선재 (왜 이러나 싶고) 음?

솔 선재야! 우리 옛날에 수영장에서 같이 MP3 들은 날 있잖아! 나 오미자 주 먹고 취한 날 말이야! 그날!

선재 그날?

솔 그날 혹시 우리...키스했어?

선재 (당황, 동공 지진) 어...어? (잠시 정적 흐르고)

솔 그날 우리 키스했냐고. 나 방금 그때 기억이 난 것 같은...

선재 (급 하품하는 척하며 O. L) 하암...갑자기 왜 이렇게 졸립냐.

솔 뭐야. 나 다 기억났거든? 왜 말을 돌리지? 어? 표정 보니까 했네. 했어. 했지?

선재 (자는 척하려다, 멈칫) ......그게.

솔 (선재 표정 보고 놀라서 헉!) 진짜야?! (선재 대답 없자 확신) 그럼 그날이 내 첫키스야?! (놀라서 똥그래진 눈, 두 손으로 입 틀어막으면)

선재 ......미안. 그날 니가 너무 예뻐서. 나도 모르게.

♥ 선재가 눈 오는 걸 좋아한다는 솔의 대사가 몇 번 등장하는데요, 그 이유

는 정확히 나오지 않아 궁금합니다. 선재는 왜 눈을 좋아하나요?

1화의 선재는 솔을 몰래 짝사랑하던, 솔을 살리고도 죄책감을 갖고 살던 선재입니다. 선재는 오랫동안 솔을 그리워하는 마음, 보고 싶어 하는 마음만으로도 솔이에게 너무 미안해했을 것 같아요. 내가 무슨 자격으로 솔이를 그리워해, 이런 마음으로요.

그렇게 애써 솔을 떠올리지 않으려 노력해봐도, 비가 오는 날이면 노란 우산을 쓰고 달려오던 솔을 선재는 자연스럽게 떠올리지 않았을까요? 그건 내리는 비를 막을 수 없는 것처럼 선재에겐 어쩔 수 없는 일이었을 거예요. 그러니 비가 오는 날은 솔을 마음껏 그리워할 수 있기에 좋아했을 것 같아요. 비가 오는 날을 내심 기다리기도 했을 테죠. 그런데 겨울은… 비가 자주 오지 않아서, 선재에게는 유난히 더 외롭고 차가운 계절입니다. 그래서 눈이라도 기다렸을 것 같아요. 솔이 비 대신에 눈이 되어 내려오는 날을요. 눈 오는 날을 좋아한다기보단, 솔이를 떠올릴 수 있는 날을 좋아했을 거라고 생각했어요.

♥　　〈선재 업고 튀어〉를 사랑해주신 팬들에게 인사를 부탁드립니다.

디테일하고 정성스런 질문지를 받아보고 드라마를 이만큼이나 사랑해주시다니! 하며 정말 많이 감동했습니다. 덕분에 기획을 하고 캐릭터를 만들면서 제 머릿속으로만 상상하고, 생각해두었던 대본 밖의 이야기들을 풀어놓을 수 있어서 행복했어요. 여러분께 받은 사랑은 소중한 기억으로 제 영혼에 스며들어 영원히 잊지 못할 것 같습니다.

여러모로 부족한 글입니다. 그럼에도 깊이 봐주시고 좋아해주셔서 진심으로 감사드립니다.

배우 변우석 / 류선재 역

♥ 이 작품의 대본을 읽고 선재 역이 꼭 하고 싶어 소속사에 계속 연락해 진행 상황을 확인했다고 들었습니다. 선재 역에 끌린 이유가 무엇인지, 처음 대본을 받아 읽었을 때 어떠했는지 궁금합니다.

맞아요. 대본을 읽고 바로 '이거다!' 싶었거든요. 회사에 계속해서 진행 상황을 체크했던 기억이 납니다. 우리 드라마에는 다른 로맨스물과는 다르게 '타임슬립'이라는 특이한 설정이 부여되어 있잖아요. '타임슬립'이라는 설정 속에서 만들어진 주인공 간의 감정선과 서사의 개연성이 훌륭했고, 그 표현이 참 촘촘하다고 생각했습니다. 또, '선재'라는 캐릭터가 10대부터 30대까지 보여줄 수 있는 면이 너무나 다양해서, 이 지점이 저에게 정말 흥미로웠습니다.

♥ 10대 선재, 20대 선재, 30대 선재를 연기하며 각각 다른 포인트를 어떻게 줬는지, 어느 때의 선재와 솔이 가장 애틋한지 궁금합니다.

10대 선재는 풋풋함, 20대 선재는 청춘, 30대 선재는 성숙함. 제가 선재를 연기하며 표현하고자 한 모습 같아요. 나이별로 조금씩 다른 선재의 내·외적인 모습들을 표현하기 위해서 감독님·작가님과 디테일하게 이야기를 나누었어요.
그리고 꼭 어느 때라기보다는, 서로를 먼저 생각하는 두 사람의 마음이 매 순간 애틋했던 것 같아요. 그럼에도 선재 입장에서 생각해보자면 잃었던 기억을 늦게나마 떠올린 후 솔에게 향했던, 서로의 진심을 확인한 그 순간의 감정이 좀 더 깊게 느껴지는 것 같습니다.

♥ 　한 드라마에서 정말 다채로운 모습을 보여주었습니다. 10대, 20대, 30대는 물론이고, 고등학생, 수영 선수, 대학생, 아이돌, 배우까지. 그중 가장 즐거웠던 순간과 힘들었던 순간은 언제였나요?

이 작품으로 시청자들에게 정말 많은 모습을 선보일 수 있었습니다. 특히, 배우가 무대에 서는 기회가 흔치 않은데, '선재' 역할을 통해 무대 경험을 할 수 있었던 것이 굉장히 신선했어요. 무대를 준비하는 과정과 무게감 등을 직·간접적으로 느낄 수 있어서 제 스스로도 굉장히 즐겁게 촬영했던 것 같습니다. 또, 그 모습을 팬분들과 시청자분들이 제일 좋아해주시기도 했고요.

촬영하는 내내 새로운 도전의 연속이었던 터라, 가장 힘들었던 순간 하나를 꼽기가 어려운 것 같아요. 그렇지만 새로운 도전의 과정 속에서 스스로 많이 고민하고 또 노력하면서 삶의 큰 원동력이 되었습니다. 덕분에 배우로서도, 인간 변우석으로서도 많이 단단해지고 성장했습니다.

♥ 　'기억을 걷는 시간' 시나리오 엔딩을 두고 선재와 솔이 나눈 대화가 큰 화제였습니다. 배우님이 그리는 '인생의 해피엔딩'은 무엇일지요?

거창한 포부가 있다거나, 목표를 달성함으로써 얻는 큰 성취나 성과보다는, '인간 변우석', '배우 변우석'으로서의 단계적인 성장, 그리고 제 주변의 소중한 사람들을 지켜나가는 것이 더 중요한 것 같아요. 죽기 직전까지 그 누군가에게, '배우 변우석'으로, '인간 변우석'으로, 옆에 두기 가치 있는 사람이 될 수 있다면, 그것이야말로 인생의 해피엔딩이 아닐까 싶습니다.

배우 김혜윤 / 임솔 역

♥ 10대 솔, 20대 솔, 30대 솔을 연기하며 각각 다른 포인트를 어떻게 줬는지, 어느 때의 솔과 선재가 가장 애틋한지 궁금합니다.

10대, 20대, 30대를 오가는 상황들이었지만 솔이의 내면은 항상 30대였기에, 변화하는 겉모습 속에서도 변함없이 30대 솔이가 묻어나올 수 있게 준비했습니다. 외적인 모습은 물론, 10대 친구들이 쓰지 않을 것 같은 말투를 연습해보며 다양한 변화를 줬습니다.

학창 시절에 사용했던 소품들을 보며 추억이 떠오르기도 했는데 그만큼 몰입하는 데 큰 도움이 되었습니다. 분명 쉽지 않은 연기였지만 좋은 경험이 된 것같습니다.

가장 애틋했던 순간은, 선재의 매 죽음이 솔이를 살리기 위한 선택이었다는걸 알게 된 순간부터입니다.

♥ 거의 매회 눈물씬이 있었죠. 눈물 연기가 힘들진 않는지, 솔이의 여러 눈물 중 가장 아렸던 순간은 언제였는지요?

평소 눈물이 많은 편이 아님에도, 솔이 처한 상황과 솔이의 간절한 마음을 생각하면 너무나 안타깝고, 그만큼 힘들었던 장면도 많았던 터라 저도 모르게 눈물이 났던 것 같아요.

특히 선재와 누워서 "만약에 내가...내일, 아니 오늘 갑자기 돌아가도 너무 슬퍼하지 마."라고 말하는 장면이 떠올라요. 그 마음을 말로 내뱉어야 하는 솔이 심정이 어떨지, 그런 감정들이 복합적으로 느껴지다 보니 촬영하면서도 눈물을 멈추기가 어려워서 아마 가장 많이 울었던 날이자, 가장 기억에 남는 장면이 아닐까 싶습니다.

♥ '기억을 걷는 시간' 시나리오 엔딩을 두고 솔과 선재가 나눈 대화가 큰 화제였습니다. 배우님이 그리는 '인생의 해피엔딩'은 무엇일지요?

사랑하는 사람들과 소소한 행복을 나누며 살아가는 것. 그런 하루하루가 계속되는 것이 '김혜윤 인생의 해피엔딩'이라고 생각합니다.

♥ 네 번의 타임슬립을 하며 많은 기억과 감정들을 혼자 삭여야만 했던 솔이. 얼마나 외롭고 힘들었을지 상상이 되지 않는데요. 솔이를 가장 잘 아는, 솔이와 가장 가까웠던 김혜윤 배우가 엔딩 시점의 솔이에게 인사를 건넨다면, 어떤 말들을 해주고 싶나요.

힘들고 혼자 삭여야만 하는 시간이 많았던 만큼 누구보다 솔이가 행복했으면 좋겠습니다.
"솔아, 너는 꿈이든 사랑이든 지켜내려고 하면 지켜내고, 해내려고 하면 무엇이든 다 해낼 수 있는 친구니까 선재와도 행복한 순간들로 삶을 가득 채우길 바랄게. 너를 연기하면서 많이 배울 수 있었어. 정말 고마워."

Plus Script 'One Normal Day'

S/1   Bedroom, Newlywed's home (D)

A small frame displaying a wedding photo of Sol and Sunjae sits on the bedside table, the alarm on Sunjae's phone goes off. Sleeping alone in a large bed, Sunjae wakes up and reaches over to the phone and turns off the alarm.

Sunjae   (In a sleepy voice) What a dream... (Gets up)

Sunjae gets up, rubs his face, and looks to the side. He swipes his hand across the pillow next to him and checks his phone.
The date is **October 20, 2024.**
He calls '♥my destiny♥'.
The dial tone rang for a long time and then cut off.

Sunjae   (In a cheerless voice) She must be busy.

S/2   A movie set, Jeju Island (D)

Blue seaside in Jeju Island.
The staff and actors are preparing for a movie shoot.
As the preparation was about to end, Sol whilst yawning, walks to the set and checks her phone.
There is one missed call from '♡my destiny♡'.

As Sol was about to call back, the assistant director comes running.

AD	Director! We're all set! Come on! (Runs back)
Sol	Right! I'm coming! (Sol ends up not calling Sunjae back and smiles at the picture of him on her wallpaper) I miss you... (Pats the picture) Hang in there. I'll be right back. (She smiles and blows kisses at the photo of Sunjae, then makes eye contact with the staff standing next to her) !!!
Staff	Ha-ha... (Awkward)
Sol	Ha-ha... (Embarrassedly blows the staff a kiss and hurries off to the set)
Staff	(Bewildered) You're doing it again... Jealous. (Follows Sol)

Sol walks over to the director's chair in front of the monitor and sits down, puts her headphones on and picks up her walkie-talkie.
With an energized "ready, action!" from Sol, the shooting begins.

S/3   Outside of Eclipse studio (N)

S/4   Eclipse studio (N)

Inhyuk walks into the studio, and Taesung is drinking a can of beer on the sofa.

Inhyuk	What are you doing here?
Taesung	Our Mr. Ryu Sunjae asked for my advice on his next role as a detective.

Inhyuk   And then?

Taesung   Why has he been weird all day? (Points at Sunjae with his chin)

Inhyuk   ??? (Looks around)

Sunjae is sitting at the piano, anguished.

Inhyuk   Oh... I thought you wouldn't be here because it's your birthday.
          Were you working on a song?

Inhyuk walks over to Sunjae and sees him watching a video of
Sol giving a speech at a film festival after winning an award on
his phone.

Inhyuk   (Seriously) Gosh... Again...

Sunjae   (Cheerlessly after the video ends) I miss her...

Inhyuk   I miss your sanity too.

Sunjae   (Ignoring Inhyuk) I'm so sad because I haven't seen her lately.

Inhyuk   Has it not been only two days since Sol went to Jeju Island?

Sunjae   (Glowering) How dare you call her name?

Inhyuk   Then, sister-in-law?

Sunjae   I don't like that either. Just don't talk about her.

Taesung   (Irritated) That's a disease!

Inhyuk   It has not even been 48 hours since, she who should not be
          named went to Jeju Island. Why are you overreacting?!

Sunjae   (Seriously) No. Not even one second has passed... My time flows
          only when I'm with her...

Taesung   (Crushing the empty beer can) He's gone mad!

Inhyuk   (Irritated) Enough! All right! Get up, it's your birthday. Come on,
          Taesung's here too. Let's go out and have some drinks. Eh?

Sunjae   (Clutching his phone with his arms) It's not drinks I need, it's Sol.
          (Seriously) My Sol won't be back for another two days. What am

I meant to do?

Inhyuk   (Gave up) Who even are you...

S/5   Outside, Newlywed's home (N)

S/6   Entrance, Newlywed's home (N)

The light turns on as drained Sunjae enters the dark house. Sunjae takes off his shoes, walks into the living room, and notices a change in the air. He stops and his eyes start to heat up.

S/7   Living room, Newlywed's home (N)

Sunjae takes off his jacket as he walks through the dark hallway towards the living room. He tosses his jacket onto a chair, unbuttons his shirt, rolls up his sleeves, and walks over to turn on the floor lamp. The room is dimly lit, and a large wedding photo of the two of them hangs in the living room. Sunjae smiles and turns toward the couch, where he sees Sol lying on it, sleeping.

Sunjae   (Smiles and talks to himself in a low voice) When did she come without me knowing?

Sunjae walks over to Sol with a grin on his face and sits down next to the couch. He finds a cake and a gift on the table, smiles, and then looks at Sol again.

Sunjae   (Speaks in a low, sweet voice) You came to surprise me, but fell asleep like this? (Sol doesn't wake up) You must be very tired.

Sunjae puts the blanket back over Sol and catches sight of her ankle. The smile fades from his face.

〈Sunjae's flashback〉 *The scene of Sunjae putting an umbrella over Sol in her wheelchair on the Han River bridge.

Sunjae's heart aches at the flashback.
He strokes Sol's ankle softly, then slowly bends his head down and kisses near her ankle bone. As he lifts himself up and looks at her face, a sense of happiness warms his heart. He gently picks her up and carries her towards the bedroom.

S/8   Bedroom, Newlywed's home (N)

Sunjae carefully lays Sol down on the bed, lies down next to her, and stares at her.
Just then, her eyelashes flutter. Sunjae sees this and seems to realize something.

Sunjae   (Softly) I know you're not sleeping.
Sol   ......
Sunjae   (Playfully) I know you're awake.
Sol   ...... (Keeps her eyes closed and pretends to sleep)
Sunjae   (Knowing she's awake) Hmmm. Are you sure you're not awake?
Sol   (Holds back a laugh with her eyes and mouth tightly closed)
Sunjae   (Smiles, then suddenly lifts himself up and kisses Sol on the

	cheeks and forehead)
Sol	(Wakes up) Okay, I'll wake up. I'm up. Are you happy now? (Laughs)
Sunjae	(Pulls Sol into his arms, lays back down, and looks at her face) You said the shoot is until the day after tomorrow.
Sol	I rescheduled it a long time ago. How could I leave you alone on your birthday?
Sunjae	When did you come?
Sol	About three hours ago? The shoot had a slight delay, and I almost missed my flight. I sprinted.
Sunjae	(Listens to her and sweeps her hair) That must've been hard. Why did you not call me? I wish I'd picked you up at the airport to see you three hours earlier.
Sol	How could I call you when I purposely kept my shooting schedule secret? (Pouts and says cheerlessly) I ended up falling asleep. I wanted to surprise you.
Sunjae	You surprised me. My heart skipped a beat when I saw you.
Sol	(Playfully punches him in his chest) But what time is it?! Let's have a party before 12:00. I bought a cake... (Tries to get up)
Sunjae	(Pulls Sol back into his arms) Let's stay like this for a minute.
Sol	....? (Giggles, then hugs him tightly) I guess you missed me a lot?
Sunjae	So badly. (Smiles gently and strokes her hair)
Sol	(Playfully) How will you survive without me?
Sunjae	(Pauses) ...Don't say scary things like that, Sol, okay?
Sol	(Notices his uncharacteristic mood and pats his face) ...Did something happen?
Sunjae	(Smiles) Nothing.
Sol	(Notices something and pats his face) You can tell me.
Sunjae	I had a dream last night...
Sol	Dream? What dream?

⟨Sunjae's dream⟩

#1. Bus (N) *A dream version of the bus scene in episode 7

A blurry and dreamy scene.

Nineteen-year-old Sunjae is smiling at nineteen-year-old Sol, who is dozing off.

"She's always drowsing." Just then, the bus stops.

Sunjae   Huh? We're supposed to get off. (Hesitates for a moment, then musters up the courage to gently shake Sol's shoulder with his fingertips to wake her up) Hey... (Shakes her shoulder a little harder and raises his voice) Hey..!

Sol(19yo) (Jumps to her feet) Huh...Huh?!!

Sunjae   We need to get off now.

Sol(19yo) What? (Checks out the window) Oh no!!! (Gets off the bus in surprise)

Sunjae   (Flustered) Huh?! (Gets off the buss in a hurry)

#2. Bus stop (N)

After Sunjae gets off the bus, Sol suddenly steps toward him. Sunjae freezes.

Sol(19yo) Thank you for waking me up! Nothing wakes me up when I'm asleep. I could've gone to the last stop.

Sunjae   (OFF) Say something. Say something. Are you stupid? Why can't you talk? (Too nervous and freezes, no words coming out of his mouth)

Sol(19yo) (Slightly embarrassed by Sunjae's stiff expression) Well... I'll get going! (Leaves)

Sunjae   What am I doing... (Shakes his head, kicks himself for not saying anything, as raindrops begin to fall) Huh?!! (Happy for the rain)

Sol(19yo) (Surprised by the rain) What? I don't have an umbrella! (Covers her head with her hands and starts to run)

Sunjae hurriedly pulls a folding umbrella out of his bag, unfolds it, and runs toward Sol.
Sunjae runs to Sol and puts the umbrella over her head. Sol looks up at Sunjae, and her heart flutters slightly.

Sunjae Well... (Musters up his courage) We're headed in the same direction! Let's go together.

Sol(19yo) How do you know...

Sunjae I live across to you! I saw you around the neighborhood. (Nervous)

Sol(19yo) (Amazed) Really? Why didn't I know that?

Sunjae Well. (Clears his throat) Shall we go?

Sol(19yo) Great! I don't have an umbrella. Thanks. (Starts to walk)

Sunjae Anytime... (Hides his smile as he's excited to walk with her under one umbrella)

Sol(19yo) (Walking) When did Mr. Bae move out? When did you move in?

Sunjae ......Spring. I moved here in the spring.

Sol(19yo) Spring... (Nods her head) It's been a while. So when did you first see me? (Begins to babble)

Sunjae tilts the umbrella more towards Sol. They walk away, talking.

#Back to reality

Sunjae (Done talking about his dream)

Sol   (Smiles as if she's envisioning his dream in her head) You're telling me you had that cute dream alone?

Sunjae (Smiles) You were pretty even in my dream.

Sol	(Laughs)
Sunjae	(Thinks for a moment) ...What if I had woken you up then, like I did in my dream? Would it have hurt us less?
Sol	(Puts her ear to Sunjae's chest and listens to his heartbeat) Sunjae, I value all the hard times we've experienced. They have given us more memories than others, don't you think so?
Sunjae	You're right (Heart warmed, he smiles again) They've given me so much more time to love you. (Playfully) How many years does that add up to? It's unfair, now that I think about it. I was in unrequited love for so long. (Touches the tip of Sol's nose gently) Such a bad girl. (Touches her nose again) You made me suffer about you too much. (Touches her nose again) You are too pretty.
Sol	Am I? (Smiles)
Sunjae	(Pulls Sol into his arms) Can I be this happy?
Sol	(Laughs) I can't breathe.
Sunjae	(Looks into her eyes, surprised) What?
Sol	(Smiles) I mean, I'm breathtakingly happy.
Sunjae	(Leans in to kiss her)
Sol	(Was about to close her eyes but suddenly gets up) Hold on!!
Sunjae	Why?
Sol	(Checks the time and it's 11:50pm) It's almost 12 o'clock! (Gets up) We're going to miss your birthday! Come on out!! (Runs to the living room)
Sunjae	(Cheerlessly) Can I get my present first? (Sol's already out in the living room)

S/9   Living room, Newlywed's home (N)

They are sitting across from each other at a dining table set up for a birthday party with wine, gifts, and a cake. The cake is lit with candles and Sol is clapping and singing 'Happy Birthday'. Sunjae looks at Sol, smiling happily.

Sol (Clapping at the end of the song) Happy Birthday! (Sunjae remains still) What are you doing? Make a wish, and blow out the candles.

Sunjae A wish? I don't have one. I want nothing more in this life.

Sol (Smiles as if she knows) Still, say something before the candles melt.

Sunjae (Smiles and makes a wish to himself) .... (Opens his eyes and blows the candles)

Sol Happy Birthday! (Claps)

Sunjae (With a lot of love) Thank you so much.

Sol (Genuinely) Thank you for being with me.

Sunjae (Gently pats Sol's face) I love you.

Sol I love you too. (Smiles) What wish did you make?

Sunjae Hmm... It's a secret.

Sol, "I want to know." Sunjae, "Told you, it's a secret." Sol, "That makes me more curious."

They keep talking under warm lighting. The camera moves further away.

This night will be remembered as an ordinary but happy day among the countless times they will spend together. This moment will eventually pass, but the memories of this day will permeate their souls and stay with them forever. Outside the window, the stars are shining brightly in the dark sky.

S/10   Han River park (D)

(Subtitles) July 22, 2009

It's a normal day in 2009, Sol and Sunjae don't know each other as she changed the past to avoid Sunjae. A total solar eclipse is slowly progressing in the sky. People are taking pictures of it with their cameras and phones.

Sol and Hyunjoo, both 20 years old, stand in the middle of the crowd, watching the total solar eclipse. Sol takes her camera out and captures the total solar eclipse.

S/11   Radio booth + Han River park (D)

Eclipse members are sitting in a radio booth as guests. The recognition test, "Ask Me Anything," is underway, and Inhyuk tried first but failed.

DJ   So let's move on to the second person. How about you, Sunjae?

Sunjae   (Nervous) Ah, yes. But can I really just dial any number?

DJ   (Laughs) Of course. It's a random call. You shouldn't call your family because you want to succeed. Got it?

Sunjae picks up the phone and starts dialing random numbers off the top of his head.

#Han River park + Radio booth

20-year-old Sol is sitting on a bench, looking at the photos she took.

As her phone rings, she puts the camera into the bag and takes her phone out.

Sol(20yo) (Tilts her head at a unknown number) Hello?

Sunjae(E) Hello!

Sol(20yo) Who is this?

Sunjae Oh, I'm Ryu Sunjae from the rookie group Eclipse! Do you know Eclipse?

Was Sunjae dialing a number from his subconscious mind or following his soul? He connected with Sol on the phone. Just like destiny!

Sol(20yo) (Surprised) Eclipse?! That Eclipse?! Of course I know! Are you really Ryu Sunjae?

Eclipse (Excited) !!

Sunjae (Happily) Yes! I'm Ryu Sunjae.

Sol(20yo) (Screams and gets up) What in the world!! Really? Is this real?

Sunjae Yes. We're live on a radio show ⟨Ten-Ten friend⟩ right now, and we're giving away prizes for guessing our debut song. Can you guess the title of our debut song?

Sol(20yo) (Jumps up and down with excitement) It's Run-Run!! I listen to the song everyday!!

DJ Yes! That's right! The challenge succeeded!

Sunjae Wow...! (Smiles) Thank you!!

Sunjae and other Eclipse members are clapping and cheering inside the booth.
DJ, "We'll send you a gift for answering the question correctly!"
Sol, "Whoa! Really? What's the gift?"
Sunjae is listening to Sol's voice over the speaker. (A line from episode 16, scene 12)

Sunjae(E) But now that I think about it, I don't think I forgot you. I never forgot you. I may have lost all memories of you, but my heart remembered.

Hyunjoo is calling out "Sol! Im Sol!" holding two ice creams in her hands. At the same time, the DJ says "Let's take a break and listen to a song. It's Eclipse's debut song. Run-Run."
Sol runs toward Hyunjoo, and Eclipse's song plays.
M. Eclipse 'Run Run' (F.O)

❤ It must have been challenging to structure the story in such a way that every Sol's time slip seemed plausible. There must have been pressure to balance the main characters' teenage, 20s, and 30s. Why did you decide to write the story the way you did?

As a time slip story where one of the main characters travels back and forth between the past and present several times, it was inevitable that the story would flow in a repetitive pattern. To maintain variety, I introduced an incident in the middle where Sol prevents her own accident. For the second time slip, I shifted the setting to a university to break the repetitive structure. Additionally, I aimed to explore stories about school and campus life in the 2000s. Writing about high school and university students was enjoyable as they have unique memories of that time.

I also find it sad that in romances, we usually only get to see one chapter of the main characters' love story. Taking advantage of the time slip setting, I wanted to depict Sol and Sunjae loving each other beautifully in their teenage, 20s, and 30s.

❤ Is there a reason why Sunjae is a swimmer? Many have speculated that Sol symbolizes the sun and Sunjae symbolizes water. Could that have something to do with it?

I chose to make Sunjae a swimmer because I wanted to intertwine the narrative of Sunjae saving Sol from the reservoir with the story of Park Taehwan.

In the script, Sol travels back and forth in time in the black water, which connects to the reservoir, an important space in their narrative. If Sunjae were not a swimmer, it would have been difficult for him to dive into such a deep reservoir and save the injured girl.

Upon establishing Sunjae as a swimmer, water-related imagery naturally emerged in the process of writing his narratives. For example, I wondered if he would hate rain because he has to train in the water all day. What if it suddenly rains when he falls in love? Isn't the feeling of going from hating something to loving it in an instant the beginning of first love? All sorts of thoughts were running through my head. Blue water and blue seas... So when I imagined Sunjae's house, I naturally thought of the blue gate, like the scene where he falls in love with Sol in front of the blue gate. I think I wrote "blue gate house" and "Sunjae in a blue sweatshirt" in the script without realizing it.

During the conceptualization of the character Sol, I wrote down words like 'warm as the sun' and 'bright smile' in a notepad to outline her traits. I thought she might like the color yellow because she is bright like sunshine. Thus, I wrote, "Sol runs toward Sunjae with a yellow umbrella" when Sunjae first falls for Sol. Sunjae in his "blue sweatshirt" standing in front of the "blue gate" falls for Sol, who runs up to him with a "yellow umbrella". Sol was like sunshine to me, and many people thought of her as the sun. I wonder if I connected with the viewers?

♥   Let's talk about the eclipse. The name of Sunjae and

Inhyuk's band is Eclipse, and the drama starts with a scene of a total solar eclipse on July 22, 2009. Additionally, in 1990, the year Sunjae and Sol were born, there was also a partial solar eclipse on July 22. Why was the eclipse chosen as an important symbol, and was it intentional to align Sunjae and Sol's birth year with it?

As I was constructing the story, I looked up issues of the time and discovered that the largest total solar eclipse in 61 years took place in 2009. Recalling my memory, I remembered going to Han River Park to watch the eclipse and all the mixed feelings I had at the time.

At that moment, I thought about what it would be like for Sol to see the total solar eclipse while lying in the rehab hospital room. 'A small moon swallows a giant sun...' For me, an eclipse feels like a miracle. As I gazed at images capturing the total solar eclipse, I visualized a diminutive moon embracing the colossal sun.

So I made the total solar eclipse an important factor. I wanted that day to be a miracle for Sol. Like the miracle that came after 61 years. After Sol sees the total solar eclipse through the window, she accidentally (or rather, inevitably, due to Sunjae's will) gets connected on the phone with Sunjae. Sunjae's words of comfort on the day she wanted to die gave her the strength to live again. It can be seen as a miraculous intervention in Sol's life, transforming Sunjae into the guiding light that overshadowed Sol's darkness on that fateful day.

I did not intentionally choose 1990 as the year Sol and Sunjae were born, but it's interesting that there was a partial solar eclipse that year! I was very surprised to read that there was a partial solar eclipse on the day of the first broadcast of the drama. Isn't this just like destiny?

♥ There have been numerous opinions and speculations regarding Sol's time travel, with the prevailing assumption suggesting that her memories are not erased but rather overwritten, akin to a videotape recorder. This assumption gained credibility with the statement from Sol's grandmother, "Memories don't fade, but linger in your soul".

From the very beginning, I envisioned one single timeline in the world of this drama. Whenever Sol travels to the past, present time stops, and only her soul travels back. I was surprised to see an interpretation in the YouTube comments suggesting that Sol's memories are overwritten like a videotape recorder. I found it to be an apt metaphor because videotape is also a long stretch of film. It was similar to the setting I had in mind, where memories are overwritten by new memories on a single timeline.

I didn't intentionally set up Sol's house as a video rental store. I just wanted to give the drama an analog feel. In episode 11, at Sol's video rental store, when Sunjae was dating Sol, he said, "Can we go back a minute?" along with the phrase "rewind," which was a reference to Sunjae's desperate desire to rewind time because he was sad that his time with Sol was flying by. And yes, I wrote that line thinking about a videotape recorder. I was surprised to see the videotape interpretation in the comments. You read my mind!

♥ Is there a specific reason behind Sunjae's watch serving as Sol's time machine? Did Sunjae's feelings of guilt, stemming from his belief that he was responsible for

Sol losing her ability to walk, have initiated Sol's time slip? Did Sol's intense desire to revive Sunjae triggered her time slip? Kindly provide insights into the mechanics of Sol's time slip.

The concept of using the watch to reverse time originated from a sense of hope and longing.

A strong desire to rescue someone, even at the potential cost of one's own life... I believed that if a higher power, such as God, existed in this world, they would have compassion and grant the person the ability to manipulate time.

Sunjae's watch is the one he wore 15 years ago when he rescued Sol from drowning. Sunjae must have swum toward the sinking Sol with a sore shoulder, hoping she wouldn't die. He hadn't swum since his shoulder surgery, and he was desperate to save Sol. When Sunjae was searching for Sol in the dark reservoir, his watch flickered and lit up. I think the watch had magical powers at that moment, stemming from Sunjae's fervent wish.

Then in 2009, on the day of the eclipse, Sunjae calls Sol, and his words comfort her and give her the will to live again. This event marks the beginning of Sol's admiration for Sunjae, leading her to purchase his watch. This pivotal moment solidifies their bond, explaining why Sol, and only she, possesses the ability to journey through time using Sunjae's watch, as its ability stems from Sunjae's wish to rescue Sol.

I pondered Sol's emotional state upon encountering Sunjae's obituary, the man who gave her the will to live. Sol would have willingly sacrificed herself to rescue him, mirroring Sunjae's fervent efforts to save her 15 years prior.

The catalyst for a time slip is desire, whether it is a yearning to rescue someone, reverse a regrettable event, or reclaim a lost memory.

The same principle enabled Sunjae to travel back in time upon his death in episode 13. I believe Sunjae would have wished for Sol's safety and happiness even when he was dying. He must have drowned in the ocean, wishing he could go back to that time of love and happiness with Sol forever. Sunjae's longing was transmitted to the watch at the moment of his death, miraculously giving him a chance to go back in time.

♥ Malja(Sol's grandmother) has moved many viewers to tears. As Sunjae walks outside after Jaeah's first birthday party, she tells him, "Smile and live happily ever after." In this scene, Byeon Wooseok shed a genuine tear (although it wasn't in the script), touching many viewers. Malja provided comfort throughout the drama. What significance did she hold for you? Also, could you explain why she had Sunjae's watch in the last episode and why the clock was stuck at 0:00:00 instead of 2:00:00?

She could potentially represent a divine entity or serve as a reflection of my own self as the writer. I did not want to be too specific. My intention was to create a character reminiscent of a fairy tale figure, while also ensuring she maintained a sense of realism by not appearing overly fantastical.

I believed that even though she was just an ordinary elderly woman with dementia, she could say something that could deeply resonate with someone. Memories linger in our souls, so even if they fade away, they will resurface one day. Many of Malja's lines indirectly conveyed what I wanted to say to Sol and to the viewers.

I will leave it to your imagination as to why the watch was stuck at 0:00:00. You can assume that Sol has done extra time travels after going back to 2008 from 2009. Initially, I contemplated writing about Sol's fourth time slip but decided against it because I realized that Sol could have only one goal: to ensure that Sunjae doesn't fall in love with her. I thought that showing just that one scene of Sol not putting her umbrella on Sunjae would convey Sol's feelings to the audience. As a writer, whenever I feel the urge to show more scenes, I go through the script from the start. When I reread the script, I realized that it was more about Sol and Sunjae's love story than stories of time slip. Therefore, I decided it was better not to write about additional time slip.

In the final episode, Malja discards the watch, frozen at 0:00:00, into the water. This scene was incorporated to illustrate visually that Sol had been repeatedly going back to the past to rescue Sunjae. With Sunjae saved and Youngsoo deceased, the necessity for her to continue these time-travel journeys ceases.

♥ As Sol traveled back and forth in time, there were many repeated or similar scenes. Which scene were you most excited about, and which one was your favorite?

The drama's first half follows Sol as she searches for her lost memories of Sunjae, while the second half focuses on Sunjae recovering his lost memories of Sol. Sunjae and Sol's emotions and narrative are similar, so I intentionally created more similar scenes to visually depict that, with my favorite being the Han River bridge scene.

In episode 1, only Sunjae has memories of Sol, and I felt sorry for him when he put an umbrella over her, who did not know of his existence. In episode 7, Sol puts an umbrella over Sunjae after realizing he had a crush on her and had saved her life. I wrote this scene with the intention of depicting Sol comforting Sunjae of episode 1. It was a personal favorite of mine.

And I was happy writing the cherry blossom scenes. At the age of 20, Sunjae and Sol wished each other happiness on a chilly night while looking at cherry blossoms. However, by the end of the drama, they were under the bright sunshine, envisioning a future together. I liked how the sad, sorrowful scene was connected to the warm, happy scene.

I am fond of both scenes especially because of the way they were directed.

💜　　Opinions are divided about Sunjae's first death. Some believe he committed suicide due to depression, while others suspect that Youngsoo murdered him. Can you reveal the truth?

Sunjae's first death was not a suicide. The script originally contained scenes portraying the autopsy and police inquiry, which were ultimately omitted from the broadcast.

I believe that if all of those scenes had been aired, it would have made it too obvious that it was a murder. This could have led to viewer frustration as they witnessed Sol repeatedly going back to the past, under the mistaken belief that Sunjae had taken his own life.

The beginning of episode 9 solves the mystery. Wearing the same outfit as in episode 1, Sunjae stands on the terrace of his hotel suite and gets into a fight with Youngsoo, who has stolen the master key and broken into the room. The only difference is whether Sunjae has drunk alcohol and taken depression medication.

I deliberately recreated the identical situation and used identical directing to enable viewers to deduce what happened in episode 1. Later, Sol says, "Sunjae died because of me," and I believed this line would further clarify the situation.

I saw a comment suggesting that Sunjae was unable to resist in episode 1 due to medication intake, whereas in episode 8, he was able to fight back because he had not taken his medication. Yes! That's right! That's the answer!

♥ When Sol first went back to the past, Sol liked Sunjae as a fan. When did Sol first fall for Sunjae?

I think it's around the end of episode 4.

From episode 1 to episode 4, Sol considers Sunjae her star. But at the end of episode 4, Sol remembers that it was Sunjae who saved her 15 years ago. Sunjae was not some unreachable, distant being, but the boy residing next door, sharing the same air and having saved her life.

After Sol recovers her memories, Sunjae teaches her how to ride a bike, they study together in the reading room, watch the Olympics together, and spend happy times together. I think Sol's feelings for Sunjae gradually turned into love as they spent more time together.

♥ The character who has undergone the most growth appears to be Taesung throughout Sol's time slip. Why did you create Taesung, who did not exist in the original, and why did Sol maintain a relationship with Taesung while severing all connections with Sunjae?

I thought the introduction of Taesung would bring a lot of excitement to the story. Sol is a big fan of Sunjae in the present, but when she goes back in time, Taesung is there. I thought this ironic love triangle would generate numerous captivating narratives.

However, I did not want to give him the role of just being the secondary male lead and having a crush on the female lead. Therefore, I crafted a narrative for Taesung that intertwines with Youngsoo's case. Also, I thought it would be interesting if Taesung's father was in charge of the case. Linking Taesung's story to Sunjae and Sol's narrative also enriched the depth of Taesung's character.

Sol has maintained her friendship with Taesung to protect Sunjae's life. She chose to walk away, leaving Sun-jae in the rain with the package, without putting an umbrella over him. It was likely the only option for Sol. However, Sunjae's safety was not guaranteed as long as Youngsoo was alive. Detective Kim, Taesung's father, trusted Sol's testimony, and she knew he would pursue Youngsoo as a detective. This is why she kept her connection with Detective Kim and Taesung.

And Taesung is important in Sol's life as well. I am sure she would have given him advice like a big sister to ensure he does not go astray. Although it was not broadcasted, Sol did not prevent only Sunjae's death. She also stopped Youngsoo's first murder in episode 5. To save the victim, Sol asked Detective Kim to go to the reservoir where the murder was going to take place. This event marked the beginning of a closer friendship between Sol and Taesung, and it also initiated Sol's relationship with Detective Kim.

I imagined Sol writing a letter to her past self before returning to the present, addressing the time slip, her friendship with Taesung, and other relevant topics to avoid confusion for her past self. If I had the opportunity to write a more extensive version, I would have included a scene where Sol writes the letter. Nonetheless, I am content with the aired version as it effectively highlights Sol's unwavering focus on Sunjae.

♥ Sunjae and Sol have different memories of their first kiss. Sunjae recalls it happening at the pool in high school, while Sol remembers it taking place in front of the door in their 30s. The kiss they shared as university students remains only in Sunjae's memory. Will they ever talk about it?

Sunjae won't tell Sol about the kiss at the pool because what Sol said at the pool was likely influenced by her perception of Sun-jae as a celebrity. However, Sunjae's decision to kiss her was based on his belief that she liked him. Sunjae comes to the realization that there was a misunderstanding in episode 4. However, it is unlikely that he will disclose this to Sol. Because of his caring nature, he would think he had made a mistake without realizing what was going on inside her mind.

However, since it is an interesting question, let me imagine if I were to write a scene like that. It could be a night where Sol has had a few drinks and is a little tipsy. I think Sun-jae will be very embarrassed if Sol remembers it first. He will try to play it off, but if Sol keeps pressing him, he will end up telling the truth. Just like when he was caught with ⟨Basic Instinct⟩ video!

Sunjae (Sweeps her hair and smiles) Tipsy?

Sol No~ I'm sober. I can drink quite a lot~

Sunjae (Smiles and pokes her cheeks) You cute thing.

Sol I am really sober... (Suddenly remembers the day at the pool when Sunjae confessed and kissed her) Uh...? (Memory becomes clearer) Uh! Uh!!!

Sunjae (Confused) Huh?

Sol Sunjae! Do you remember the day we listened to music at the pool together? The day I got drunk?

Sunjae What about that day?

Sol Did we kiss that day...?

Sunjae (Flustered) Uh...?

Sol Did we kiss that day? I feel like I just remembered...

Sunjae (Pretends to yawn) I am so sleepy all of a sudden.

Sol I remembered everything. Why are you trying to change the subject? Huh? I can tell by the look on your face.

Sunjae (Pauses) ....Well...

Sol (Surprised by his reaction) Did we really?! (With assurance) So that was my first kiss?! (Covers her mouth)

Sunjae ......Sorry. You were so pretty that day, I couldn't help myself.

♥ Sol mentions a few times that Sunjae likes snow, yet the specific reasons behind this undisclosed. Could you please tell us why Sunjae likes snow?

In episode 1, Sunjae secretly liked Sol and felt guilty despite having saved her life. Sunjae may have felt bad for even missing Sol because he believed he did not deserve her.

But, wouldn't it have been natural for him to think of Sol running towards him with a yellow umbrella on rainy days? It must have been unavoidable for him, just like we cannot stop the rain from falling. Knowing that it was inevitable, Sunjae decided to allow himself to miss Sol on rainy days.

However, winter is especially lonely and cold for Sunjae because it does not rain a lot. Consequently, he waited for snowy days. It is not that he liked snowy days, but that he liked days that reminded him of Sol.

♥ Lastly could you say something to <Lovely Runner> fans?

I was touched by the very detailed questions you all sent me. I could feel how much you love ⟨Lovely Runner⟩. I was pleased to have the opportunity to share stories that were not included in the script. The love and support I received from you will forever linger in my soul, and I will never forget it.

Thank you for your love of ⟨Lovely Runner⟩.

Actor Byeon Wooseok / Role of Ryu Sunjae

♥   I heard that you were eager to play Sunjae, as you kept contacting your company to see how things were going. What drew you to the role of Sunjae, and how did you feel when you first read the script?

Yeah. When I first read the script, I was like, "This is it!" I remember constantly checking in with the company to see how things were going. Unlike other romances, ⟨Lovely Runner⟩ has the added twist of time slip. I thought that the emotional connections between the main characters and the narrative, set in a time slip genre, were excellent, and I loved the way they were portrayed. Also, there were many different facets to Sunjae's character that he revealed from his teenage years to his 30s, which was truly intriguing to me.

♥   Could you kindly elaborate on what you focused on when playing Sunjae in his teens, 20s, and 30s? Also, please share which age of Sunjae and Sol you felt the most affection for.

I focused on expressing his innocence in his teens, his youth in his 20s, and his maturity in his 30s. I had detailed discussions with the director and the writer on how to depict Sunjae at different ages.

 I felt affection for every minute of their love for each other, regardless of their ages. However, if I had to choose one from Sunjae's point of view, it would be the moment of confirming each other's sincerity after his belated recollection.

♥ Including different ages, you portrayed various roles such as a high school student, a swimmer, a university student, an idol, and an actor. What were the most enjoyable and challenging moments?

⟨Lovely Runner⟩ allowed me to showcase various aspects. In particular, it is uncommon for actors to have the opportunity to perform on stage. It was very interesting to experience the process of preparing for the stage and feel its significance, both in a direct and indirect manner. And I think many people enjoyed seeing me performing on stage too.

 It is difficult to pinpoint a single most challenging moment as the shoot presented a series of new challenges. However, it became a great driving force in my life, prompting introspection and diligent effort in tackling the challenges. I have experienced significant growth and development both as an actor and as an individual.

♥ Sunjae and Sol had contrasting views on a happy ending during their conversation about Sol's scenario. What is your personal interpretation of a happy ending?

 I believe that prioritizing gradual personal and professional growth, as well as safeguarding the well-being of my loved ones, is more significant than pursuing lofty ambitions or accomplishments. Becoming a person worthy of lifelong companionship, both in my career and personal life, will lead to a fulfilling conclusion to my life.

Actor Kim Hyeyoon / Role of Im Sol

♥   Could you kindly elaborate what you focused on when playing Sol in her teens, 20s, and 30s? And, please share which age of Sol and Sunjae you felt the most affection for.

Sol's age kept changing, yet she consistently remained in her 30s. Consequently, I made it a priority to preserve the essence of Sol in her 30s, regardless of any changes in her situation. I tried to make many changes, not only in my appearance but also in the way I spoke, practicing a kind of language that teenagers wouldn't use.

Seeing the props reminded me of my school days, helping me get into character. It was a challenging role, but a great experience.

The most poignant moment for me was when Sol realized that each of Sunjae's deaths was a choice to save her life.

♥   You had to cry a lot throughout the drama. What was the most memorable scene in which Sol cried?

I am not usually prone to emotional reactions, but the situation that Sol was experiencing led me to tears.

The scene where Sol was lying with Sunjae and saying, "If I suddenly disappear tomorrow, or even today, don't be too sad," was particularly moving to me. It was probably the day I cried the most. It was hard to stop crying while filming the scene because I had a lot of mixed feelings about what Sol was going through and had to put those emotions into words.

💜   Sol and Sunjae had contrasting views on a happy ending during their conversation about Sol's scenario. What is your personal interpretation of a happy ending?

It is being able to share a little happiness with my loved ones every day. I believe that the consistency of such experiences will lead to a happy ending in my life.

💜   Sol had to suppress many feelings on her own. If you, who likely know Sol best, could say something to her, what would you like to say to her?

I want Sol to be happy more than anything because she has been through a lot and had to endure it all alone.

"Sol, you're the kind of friend who can protect dreams and love, and can accomplish anything if you set your mind to it. I wish you a life full of goodness and happy moments with Sunjae. I've learned a lot from playing you. Thank you so much."